NEW
서울대 선정
인문고전
60선

55
존 롤스 정의론

NEW 서울대 선정 인문 고전 55

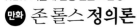

만화 존 롤스 정의론

개정 1판 1쇄 발행 | 2019. 8. 21
개정 1판 2쇄 발행 | 2021. 9. 27

김면수 글 | 남기영 그림 | 손영운 기획

발행처 김영사 | 발행인 고세규
등록번호 제 406-2003-036호 | 등록일자 1979. 5. 17.
주소 경기도 파주시 문발로 197 (우10881)
전화 마케팅부 031-955-3100 | 편집부 031-955-3113~20 | 팩스 031-955-3111

값은 표지에 있습니다.
ISBN 978-89-349-9480-0
ISBN 978-89-349-9425-1(세트)

좋은 독자가 좋은 책을 만듭니다. 김영사는 독자 여러분의 의견에 항상 귀 기울이고 있습니다.
전자우편 book@gimmyoung.com | 홈페이지 www.gimmyoungjr.com

이 도서의 국립중앙도서관 출판예정도서목록(CIP)은 서지정보유통지원시스템 홈페이지(http://seoji.nl.go.kr)와
국가자료종합목록시스템(http://www.nl.go.kr/kolisnet)에서 이용하실 수 있습니다. (CIP제어번호 : CIP2018043086)

어린이제품 안전특별법에 의한 표시사항

제품명 도서 제조년월일 2021년 9월 27일 제조사명 김영사 주소 10881 경기도 파주시 문발로 197
전화번호 031-955-3100 제조국명 대한민국 ⚠주의 책 모서리에 찍히거나 책장에 베이지 않게 조심하세요.

미래의 글로벌 리더들이 꼭 읽어야 할 인문고전을 만화로 만나다

NEW 서울대 선정 인문고전 60선

55

존 롤스 정의론

김면수 글 · 남기영 그림

공동체

주니어김영사

〈NEW 서울대 선정 인문고전60〉이 국민 만화책이 되기를 바라며

제가 대여섯 살 때 동네 골목 어귀에 어린이들에게 만화책을 빌려주는 좌판 만화 대여소가 있었습니다. 땅바닥에 두터운 검정 비닐을 깔고 그 위에 아이들이 좋아하는 만화책을 늘어놓았는데, 1원을 내면 낡은 만화책 한 권을 빌릴 수 있었지요. 저는 그곳에서 만화책을 보면서 한글을 깨쳤고 책과의 인연을 맺었습니다.

초등학교 때는 용돈을 아껴서 책을 사서 읽었고, 중학교 때는 학교 도서 반장을 맡아 도서관에서 매일 밤 10시까지 있으면서 참 많은 책을 읽었습니다. 그 무렵 헤밍웨이의 《노인과 바다》를 손에 땀을 쥐며 읽으면서 인생에 대해 고민했고, 헤르만 헤세의 《수레바퀴 아래서》를 읽으며 사춘기의 심란한 마음을 달랬습니다. 김래성의 《청춘 극장》을 밤새워 읽는 바람에 다음 날 치르는 중간고사를 망치기도 했습니다.

당시 저의 꿈은 아주 큰 도서관을 운영하는 사람이 되어 온종일 책을 보면서 책을 쓰는 작가가 되는 것이었습니다. 나이가 들고 어느 정도 바라는 꿈을 이루었습니다. 큰 도서관은 아니지만 적당한 크기의 서점을 운영하고, 글을 쓰는 작가가 되었거든요. 저는 여기에 새로운 꿈을 하나 더 보탰습니다. 그것은 즐거운 마음과 힘찬 꿈을 가지게 해 주고, 나아가 자기 성찰을 도와주는 좋은 만화책을 만드는 일이었습니다. 이렇게 해서 만든 책이 바로 〈서울대 선정 인문고전〉입니다. 서울대학교 교수님들이 신입생과 청소년들이 꼭 읽어야 할 책으로 추천한 도서들 중에서 따로 60권을 골라 만화로 만든 것입니다. 인류 지성사의 금자탑이라고 할 수 있는 고전을 보기 편하고 이해하기 쉽도록 만화책으로 만드는 일은 쉬운 일은 아니었습니다. 약 4년 동안에 수십 명의 학교 선생님들과 전공 학자들이 원서의 내용을 정확하게 전달할 수 있도록 밑글을 쓰고, 수십 명의 만화가들이 고민에 고민을 거듭하면서 만화를 그려 60권의 책을 만들었습니다.

〈서울대 선정 인문고전〉이 완간되었을 무렵에 우리나라에 인문학 읽기 열풍이 불기 시작했습니다. 〈서울대 선정 인문고전〉은 인문학 열풍을 널리 퍼뜨리는 데 한몫을 하면서 독자들의 뜨거운 사랑과 관심을 받았습니다. 덕분에 지금까지 수백만 권이 팔리는 베스트셀러가 되었습니다. 그 사랑에 조금이나마 보답을 하기 위해 《칸트의 실천이성 비판》, 《미셸 푸코의 지식의 고고학》, 《이이의 성학집요》 등 우리가 꼭 읽어야 할 동서양의 고전 10권을 추가하여 만화로 만들었습니다.

〈서울대 선정 인문고전〉은 어린이와 청소년이 부모님과 함께 봐도 좋을 만화책입니다. 국민 배우, 국민 가수가 있듯이 〈서울대 선정 인문고전〉이 '국민 만화책'이 되길 큰마음으로 바랍니다.

손영운

| 글 작가 머리말 |

정의로운 사회를 구현하기 위한 존 롤스의 도전

우리는 모두 정의로운 사회에서 살기를 바랍니다. 그러나 무엇이 정의인지에 대해서는 사람마다 제각각 그 생각이 다릅니다. 플라톤의 《국가》에서 소크라테스는 사람들에게 정의가 무엇이냐고 묻습니다. 평소 소크라테스를 싫어하던 트라시마코스는 정의를 강자의 이익에 따라 결정되는 것이라고 호기롭게 말하지요. 《국가》는 사실 트라시마코스의 정의론에 대한 소크라테스의 반박으로 이루어져 있다고 봐도 무방합니다. 그리고 트라시마코스는 위대한 소크라테스에게 괜히 잘난 척했다가 된통 망신을 당했던 사람으로 기억되고 있지요.

그러나 트라시마코스의 주장은 사실 반박하기 쉽지 않습니다. 왜냐하면 우리가 살아가면서 경험한 세상은 강자가 약자를 짓밟고, 약자의 것을 빼앗는 모습이 더 많았기 때문입니다. 부유한 사람들이 더 많은 권력을 갖게 되고, 자신들에게 더 유리하도록 분배 체계를 만들어 가고 있는 것이 우리가 사는 현실의 얼굴입니다.

이런 사회에서 사람들은 행복하게 살아갈 수 없습니다. 강자가 모든 것을 가져가는 세상에서 사람들은 더 강한 힘을 갖기 위해 경쟁할 수밖에 없고, 그 경쟁에서 승리하기 위해 수단과 방법을 가리지 않기 때문입니다. 결국 강자는 더 유리한 위치에서 자신의 입지를 다질 것이고, 약자는 불리한 상황에 처해 자신의 위치를 극복하기 더욱 어려워질 것입니다.

그러다 보면 사람들은 더 이상 희망을 갖지 않습니다. 자신의 삶에 변화의 여지가 보이지 않기 때문입니다. 자신이 공정한 대우를 받지 못한다고 느낄 때 사람은 불행해집니다. 똑같은 잘못을 저질렀는데도 누구는 용서를 받고 누구는 벌을 받는다면 벌을 받는 사람은 매우 억울하지 않을까요? 트라시마코스의 주장이 진실에 가깝다고 할지라도 그의 주장을 받아들이기 힘든 이유가 바로 여기에 있습니다. 강자가 모든 것을 지배하는 정의가 우리의 삶을 망가뜨리기 때문입니다. 또 어떤 주장

구두

이 현실에 가깝다고 해서 그 주장이 반드시 정당한 것은 아닐 테니까요.

그렇다면 정의로운 사회를 만들기 위해 우리는 어떻게 해야 할까요? 영화처럼 슈퍼 히어로가 나타나 악을 제거하고 사회의 정의를 바로잡아 준다면 걱정할 이유가 없겠지만 현실에서는 불가능한 일입니다. 물론 슈퍼 히어로가 세운 정의가 올바른 것인지도 의문이겠지요. 롤스는 정의로운 사회를 만들기 위해서는 먼저 사회 구성원들이 정의의 원칙에 합의해야 한다고 주장했습니다. 정의의 원칙이 먼저 합의되어야 그에 따라 사회 제도와 법을 만들 수 있으니까요. 롤스는 인간이 가진 이성의 힘을 믿었습니다. 그리고 그 이성의 힘에 따라 정의의 원칙을 합의하고 도출할 수 있다고 생각했습니다. 정의는 신이나 영웅이 우리에게 가져다주는 것이 아니라 우리 자신의 힘으로 만드는 것이라고 믿었던 것이지요.

정의의 원칙을 도출하는 과정은 쉽지 않습니다. 사회는 무수히 많은 입장과 생각이 부딪치고 갈등이 생겨나는 곳이기 때문입니다. 그러나 롤스는 그 불가능한 일에 평생을 바쳤습니다. 트라시마코스가 소크라테스를 비웃었듯이 오늘날 롤스를 비웃는 사람들도 있을 것입니다. 그러나 분명한 것은 소크라테스나 롤스 같은 위대한 정신들 덕분에 우리가 조금이나마 더 나은 삶을 살게 되었다는 것이지요.

김면수

| 그림 작가 머리말 |

우리 사회의 정의에 관해 깊이 고찰하는 계기가 되길

'평등'과 '정의'는 세상을 살아오는 동안 제 마음속에 타다만 장작처럼 잠재되어 있는 말들이었습니다. 그리고 여러 가지 일들을 겪으며 마음속에 바람이 불 때마다 대체 '정의란 무엇인가'라는 궁금증이 불씨처럼 되살아나곤 했습니다.

과거에는 한 번 신분이 정해지면 평생을 그 굴레에서 벗어날 수가 없었습니다. 귀족들은 귀족으로 태어나 평생을 남의 위에 군림하며 살았고, 노예는 노예로 태어나 누군가의 지배를 받다가 죽었습니다. 오늘날에도 별로 달라진 것이 없어 보입니다. 가난한 사람들은 가난을 물려받아 더욱 가난해지고, 부유한 사람들은 물려받은 부를 바탕으로 더 큰 부를 만들어 내기 때문입니다. 물론 신분 제도가 사라졌으니 겉으로는 동등한 기회가 주어지는 것처럼 보입니다. 그러나 부를 가진 사람들이 더 많은 기회와 시간을 통제할 수 있는 힘을 가지는 것은 부정할 수 없는 현실입니다. 인간의 역사 어디에도 완전한 공의와 공평은 찾을 수가 없습니다. 이러한 생각과 궁금증으로 저는 이 책의 그림을 그리게 되었습니다.

'정의'는 '사람이 지켜야 할 올바른 도리, 행위나 제도에 대한 시시비비의 판단 기준'이라는 사전적인 의미를 가지고 있습니다. 그리고 존 롤스는 정의를 '공정으로서의 정의'라고 규정했습니다. 이처럼 정의는 사회나 세상이 지켜야 할 올바른 도리입니다. 세상을 하나의 게임으로 본다면 게임에서의 페어플레이, 즉 정당한 대결이 정의에 대한 적당한 비유가 아닐까 합니다.

여러분이 생각하는 정의는 무엇인가요? 정의는 사람마다 가진 관점에 따라 다르게 정의될 수 있습니다. 그럼에도 불구하고 우리가 정의가 무엇인지에 대해 생각하고, 정의를 실현하는 데 꾸준히 관심을 가진다면 이 사회에 필요한 정의와 평등이 조금은 더 빨리 우리에게로 오지 않을까요? 그런 의미에서 존 롤스의 《정의론》을 살피는 것은 의미있는 시작이 될 것입니다. 이 책을 통해 정의가 무엇인가에 대해 살피고, 정의로운 사회를 이루기 위해 우리가 해야 할 일이 무엇인지 고찰하는 계기가 되길 바랍니다.

남기영

| 차례 |

행복

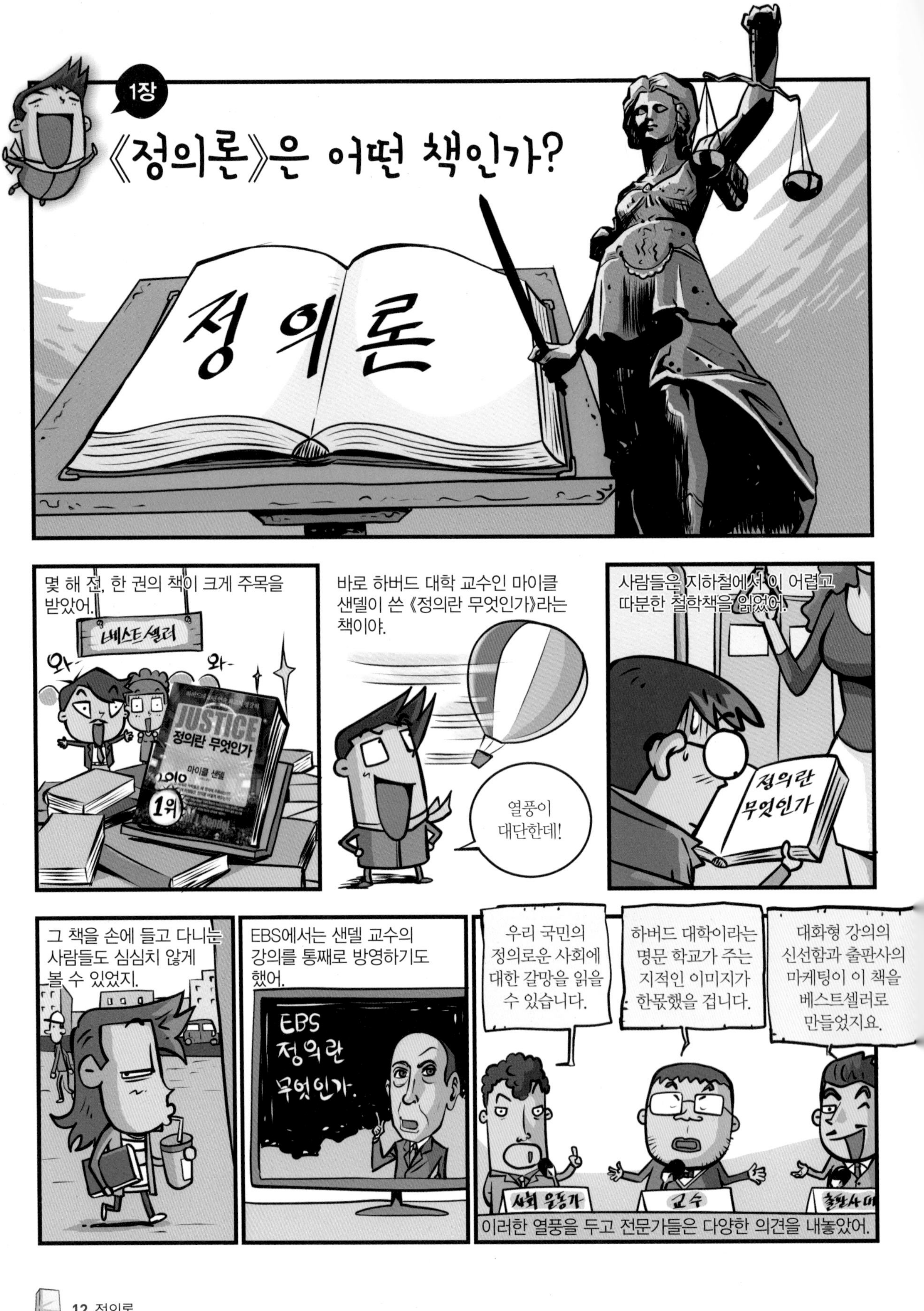

1장
《정의론》은 어떤 책인가?
정의론
몇 해 전, 한 권의 책이 크게 주목을 받았어.
베스트셀러
와~
와~
JUSTICE
정의란 무엇인가
마이클 샌델
2010
1위
바로 하버드 대학 교수인 마이클 샌델이 쓴 《정의란 무엇인가》라는 책이야.
열풍이 대단한데!
사람들은 지하철에서 이 어렵고 따분한 철학책을 읽었어.
정의란 무엇인가
그 책을 손에 들고 다니는 사람들도 심심치 않게 볼 수 있었지.
EBS에서는 샌델 교수의 강의를 통째로 방영하기도 했어.
EBS 정의란 무엇인가.
우리 국민의 정의로운 사회에 대한 갈망을 읽을 수 있습니다.
하버드 대학이라는 명문 학교가 주는 지적인 이미지가 한몫했을 겁니다.
대화형 강의의 신선함과 출판사의 마케팅이 이 책을 베스트셀러로 만들었지요.
사회 운동가
교수
출판사 대
이러한 열풍을 두고 전문가들은 다양한 의견을 내놓았어.

언제부터인가 우리나라 사람들은 '경쟁력', '자기 계발', '재테크' 같은 것들을 인생의 가장 중요한 목표로 여기기 시작했어.
경쟁력
자기계발
재테크
좀 더 직접적으로 표현하면 사람들 머릿속이 온통 돈을 향한 갈망으로 가득 차기 시작했다는 거야.
우리 사회가 이렇게 변한 데에는 1997년에 있었던 외환 위기가 결정적인 역할을 한 것 같아.
국제 통화 기금(International Monetary Fund), 즉 IMF의 구제 금융을 받으면서 우리나라는 경제 구조뿐 아니라 사람들의 가치관에도 큰 변화가 생겼어. 사람들은 '어떻게 하면 남들보다 경쟁력 있는 사람이 되어 많은 돈을 벌까?' 그리고 '번 돈을 어떻게 불려 더 큰 돈으로 만들까?' 하는 생각을 했어.
10억 만들기 재테크
영차 영차
데굴
데굴
와~
와~
10억
어른들은 아이들에게 돈이 많은 사람이 훌륭한 사람이라고 가르쳤고, 아이들은 돈에 행복이 달려 있다고 생각하게 되었지.
난 행복해!
불행해.
추워~
사회의 가치 기준이 돈에 맞춰지며 사람들은 서서히 '공정', '평등', '정의'와 같은 것들을 중요하게 여기지 않았어.
이상한 게 펄펄 내려.
공정
평등
정의
이런 소중한 가치는 오히려 경쟁력을 떨어뜨리는 것으로 인식되기 시작했어.
공정
평등
정의
정의란 경쟁력이 있는 강자의 것, 아니 강자를 위한 것이라고 공공연히 생각하게 되었어.
정의
정의는 아무나 입에 올릴 수 있는 게 아니라고!

외환 위기 이후 사람들은 경쟁을 통해 더 많은 부를 얻을 수 있을 거라고 생각했지만 현실은 그렇지 않았어.
IMF
富
피식
오히려 경제 위기와 함께 부의 양극화는 더욱 심해졌지.
부
경제 위기
빈
이런 상황에서 일자리는 더더욱 구하기 힘들어졌어.
일자리 찾기 GAME
사람들은 서로 불신하고 폭력적으로 변했어. 가진 자들은 점점 거침없이 횡포를 부렸고, 그것이 당연한 것처럼 여겨졌지.
힘 없으면 먹히는 거야.
!
이런 분위기에서 샌델 교수의 《정의란 무엇인가》라는 책이 나오자 사람들은 그동안 잊고 지냈던 정의에 대해 다시 생각하게 되었어.
?
JUSTICE
정의란 무엇인가
마이클 샌델
정의?
《정의란 무엇인가》의 열풍은 그동안 우리 사회가 정의롭지 못했다는 사실에 대한 반증일 수도 있어.
정의란 무엇인가
그러나 아쉽게도 《정의란 무엇인가》의 열풍은 정의에 대한 지속적인 관심과 탐구로 이어지지 못했어. 단지 정서를 치유하는 수준에서 멈추어 버렸지.
정의란
표지 예쁘네.
《정의란 무엇인가》를 통해 사람들이 정의에 대한 생각을 좀 더 깊이 나누고
정의의 기준을 엄밀하게 만들었더라면
쾅
정의
더 나아가 정의에 대한 사회적인 합의까지 이끌어 냈더라면 얼마나 좋았을까?
합
의

샌델 교수의 《정의란 무엇인가》는 어느 날 갑자기 생겨난 책이 아니야.
콰 콰 콰
자, 주목!
정의란 무엇인가
존 롤스의 《정의론》을 배경으로 탄생했지.
정의론 존 롤스
바로 이 책!
《정의론》을 쓴 존 롤스도 하버드 대학에서 철학을 가르치는 교수였어.
내가 샌델보다 나이가 많으니 선배인 셈이군.
정의란 무엇인지를 공부하려면 반드시 존 롤스의 《정의론》을 읽어야 해.
3D 정의란 무엇인가
CORN
훗날 우리 사회를 이끌어 나가는 지도자가 되어 좀 더 정의롭고 건강한 사회를 만들고자 한다면 더욱 그렇지.
LEADER
존 롤스의 《정의론》이 훌륭한 길잡이가 되어 줄 거야.
정의론
《정의론》이 어떤 책인지 궁금하다고? 이제부터 천천히 살펴보기로 하자.
정의론
어떤 사상이든지 시대적·학문적 배경을 가지고 있기 마련이야.
B.C. 5~6세기
공자 사상
《정의론》도 마찬가지란다.
20C
정의론
존 롤스가 혼자 골방에서 정의에 대해 생각하고 책을 쓴 게 아니라는 말이야.
제 이론에도 배경이 있답니다.
먼저 《정의론》에는 어떤 시대적·학문적 배경이 바탕이 되었는지 알아보자.
정의론

《정의론》은 1971년에 출간되었어.
인문 고전 중에서는 신간이지.
따끈
정의론
따끈
롤스는 《정의론》을 통해 인간 사회에 '정의'를 보편적인 가치로 정립하려는 시도를 했어.
정의론
꼴꼴
인간 사회
정의
정의를 보편적인 가치로 정립한다는 것은 우리 사회가 올바른 것을 탐구하는 사회가 된다는 말이야.
올바른 것에 대한 가치 기준이나 규범을 다루는 학문은 고대부터 중세에 이르기까지 '윤리학'이라는 이름으로 중요시되었어.
윤리학
가치 기준
규범
그러나 롤스가 살았던 20세기가 되자 사람들은 이러한 가치 규범적 학문을 낡고 별 볼 일 없는 학문으로 얕보기 시작했지.
가치 규범적 학문
20세기의 철학은 프랑스의 실존 철학과 영미의 분석 철학이 주류를 이루었어.
20C 노래방
내가 제일 잘나가.
실존 철학
분석 철학
실존 철학은 모든 가치 규범을 개인의 결단에 맡겨야 한다고 주장했어.
그래!
공부
내 여친의 얼굴을 바꿀 길은 공부뿐!
이를 잘 보여 주는 소설이 바로 *알베르 카뮈의 《이방인》이야.
ALBERT CAMUS
L'ÉTRANGER
주인공인 뫼르소는 강렬한 햇빛 때문에 사람을 죽여.

* 알베르 카뮈(Albert Camus, 1913~1960): 프랑스의 소설가이자 극작가.

카뮈는 뫼르소를 통해 이 세상에 본래부터 정해져 있는 가치 기준이나 도덕관 등은 없으며
휘잉
도덕관
가치 기준
살아가는 모든 순간마다 처하는 실존적 상황에서 개인의 결단을 통해 가치와 규범이 결정된다는 것을 말하려 했어.
결단을 잘못하면 이렇게 돼.
POLICE
그렇게 보면 뫼르소의 살인은 모든 가치 규범에 대한 저항인 셈이지.
가치 규범에 대한 저항
Bang

한편 영국과 미국에서 유행했던 분석 철학은
분석 철학
우리가 사용하는 언어를 올바르게 분석하는 데 진리의 문제가 달려 있다고 주장했어.
진리 Truth 眞理
분석 철학
언어 분석을 통해 우리가 언어를 잘못 사용하는 것을 막음으로써 진리와 거짓을 명확하게 가려낼 수 있다고 했지.
진리
오른손 내리고 왼손 올려. 더 빨리!
분석 철학은 언어로 표현할 수 없는 '윤리'나 '신'과 같은 형이상학적 대상들은
神
윤리
언어의 잘못된 사용으로 만들어진 거짓이라고 주장했어.
神
윤리
분석 철학
명확하지 않은 언어는 거짓이야.
실존 철학과 분석 철학은 공통점이 있어.
분석 철학
실존 철학
점!
그것은 바로 보편적인 기준을 세우는 것을 의미 없는 일로 생각했다는 점이지.
어떻게 살아야 하지?
어떻게 행동하는 게 올바르지?
분석 철학
실존 철학
그딴 거 다 쓸데없어!
보편적인 기준을 정립하는 철학을 '윤리학' 또는 '규범 철학'이라고 해.
윤리학, 규범 철학
실존 철학과 분석 철학은 규범 철학을 철저하게 부정해.
흑, 나한테 왜 그래?
규범 철학은 싫어.
가!
실존 철학과 분석 철학을 따르는 철학자들은 정의를 말하는 것 자체가 당치 않은 일이라고 주장해.
정의를!
위하여!
웃겨.
풉
캭

현대의 정치 철학 역시 규범 철학에서 멀리 떨어져 있어.
정치 철학
규범 철학
정치 철학은 원래 규범 철학인 윤리학과 깊은 연관을 가지고 있었어.
윤리학
정치 철학
고대 그리스의 철학자들도 윤리학과 정치학을 구분하지 않았지.
그게 그거지.
윤리학
정치학
그리스 인에게 삶이란 곧 폴리스라는 공동체 안에서 동료 시민들과 함께 살아가는 것이었어.
그리스 인의 삶
공동체
그렇기 때문에 개인의 사생활과 공적인 활동을 서로 구분하지 않았지.
애 좀 봐 줘.
하하. 또? 그러지 뭐.
이들에게 개인의 행복과 정치적인 명예는 같은 것이었어.
개인의 행복
=
정치적 명예
정의로운 사회 구현
개인이 올바르게 사는 것은 정의로운 사회를 구성하는 것과 같은 일이었지.
정의로운 사회
올바른 길
그래서 플라톤은 《국가》에서 이런 말을 해.
이 책은 정의로운 국가를 만들려면 어떻게 해야 하는가를 논하는 책이면서
국가 -플라톤-
동시에 어떻게 사는 것이 올바르게 사는 것인가를 논하는 책이기도 하지.
아리스토텔레스가 개인적인 윤리와 행복을 논한 《니코마코스 윤리학》과 어떤 사회가 좋은 사회인가를 논한 《정치학》을 하나의 짝으로 여긴 것도 같은 이유 때문이었어.
비가 오나 눈이 오나….
니코마코스 윤리학
아리스토텔레스
정치학
중세의 정치 철학도 규범적인 논의와 함께 생각했다는 점에서 고대의 정치 철학과 크게 다르지 않았어.
중세 정치 철학
고대 정치 철학
규범적 논의
다만 중세의 정치 철학은 기독교적 윤리와 깊이 관련되어 있다는 점에서 다를 뿐이지.
중세 정치 철학
기독교적 윤리
정의로운 사회는 신의 말씀을 잘 구현하는 체제를, 올바른 인간은 신의 말씀에 따라 사는 인간을 의미했어.
알았지?
네~!

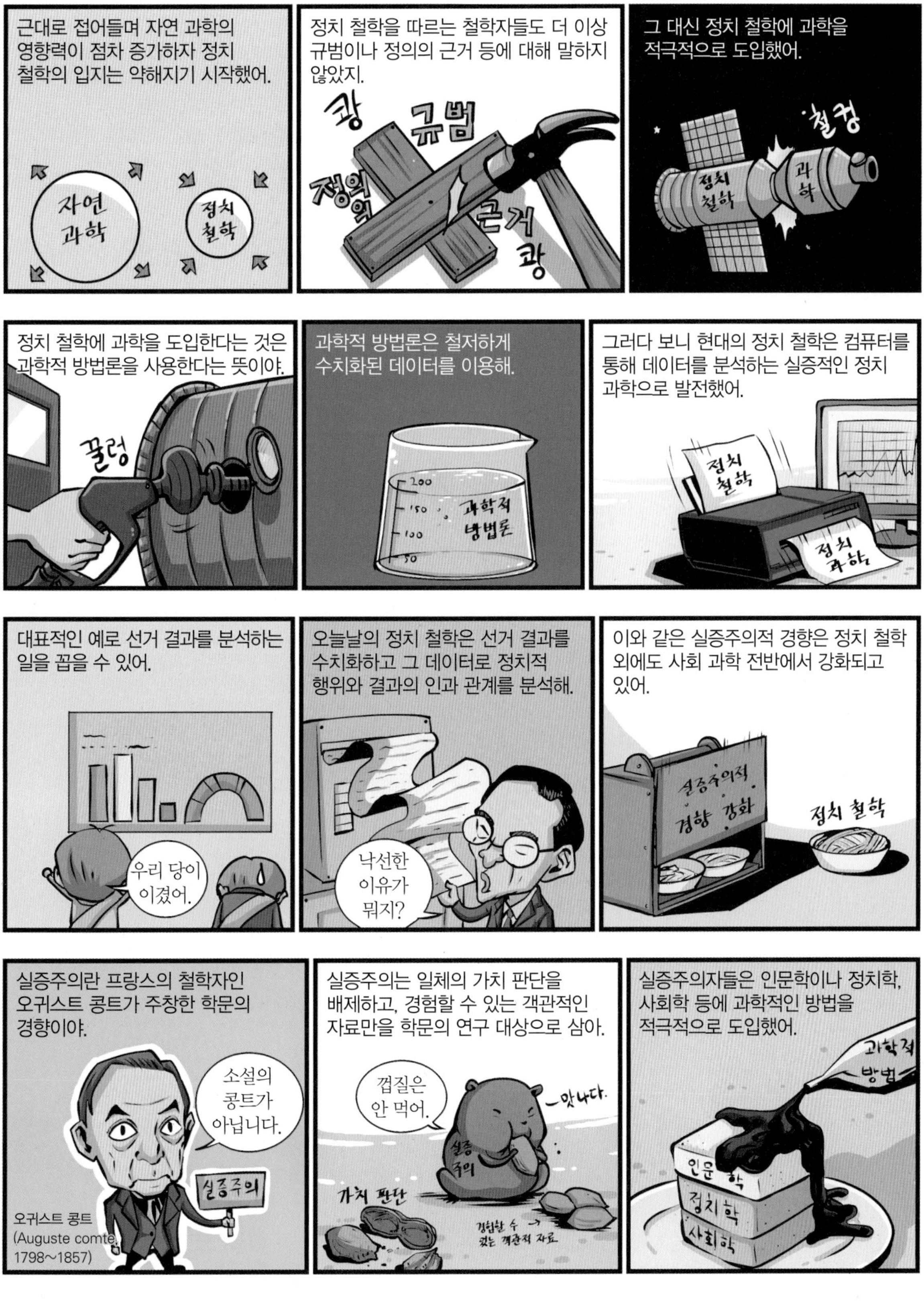
근대로 접어들며 자연 과학의 영향력이 점차 증가하자 정치 철학의 입지는 약해지기 시작했어.
자연 과학
정치 철학
정치 철학을 따르는 철학자들도 더 이상 규범이나 정의의 근거 등에 대해 말하지 않았지.
쾅
규범
정의
근거
쾅
그 대신 정치 철학에 과학을 적극적으로 도입했어.
철컹
정치 철학
과학
정치 철학에 과학을 도입한다는 것은 과학적 방법론을 사용한다는 뜻이야.
꿀렁
과학적 방법론은 철저하게 수치화된 데이터를 이용해.
200
150
100
50
과학적 방법론
그러다 보니 현대의 정치 철학은 컴퓨터를 통해 데이터를 분석하는 실증적인 정치 과학으로 발전했어.
정치 철학
정치 과학
대표적인 예로 선거 결과를 분석하는 일을 꼽을 수 있어.
우리 당이 이겼어.
오늘날의 정치 철학은 선거 결과를 수치화하고 그 데이터로 정치적 행위와 결과의 인과 관계를 분석해.
낙선한 이유가 뭐지?
이와 같은 실증주의적 경향은 정치 철학 외에도 사회 과학 전반에서 강화되고 있어.
실증주의적 경향 강화
정치 철학
실증주의란 프랑스의 철학자인 오귀스트 콩트가 주창한 학문의 경향이야.
소설의 콩트가 아닙니다.
실증주의
오귀스트 콩트 (Auguste comte, 1798~1857)
실증주의는 일체의 가치 판단을 배제하고, 경험할 수 있는 객관적인 자료만을 학문의 연구 대상으로 삼아.
껍질은 안 먹어.
맛나다.
실증주의
가치 판단
경험할 수 있는 객관적 자료
실증주의자들은 인문학이나 정치학, 사회학 등에 과학적인 방법을 적극적으로 도입했어.
과학적 방법
인문학
정치학
사회학

오늘날 고전적인 정치 철학은 없어지는 단계에 접어들었어.
고전적 정치 철학
그래도 여전히 고전적인 정치 철학을 연구하는 사람들이 있었지.
정치 철학하면 역시 고전이지.
대표적인 학자로 한나 아렌트(Hannah Arendt), 레오 스트라우스(Leo Strauss), 에릭 푀겔린(Eric Voegelin) 등을 들 수 있어.
이들은 나치의 박해를 피해 유럽에서 미국으로 망명한 유대계 독일인이었어.
투타타타
팅
팅
팅
망명
나치
휴~.
이들은 미국으로 망명한 후 미국 주류파의 실증적 정치 과학과는 차별된 정치 철학의 전통을 계속 이어 나갔어.
이것으로 하시겠습니까?
정치 과학
정치 철학
우린 이것!
아렌트는 고대 그리스의 정치를 연구하며 '활동'이라는 개념을 중심으로 언론에 의한 공공 정치를 부활시키려고 했고
활동!
고대 그리스 정치
언론
공공 정치
스트라우스는 플라톤이 쓴 고전 등을 연구하며 고전적인 정치 철학을 재생시키려고 했어.
주물 주물
고전 정치 철학
그리스 고전
플라톤
또 푀겔린은 유대교와 기독교, 그리스 전통 등을 추적해 초월적인 사상의 역할을 강조했지.
푀겔린
맡아.
킁
유대교
기독교
그리스 전통
이들은 고대 그리스의 철학 사상과 유대교, 기독교적 전통에 바탕을 둔 고전적인 정치를 연구하면서 자신들의 정치 철학을 발전시켜 나갔어.
정치 철학
고전적 정치 연구
그리스의 철학 사상
유대교
기독교
그러나 당시 미국의 주류 정치 과학자들은 이들의 정치 철학을 무시했어.
쟤들 저기서 뭐 하니?
쯧, 비주류들.

학문의 영역에서 가치 규범을 배제시키려는 미국 학자들의 경향이 점점 짙어지면서
가치
규범
학문
미국인들 역시 정치에 대한 이상이나 규범을 논의하는 일에 관심을 두지 않았어.
책이나 볼까?
정치적 이상
규범
이런 현상의 배경에는 세계의 초강대국으로 우뚝 선 미국의 강한 자신감도 한몫했어.
가치
규범
이까짓 거.
두 차례의 세계 대전을 겪으면서 유럽은 정신적으로나 물질적으로 초토화되었어.
영국과 프랑스, 독일과 같은 유럽의 전통적인 강대국들도 국력이 약해지며 크게 휘청거렸지.
영국
프랑스
독일
반면에 미국은 일본의 진주만 습격을 제외하고는 전쟁의 피해를 거의 입지 않았어.
애고, 물렸다.
진주만 습격
윙~
오히려 두 번의 전쟁을 치르는 동안
콰
쾅
전쟁에 필요한 물자들을 제공하면서 경제적으로 크게 부강해져 세계 최고의 강대국으로 올라섰지.
네, 전투기와 전함 스페셜을 세트로 시키시면 헬기를 추가로 드립니다.
이로 인해 미국인들은 자신감이 넘쳤어.
와~
와~
미국인들은 자신들이 세계에서 가장 부유하고 선진적이며 이상적인 민주주의를 이룩했다고 생각했어.
내가 일인자!
그런 이유로 더 이상 정치적 이상이나 가치 규범에 대한 탐구는 필요 없다고 여긴 것이지.
꾸욱
가치 규범의 탐구
정치적 이상

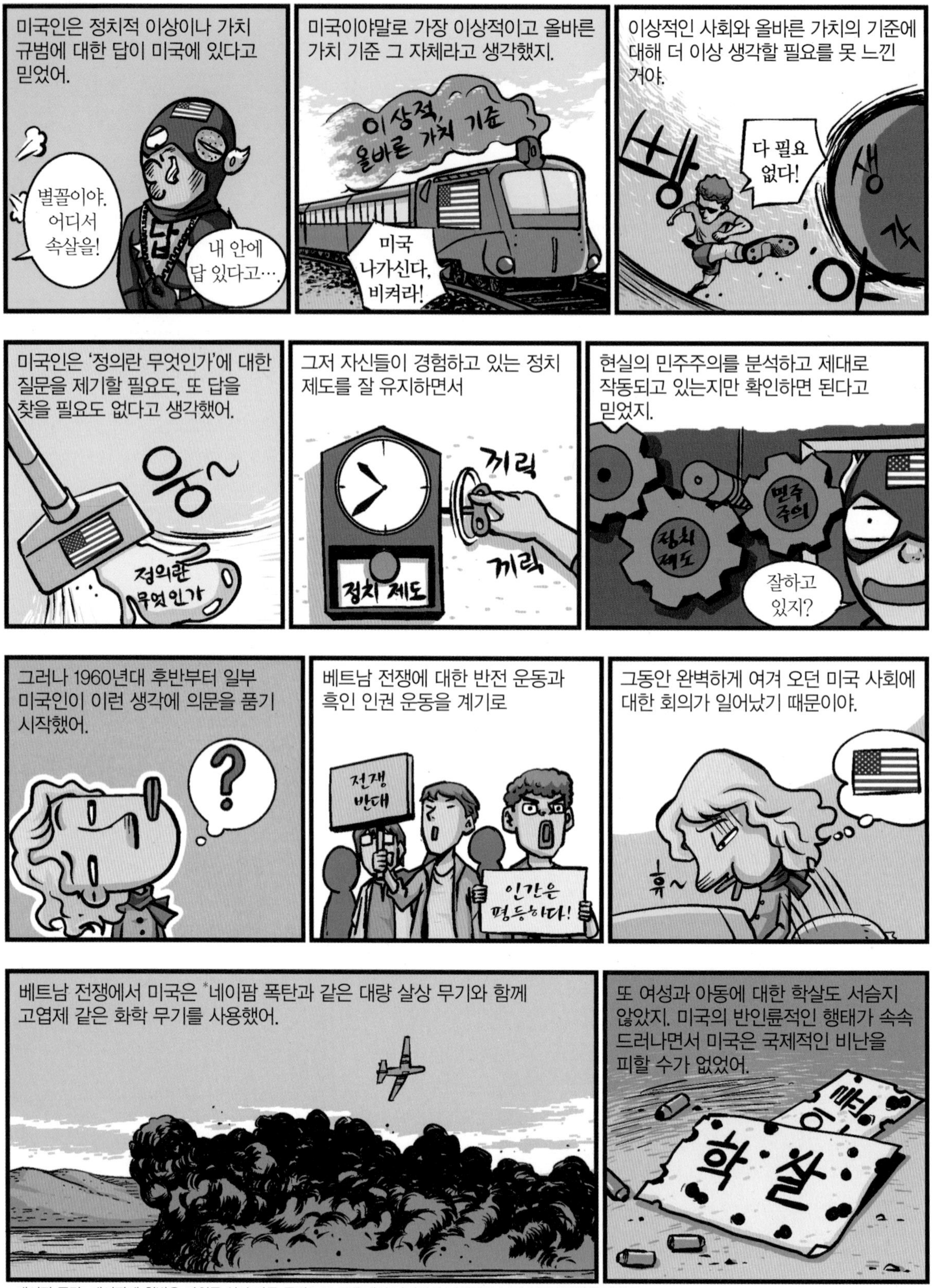
미국인은 정치적 이상이나 가치 규범에 대한 답이 미국에 있다고 믿었어.
별꼴이야. 어디서 속살을!
내 안에 답 있다고…
답
미국이야말로 가장 이상적이고 올바른 가치 기준 그 자체라고 생각했지.
이상적, 올바른 가치 기준
미국 나가신다, 비켜라!
이상적인 사회와 올바른 가치의 기준에 대해 더 이상 생각할 필요를 못 느낀 거야.
빵
다 필요 없다!
생각
야
미국인은 '정의란 무엇인가'에 대한 질문을 제기할 필요도, 또 답을 찾을 필요도 없다고 생각했어.
웅~
정의란 무엇인가
그저 자신들이 경험하고 있는 정치 제도를 잘 유지하면서
끼릭
끼릭
정치 제도
현실의 민주주의를 분석하고 제대로 작동되고 있는지만 확인하면 된다고 믿었지.
민주주의
정치 제도
잘하고 있지?
그러나 1960년대 후반부터 일부 미국인이 이런 생각에 의문을 품기 시작했어.
?
베트남 전쟁에 대한 반전 운동과 흑인 인권 운동을 계기로
전쟁 반대
인간은 평등하다!
그동안 완벽하게 여겨 오던 미국 사회에 대한 회의가 일어났기 때문이야.
휴~
베트남 전쟁에서 미국은 *네이팜 폭탄과 같은 대량 살상 무기와 함께 고엽제 같은 화학 무기를 사용했어.
또 여성과 아동에 대한 학살도 서슴지 않았지. 미국의 반인륜적인 행태가 속속 드러나면서 미국은 국제적인 비난을 피할 수가 없었어.
학살

* 네이팜 폭탄: 네이팜에 휘발유 따위를 섞어 만든 폭탄으로, 공중에서 터지면서 네이팜에 불이 붙어 땅에 흩어진다.

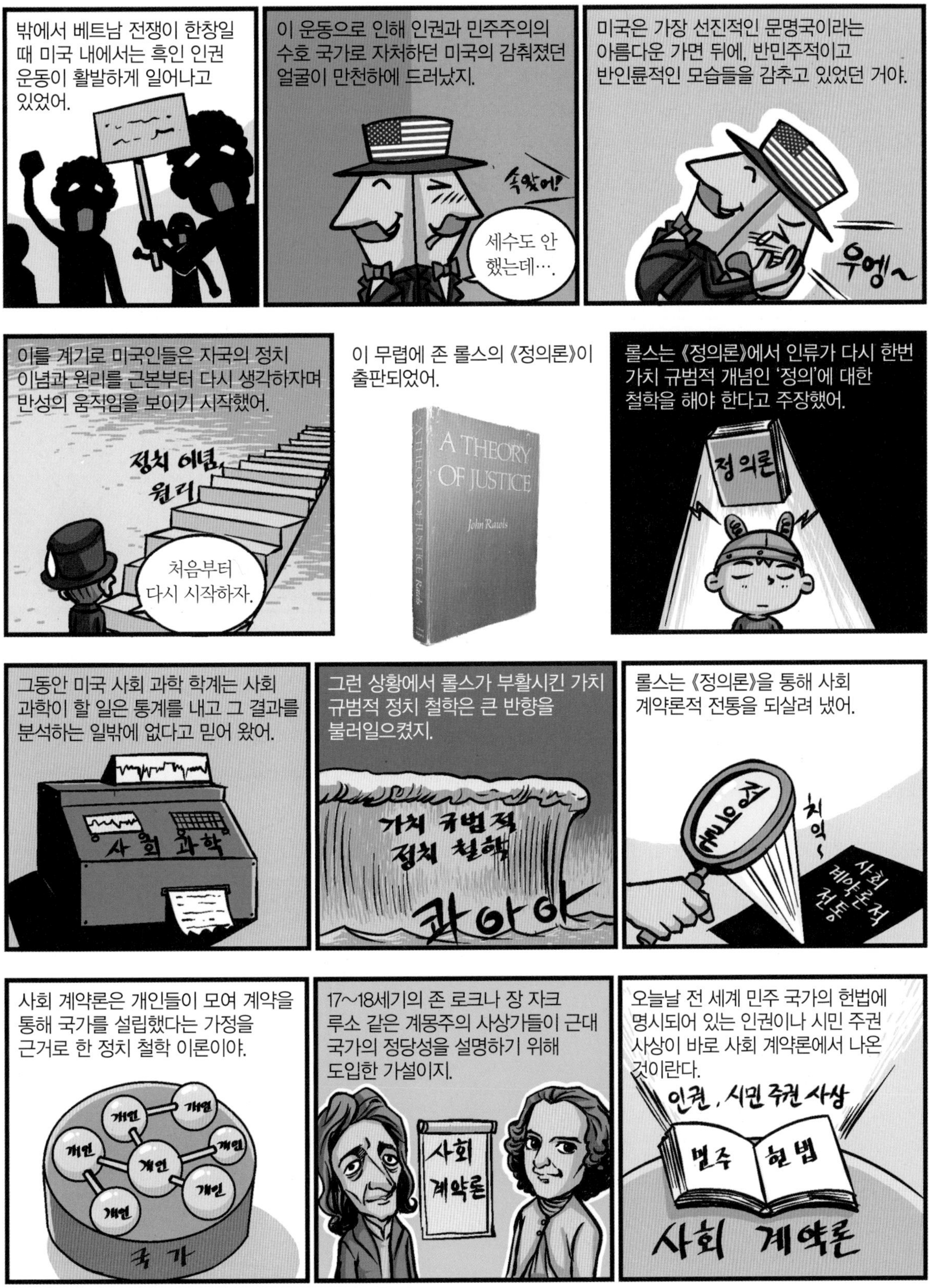
밖에서 베트남 전쟁이 한창일 때 미국 내에서는 흑인 인권 운동이 활발하게 일어나고 있었어.
이 운동으로 인해 인권과 민주주의의 수호 국가로 자처하던 미국의 감춰졌던 얼굴이 만천하에 드러났지.
속았어!
세수도 안 했는데….
미국은 가장 선진적인 문명국이라는 아름다운 가면 뒤에, 반민주적이고 반인륜적인 모습들을 감추고 있었던 거야.
우엥~
이를 계기로 미국인들은 자국의 정치 이념과 원리를 근본부터 다시 생각하자며 반성의 움직임을 보이기 시작했어.
정치 이념, 원리
처음부터 다시 시작하자.
이 무렵에 존 롤스의 《정의론》이 출판되었어.
A THEORY OF JUSTICE
John Rawls
롤스는 《정의론》에서 인류가 다시 한번 가치 규범적 개념인 '정의'에 대한 철학을 해야 한다고 주장했어.
정의론
그동안 미국 사회 과학 학계는 사회 과학이 할 일은 통계를 내고 그 결과를 분석하는 일밖에 없다고 믿어 왔어.
사회 과학
그런 상황에서 롤스가 부활시킨 가치 규범적 정치 철학은 큰 반향을 불러일으켰지.
가치 규범적 정치 철학
콰아아
롤스는 《정의론》을 통해 사회 계약론적 전통을 되살려 냈어.
정의론
치익~
사회 계약론적 전통
사회 계약론은 개인들이 모여 계약을 통해 국가를 설립했다는 가정을 근거로 한 정치 철학 이론이야.
개인
개인
개인
개인
개인
개인
개인
국가
17~18세기의 존 로크나 장 자크 루소 같은 계몽주의 사상가들이 근대 국가의 정당성을 설명하기 위해 도입한 가설이지.
사회 계약론
오늘날 전 세계 민주 국가의 헌법에 명시되어 있는 인권이나 시민 주권 사상이 바로 사회 계약론에서 나온 것이란다.
인권, 시민 주권 사상
민주 헌법
사회 계약론

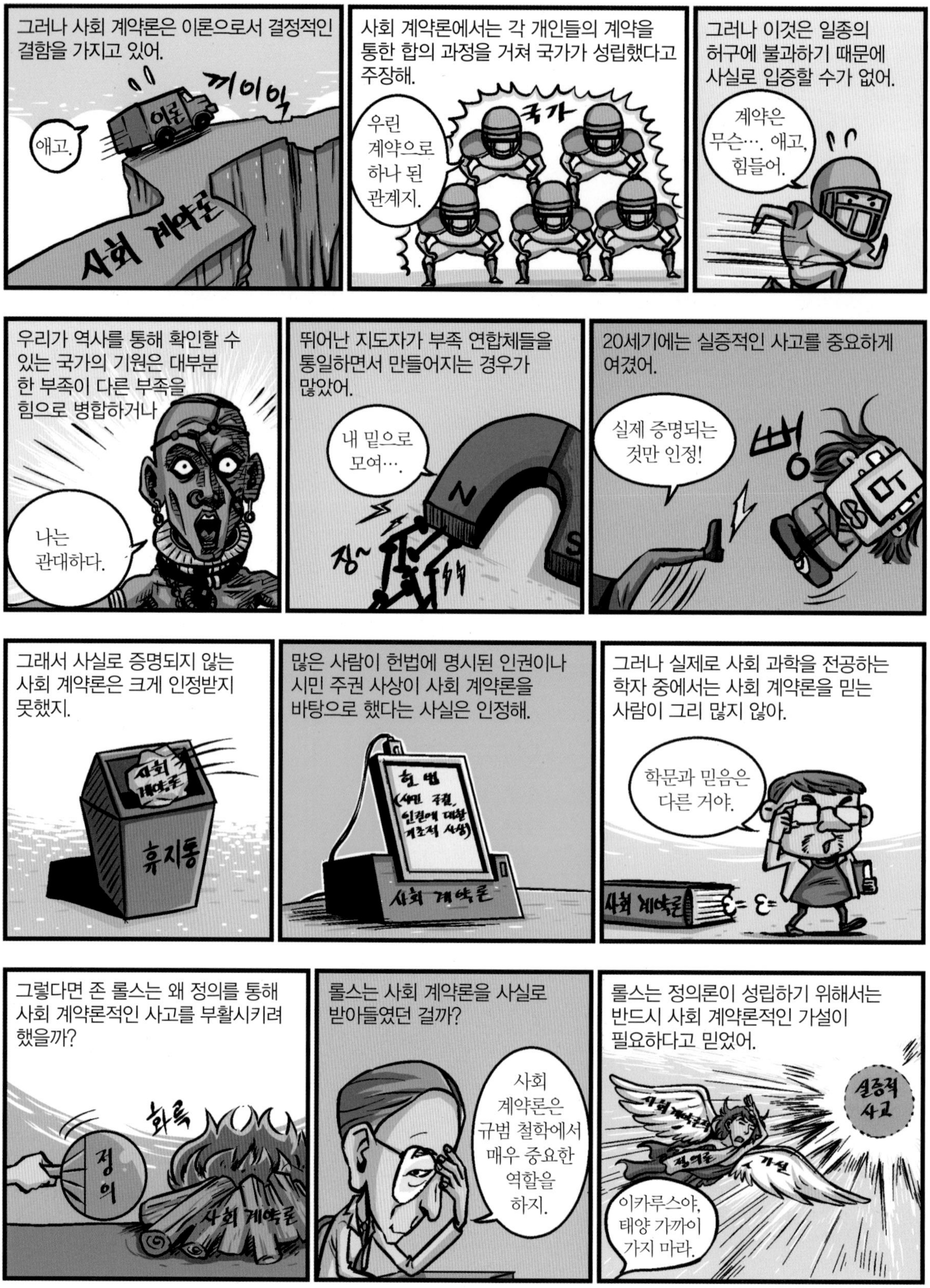
그러나 사회 계약론은 이론으로서 결정적인 결함을 가지고 있어.
끼이익
이론
애고.
사회 계약론
사회 계약론에서는 각 개인들의 계약을 통한 합의 과정을 거쳐 국가가 성립했다고 주장해.
국가
우린 계약으로 하나 된 관계지.
그러나 이것은 일종의 허구에 불과하기 때문에 사실로 입증할 수가 없어.
계약은 무슨…. 애고, 힘들어.
우리가 역사를 통해 확인할 수 있는 국가의 기원은 대부분 한 부족이 다른 부족을 힘으로 병합하거나
나는 관대하다.
뛰어난 지도자가 부족 연합체들을 통일하면서 만들어지는 경우가 많았어.
내 밑으로 모여….
N
S
징~
20세기에는 실증적인 사고를 중요하게 여겼어.
실제 증명되는 것만 인정!
뻥
그래서 사실로 증명되지 않는 사회 계약론은 크게 인정받지 못했지.
사회 계약론
휴지통
많은 사람이 헌법에 명시된 인권이나 시민 주권 사상이 사회 계약론을 바탕으로 했다는 사실은 인정해.
헌법
(시민 주권, 인권에 대한 기초적 사상)
사회 계약론
그러나 실제로 사회 과학을 전공하는 학자 중에서는 사회 계약론을 믿는 사람이 그리 많지 않아.
학문과 믿음은 다른 거야.
사회 계약론
그렇다면 존 롤스는 왜 정의를 통해 사회 계약론적인 사고를 부활시키려 했을까?
화륵
정의
사회 계약론
롤스는 사회 계약론을 사실로 받아들였던 걸까?
사회 계약론은 규범 철학에서 매우 중요한 역할을 하지.
롤스는 정의론이 성립하기 위해서는 반드시 사회 계약론적인 가설이 필요하다고 믿었어.
실증적 사고
사회 계약론
정의론
가설
이카루스야, 태양 가까이 가지 마라.

정의론에서 사회 계약론이 어떤 역할을 하는지 인권이라는 개념을 예로 들어 생각해 보자.
푸캉
사회 계약론
정의론
인권은 민주주의 사회가 필수적으로 갖춰야 할 개념이야.
민주주의
사회
인권
민주주의 사회는 구성원 모두 타인이나 국가가 침해할 수 없는 자유와 권리를 지니고 있음을 전제로 하지.
쿵쾅
쿵
쾅
아저씨, 왜 불만 있어?
네가 내 후임 병사였다면 그냥…!
그것을 인정하지 않으면 힘 있는 권력자가 마음대로 통치하는 군주 국가와 다를 바가 없어.
신병 입대를 명…! 헉!!
이게 누구시더라.
따라서 인권은 현대 민주주의 국가의 정치나 법률에서 가장 중요한 기초로 볼 수 있어.
정치
민주주의 국가
법률
인권
그러나 '인권의 사상적인 기초가 학문적으로 존재하는가?'라고 묻는다면 문제는 복잡해져.
학문
인권의 사상적 기초
사회 계약론이 오늘날의 정치 철학에서 통용되지 않으면서 인권은 그 근거를 잃은 것과 같은 상태가 되었거든.
사회 계약론
100V
220V
오늘날 정치 철학
이를 어째….
인권이 정당화되지 못하면 민주주의 사회의 많은 제도들도 존립 근거가 약해질 수밖에 없어.
민주주의 제도들
뚝
인권
복지 정책만 해도 그래. 오늘날 우리 사회가 가장 중요하게 다루어야 할 과제 중 하나가 바로 복지 정책이야.
Z Z..
국민
복지 정책
민주주의 사회에서 복지는 사회적 약자를 돕는다는 의미로 시행되어서는 안 돼.
복지
모든 국민이 국가로부터 받아야 하는 권리라는 개념이 바탕에 있어야 하지.
국가
복지
←국민

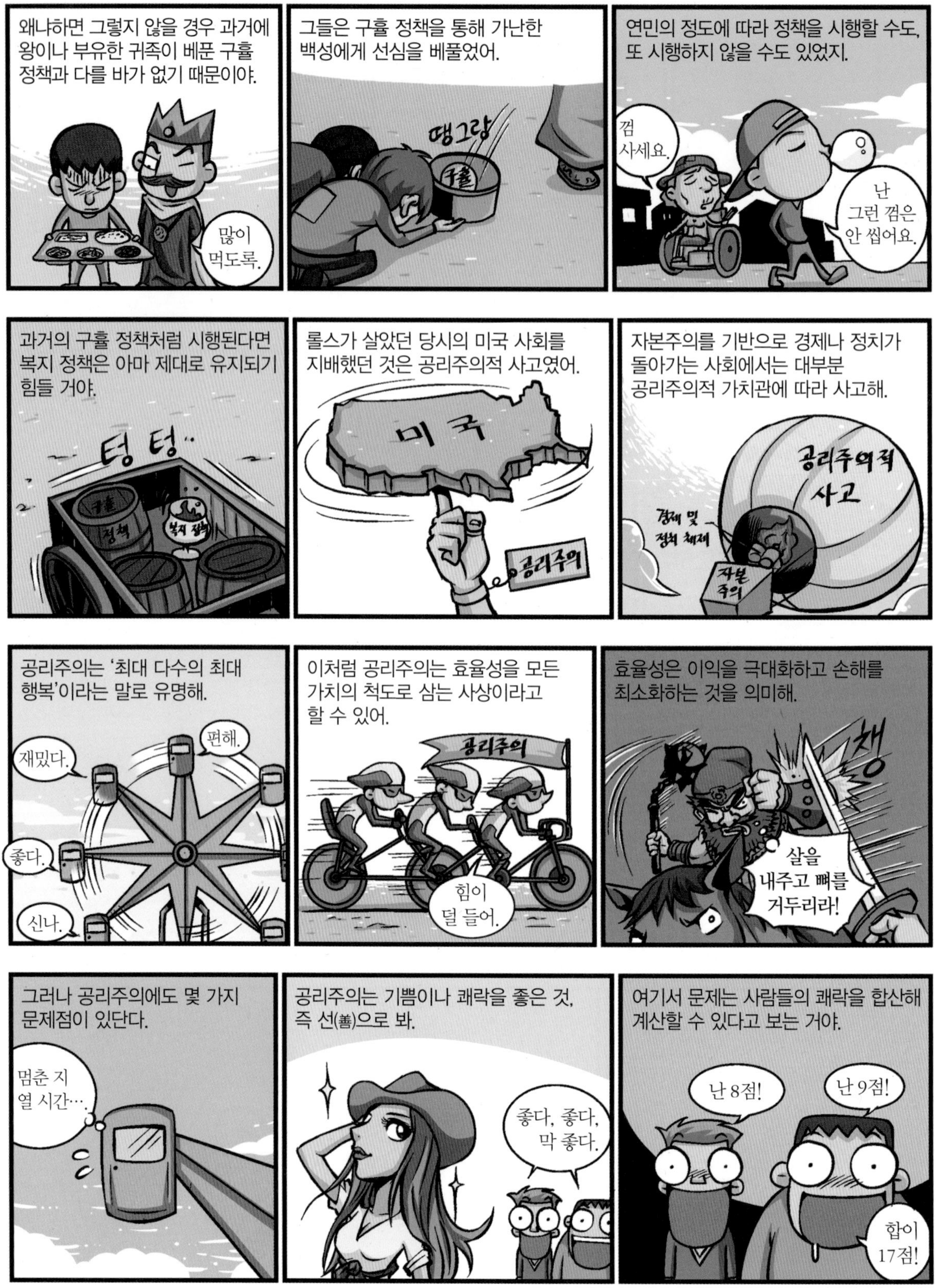
왜냐하면 그렇지 않을 경우 과거에 왕이나 부유한 귀족이 베푼 구휼 정책과 다를 바가 없기 때문이야.
많이 먹도록.
그들은 구휼 정책을 통해 가난한 백성에게 선심을 베풀었어.
땡그랑
구휼
연민의 정도에 따라 정책을 시행할 수도, 또 시행하지 않을 수도 있었지.
껌 사세요.
?
난 그런 껌은 안 씹어요.
과거의 구휼 정책처럼 시행된다면 복지 정책은 아마 제대로 유지되기 힘들 거야.
텅 텅
구휼 정책
복지 정책
롤스가 살았던 당시의 미국 사회를 지배했던 것은 공리주의적 사고였어.
미국
공리주의
자본주의를 기반으로 경제나 정치가 돌아가는 사회에서는 대부분 공리주의적 가치관에 따라 사고해.
공리주의적 사고
경제 및 정치 체제
자본주의
공리주의는 '최대 다수의 최대 행복'이라는 말로 유명해.
재밌다.
편해.
좋다.
신나.
이처럼 공리주의는 효율성을 모든 가치의 척도로 삼는 사상이라고 할 수 있어.
공리주의
힘이 덜 들어.
효율성은 이익을 극대화하고 손해를 최소화하는 것을 의미해.
챙
살을 내주고 뼈를 거두리라!
그러나 공리주의에도 몇 가지 문제점이 있단다.
멈춘 지 열 시간…
공리주의는 기쁨이나 쾌락을 좋은 것, 즉 선(善)으로 봐.
좋다, 좋다, 막 좋다.
여기서 문제는 사람들의 쾌락을 합산해 계산할 수 있다고 보는 거야.
난 8점!
난 9점!
합이 17점!

예를 들어 피자를 한 조각 먹을 때 사람이 누릴 수 있는 쾌락의 정도가 10이라면
쾌락 1.
사람들이 먹은 피자가 몇 조각인가를 따져 전체의 쾌락 정도를 계산할 수 있다는 것이지.
몇 개?
셋.
꺼억~
세 조각이 아니라 세 판.
영국의 공리주의자인 벤담은 각 개인의 쾌락이나 효율성의 정도를 수치화할 수 있다고 보았어.
쾅
쾌락, 효율성, 정도
이를 통해 사회 전체의 쾌락과 효율성의 정도를 산출할 수 있다고 주장했지.
2+8+3+7
5+3+4+1
그러나 쾌락이나 효율성의 정도는 사람마다 주관적이기 때문에 일률적으로 계산할 수 없어.
아이, 좋아라.
내 기분은 엉망이야.
같은 공리주의자인 존 스튜어트 밀조차도 쾌락에는 질적인 차이가 있다고 했지.
라면과 코스 요리 중 뭐가 더 고급일까?
존 스튜어트 밀
(John Stuart Mill, 1806~1873)
지금도 공리주의는 우리 사회를 강력하게 지배하고 있어.
공리주의
사회
사회 전체의 효율성을 계산하고, 효율성이 큰 쪽을 따라야 한다고 생각하지.
빠아앙
왕십리
지하철 역을 하나 더 만들 때 시민들이 얻는 편의성과 비용을 계산해 보면….
한 예로 우리나라는 미국과의 FTA(자유 무역 협정)가 우리 사회에 가져다줄 경제적 이익이 크므로 협정을 맺어야 한다고 주장해.
FTA
경제 이익
미국에 자동차와 휴대 전화 등을 수출하고 얻는 이익과
수출 이익=?
미국의 농산물을 수입해서 얻는 손해를 계산해 따져 보았을 때
수입 손해액 =?
이익 > 손해
쌀
밀
콩
이익이 더 크다면 우리 농업을 포기하더라도 미국과 FTA를 맺어야 한다는 거야.
FTA
농업
아야

롤스는 국가가 이와 같은 공리주의를 바탕으로 운영된다면 개인의 존엄이나 인권이 억압이나 경시될 위험이 있다고 지적했어.
꽥!
공리주의
개인 존엄
개인 인권
다시 FTA를 예로 들어 생각해 보자.
FTA
(Free Trade Agreement)
자유 무역 협정
FTA 체결 이후 자동차와 휴대 전화 등의 수출이 늘고 이것이 경기 활성화로 이어져 경제적으로 크게 성장한다면 많은 사람들이 이익을 보았다고 생각할 거야.
수출 증가
경기 활성화, 경제 성장
FTA
와~
그러나 값싼 농산물이 수입되면 손해를 보는 농부들은 어떻게 될까?
수입 농산물
와글
경쟁에서 지고 큰 손해를 보거나 생업을 잃게 될 수도 있지.
공리주의적 관점에서 보면 손해를 보는 농부들은 소수에 불과해.
반면에 이익을 보는 것은 농부들을 제외한 사회 전체지. 그러므로 어쩔 수 없다는 거야.
사회 전체
그러나 롤스는 소수라는 이유로 농부들의 권리를 침해했으니
우린 어떻게 살라고….
FTA는 정의롭지 못한 일이라고 주장해.
FTA
전체의 이익이라는 관점에서 아무리 좋아 보일지라도
어, 한 녀석이 안 보이네.
빼고 온데. 그냥 가요.
개개인의 존엄이나 인권을 무시해서는 안 된다는 것이 바로 롤스의 생각인 것이지.
안 돼! 찾는다! 실시!
에구, 죽었다!
또 롤스가 공리주의를 비판하는 이유이기도 하고.
단 한 사람을 위한 일이라도 지킬 건 지켜야 합니다.

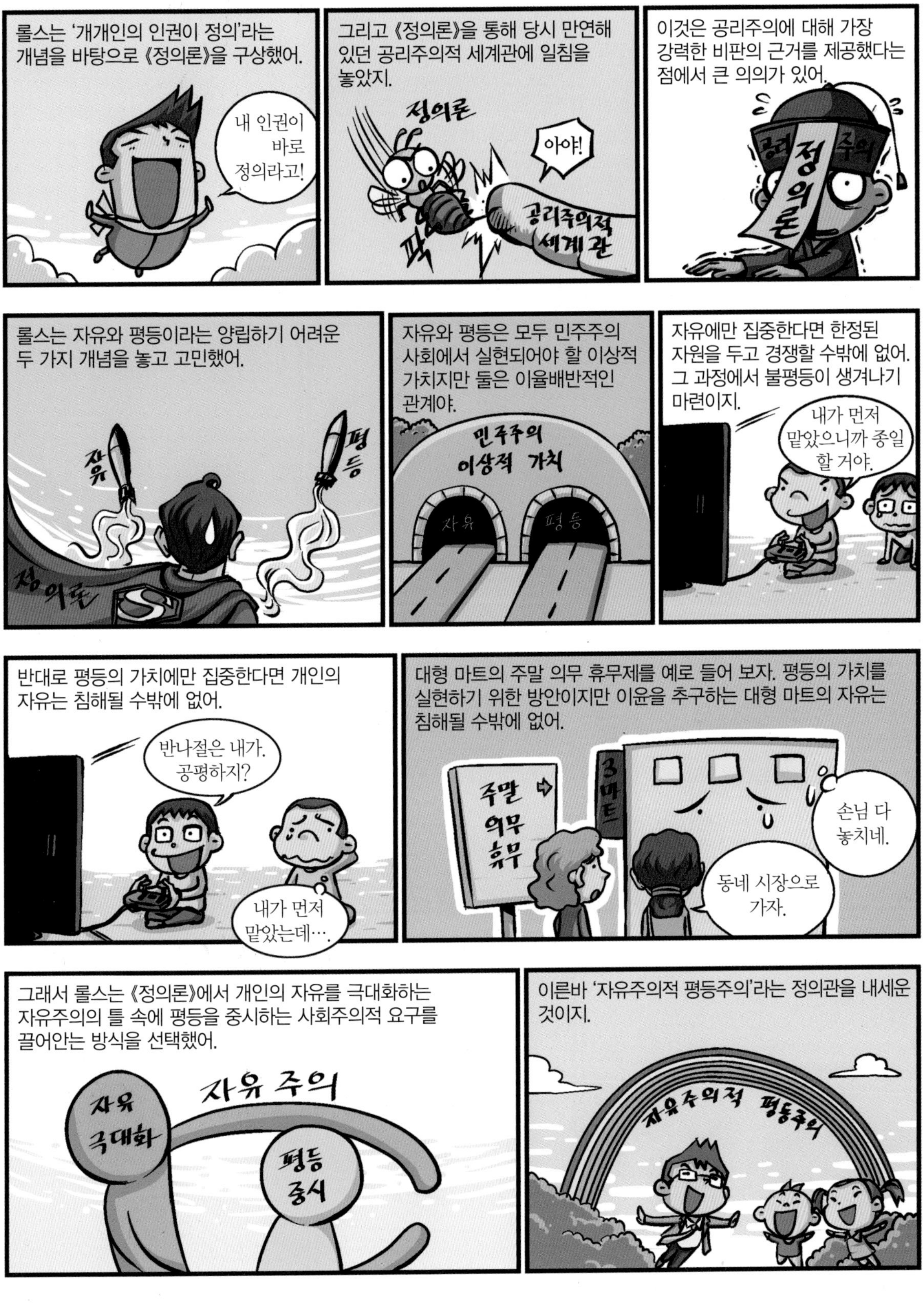
롤스는 '개개인의 인권이 정의'라는 개념을 바탕으로 《정의론》을 구상했어.
내 인권이 바로 정의라고!
그리고 《정의론》을 통해 당시 만연해 있던 공리주의적 세계관에 일침을 놓았지.
정의론
아야!
공리주의적 세계관
팍
이것은 공리주의에 대해 가장 강력한 비판의 근거를 제공했다는 점에서 큰 의의가 있어.
공리 주의
정의론
롤스는 자유와 평등이라는 양립하기 어려운 두 가지 개념을 놓고 고민했어.
자유
평등
정의론
자유와 평등은 모두 민주주의 사회에서 실현되어야 할 이상적 가치지만 둘은 이율배반적인 관계야.
민주주의 이상적 가치
자유
평등
자유에만 집중한다면 한정된 자원을 두고 경쟁할 수밖에 없어. 그 과정에서 불평등이 생겨나기 마련이지.
내가 먼저 맡았으니까 종일 할 거야.
반대로 평등의 가치에만 집중한다면 개인의 자유는 침해될 수밖에 없어.
반나절은 내가. 공평하지?
내가 먼저 맡았는데….
대형 마트의 주말 의무 휴무제를 예로 들어 보자. 평등의 가치를 실현하기 위한 방안이지만 이윤을 추구하는 대형 마트의 자유는 침해될 수밖에 없어.
주말 의무 휴무
3마트
손님 다 놓치네.
동네 시장으로 가자.
그래서 롤스는 《정의론》에서 개인의 자유를 극대화하는 자유주의의 틀 속에 평등을 중시하는 사회주의적 요구를 끌어안는 방식을 선택했어.
자유주의
자유 극대화
평등 중시
이른바 '자유주의적 평등주의'라는 정의관을 내세운 것이지.
자유주의적 평등주의

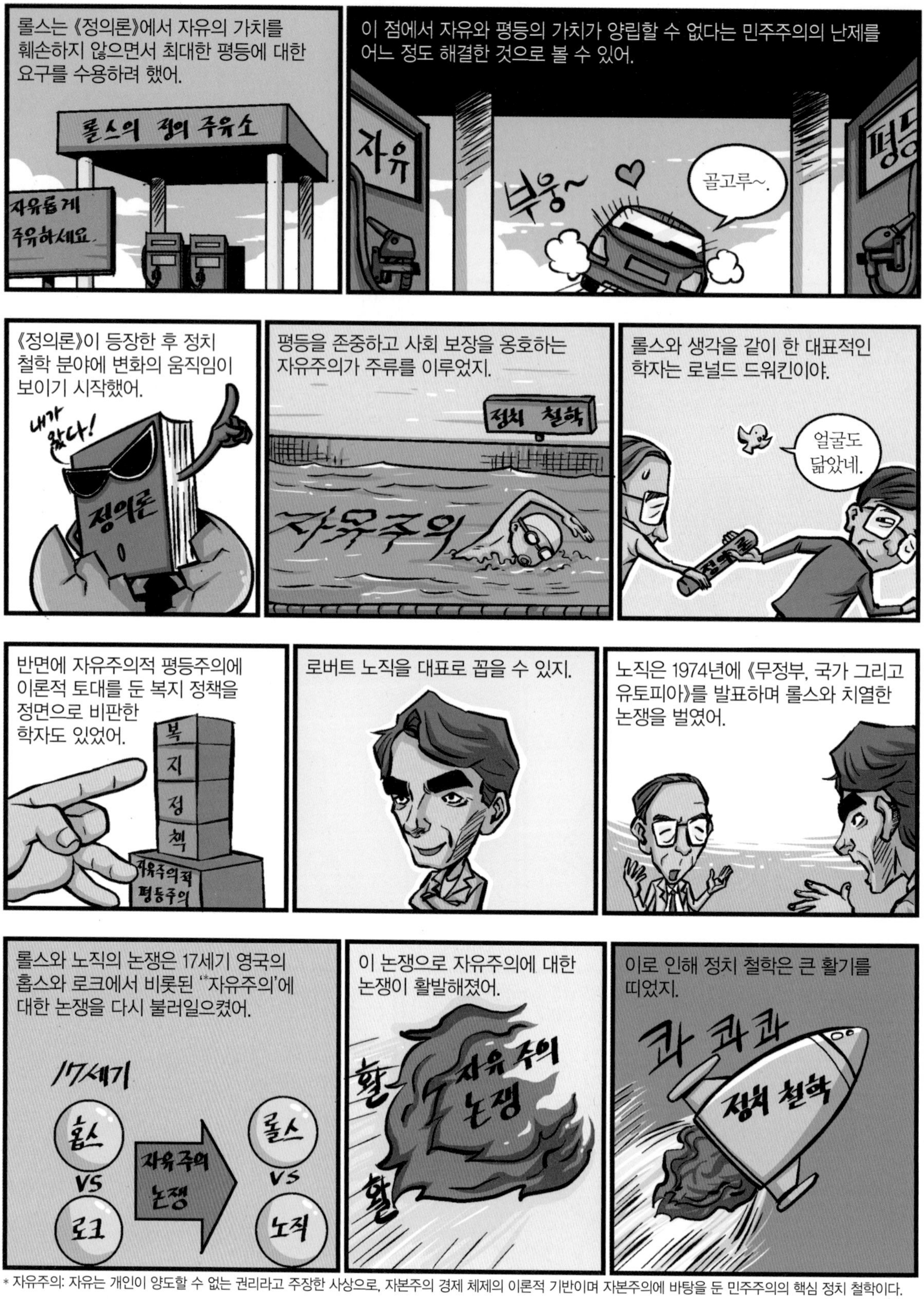
롤스는 《정의론》에서 자유의 가치를 훼손하지 않으면서 최대한 평등에 대한 요구를 수용하려 했어.
롤스의 정의 주유소
자유롭게 주유하세요
이 점에서 자유와 평등의 가치가 양립할 수 없다는 민주주의의 난제를 어느 정도 해결한 것으로 볼 수 있어.
자유
평등
부웅~
골고루~.
《정의론》이 등장한 후 정치 철학 분야에 변화의 움직임이 보이기 시작했어.
내가 왔다!
정의론
평등을 존중하고 사회 보장을 옹호하는 자유주의가 주류를 이루었지.
정치 철학
자유주의
롤스와 생각을 같이 한 대표적인 학자는 로널드 드워킨이야.
얼굴도 닮았네.
반면에 자유주의적 평등주의에 이론적 토대를 둔 복지 정책을 정면으로 비판한 학자도 있었어.
복지정책
자유주의적 평등주의
로버트 노직을 대표로 꼽을 수 있지.
노직은 1974년에 《무정부, 국가 그리고 유토피아》를 발표하며 롤스와 치열한 논쟁을 벌였어.
롤스와 노직의 논쟁은 17세기 영국의 홉스와 로크에서 비롯된 *'자유주의'에 대한 논쟁을 다시 불러일으켰어.
17세기
홉스 VS 로크
자유주의 논쟁
롤스 VS 노직
이 논쟁으로 자유주의에 대한 논쟁이 활발해졌어.
활활
자유주의 논쟁
이로 인해 정치 철학은 큰 활기를 띠었지.
콰콰콰
정치 철학

* 자유주의: 자유는 개인이 양도할 수 없는 권리라고 주장한 사상으로, 자본주의 경제 체제의 이론적 기반이며 자본주의에 바탕을 둔 민주주의의 핵심 정치 철학이다.

한편 롤스가 정의에 대해
집중적으로 탐구하게 된 계기는
무엇이었을까?
정의
제2차 세계 대전에 참전해 전쟁을 치르며
보게 된 비열하고도 참혹한 인간의 실상
때문이었다고 해.
그런 상황에서도 롤스는 인간에
대한 믿음을 결코 잃지 않았어.
난 적인데…. 고맙소.
적 이전에 같은 인간이오.
그 믿음을 바탕 삼아 우리 사회가
갖추어야 할 제1의 덕목으로 정의를
내세웠지.
JUSTICE
효율성을 바탕으로 오로지 이윤만
추구하다가 매몰될 자본주의의 불행한
미래를 예견했던 롤스는
어…어.
자본주의
이윤
우리 사회가 올바로 운영되려면
효율성과 이윤만 추구하는 논리에서
벗어나야 한다고 했어.
효율성
이윤 추구
더불어 정의의 가치를 더욱
소중하게 여기고 지켜야 한다고
주장했지.
정의
그러나 우리 사회는 여전히 이익의
극대화를 추구하며 효율성에 집착하고
있어.
부들
부들
개인뿐만 아니라 지방 자치 단체를
비롯한 공공 기관도 그렇고, 개인의
인권과 복지를 책임져야 할 국가도
마찬가지야.
국가
지방 자치 단체
공공 기관
이로 인해 갑과 을의 관계에 문제가
발생하고, 부의 양극화는 심화되며
사회의 공정성에 대한 사람들의 불신은
커져만 가고 있어.
갑
을
불신
이런 상황에서 정의에 대해 고민했던
롤스의 생각을 살펴보는 일은 현재 우리
사회를 돌아보는 좋은 계기가 될 거야.
정의론
롤스
나와 함께할 사람, 여기 붙어라.
그럼 지금부터 본격적으로
《정의론》에 대해 공부해 보자.
정의론

2장 존 롤스는 누구인가?

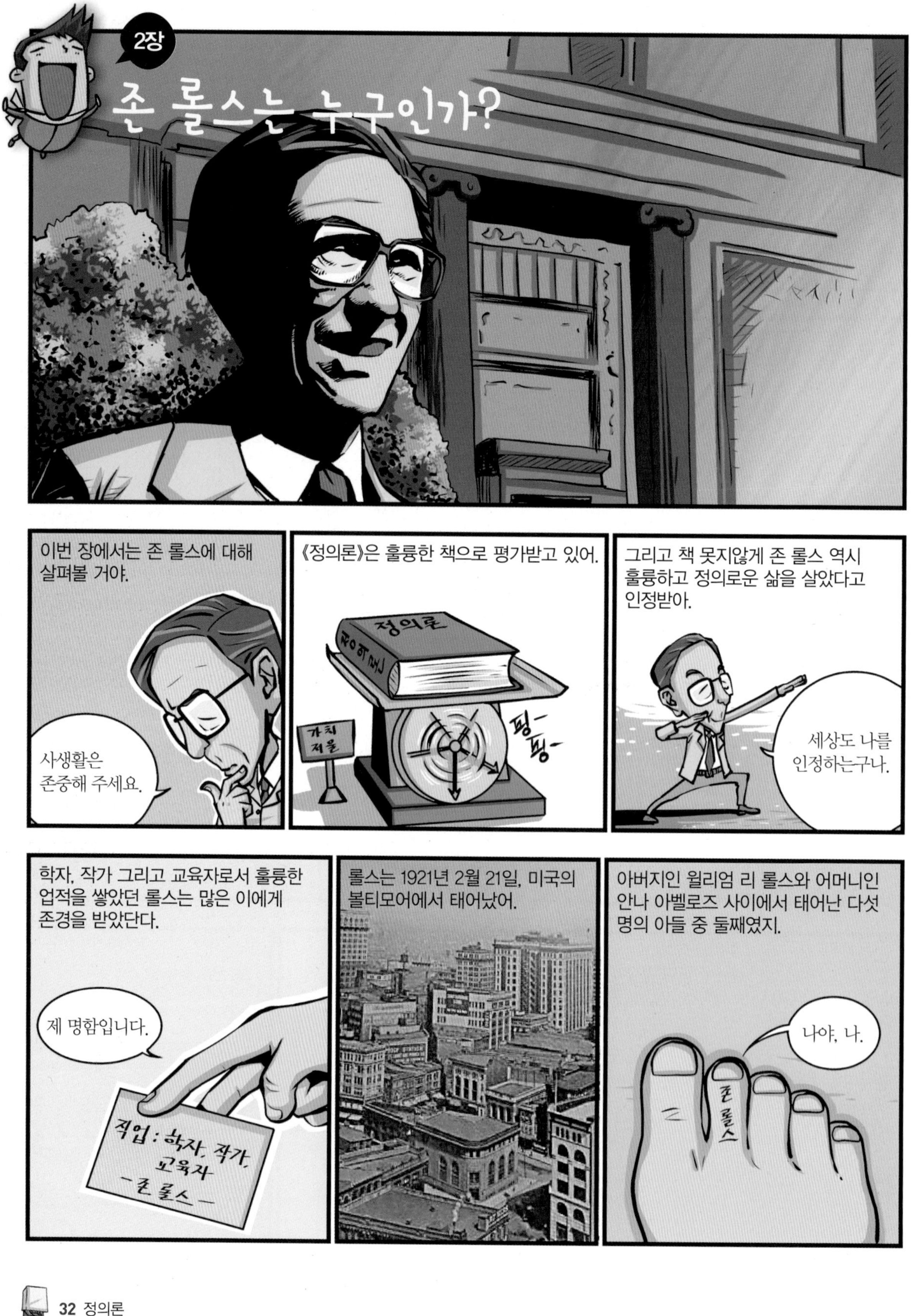
이번 장에서는 존 롤스에 대해 살펴볼 거야.
사생활은 존중해 주세요.
《정의론》은 훌륭한 책으로 평가받고 있어.
정의론
가치 저울
핑― 핑―
그리고 책 못지않게 존 롤스 역시 훌륭하고 정의로운 삶을 살았다고 인정받아.
세상도 나를 인정하는구나.
학자, 작가 그리고 교육자로서 훌륭한 업적을 쌓았던 롤스는 많은 이에게 존경을 받았단다.
제 명함입니다.
직업 : 학자, 작가, 교육자
―존 롤스―
롤스는 1921년 2월 21일, 미국의 볼티모어에서 태어났어.
아버지인 윌리엄 리 롤스와 어머니인 안나 아벨로즈 사이에서 태어난 다섯 명의 아들 중 둘째였지.
나야, 나.
존 롤스

롤스의 아버지는 집이 가난해서 고등학교를 마치지 못했어.
가난
무거워. 좀 떨어져.
학교에 가는 대신 열네 살 때부터 로펌의 심부름꾼으로 일해야 했지.
그는 낮에는 일을 하고 저녁에는 로펌의 법률 서적들을 읽으며 열심히 공부했어.
그 덕에 정식 교육을 받지는 못했지만 변호사 시험을 우수한 성적으로 통과할 수 있었지.
변호사 합격
윌리엄 리 롤스는 볼티모어 최고의 로펌인 멀보리 로펌에 취직해서 실력 있는 변호사로 이름을 날렸어.
능력
시간
그는 정치에도 관심이 많았는데, 민족 자결주의로 유명한 우드로 윌슨 대통령의 열렬한 지지자였다고 해.
와~
와~
뿐만 아니라 당시 메릴랜드 주의 민주당 주지사였던 알버트 위치의 가까운 친구이자 자문가이기도 했지.
또 루즈벨트 대통령 집권기에는 뉴딜 정책에 대한 확고한 지지자이기도 했단다.
뉴딜 정책
어머니인 안나 아벨로즈는 매우 지적인 여성이었어.
카드 게임의 일종인 브리지 실력은 전문가 수준이었고, 초상화도 잘 그리는 등 재주가 많았어.
또한 여성 투표권을 위한 동맹의 볼티모어 지부장을 맡을 정도로 정치적으로도 활동적인 여성이었지.
여성 투표권을 보장하라!
보장하라!
보장하라!

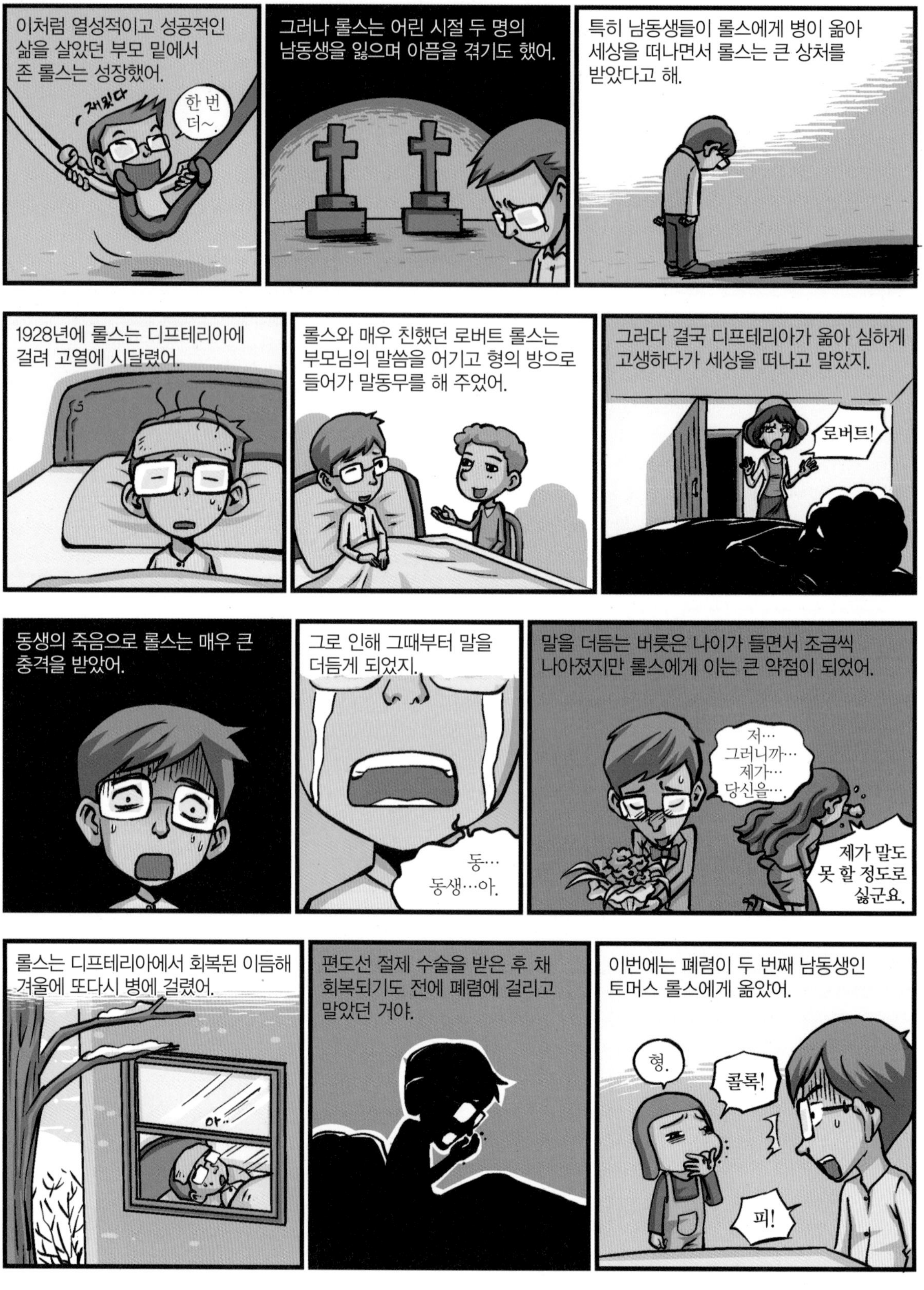
이처럼 열성적이고 성공적인 삶을 살았던 부모 밑에서 존 롤스는 성장했어.
재밌다
한 번 더~.
그러나 롤스는 어린 시절 두 명의 남동생을 잃으며 아픔을 겪기도 했어.
특히 남동생들이 롤스에게 병이 옮아 세상을 떠나면서 롤스는 큰 상처를 받았다고 해.
1928년에 롤스는 디프테리아에 걸려 고열에 시달렸어.
롤스와 매우 친했던 로버트 롤스는 부모님의 말씀을 어기고 형의 방으로 들어가 말동무를 해 주었어.
그러다 결국 디프테리아가 옮아 심하게 고생하다가 세상을 떠나고 말았지.
로버트!
동생의 죽음으로 롤스는 매우 큰 충격을 받았어.
그로 인해 그때부터 말을 더듬게 되었지.
동… 동생…아.
말을 더듬는 버릇은 나이가 들면서 조금씩 나아졌지만 롤스에게 이는 큰 약점이 되었어.
저… 그러니까… 제가… 당신을….
제가 말도 못 할 정도로 싫군요.
롤스는 디프테리아에서 회복된 이듬해 겨울에 또다시 병에 걸렸어.
아..
편도선 절제 수술을 받은 후 채 회복되기도 전에 폐렴에 걸리고 말았던 거야.
이번에는 폐렴이 두 번째 남동생인 토머스 롤스에게 옮았어.
형.
콜록!
피!

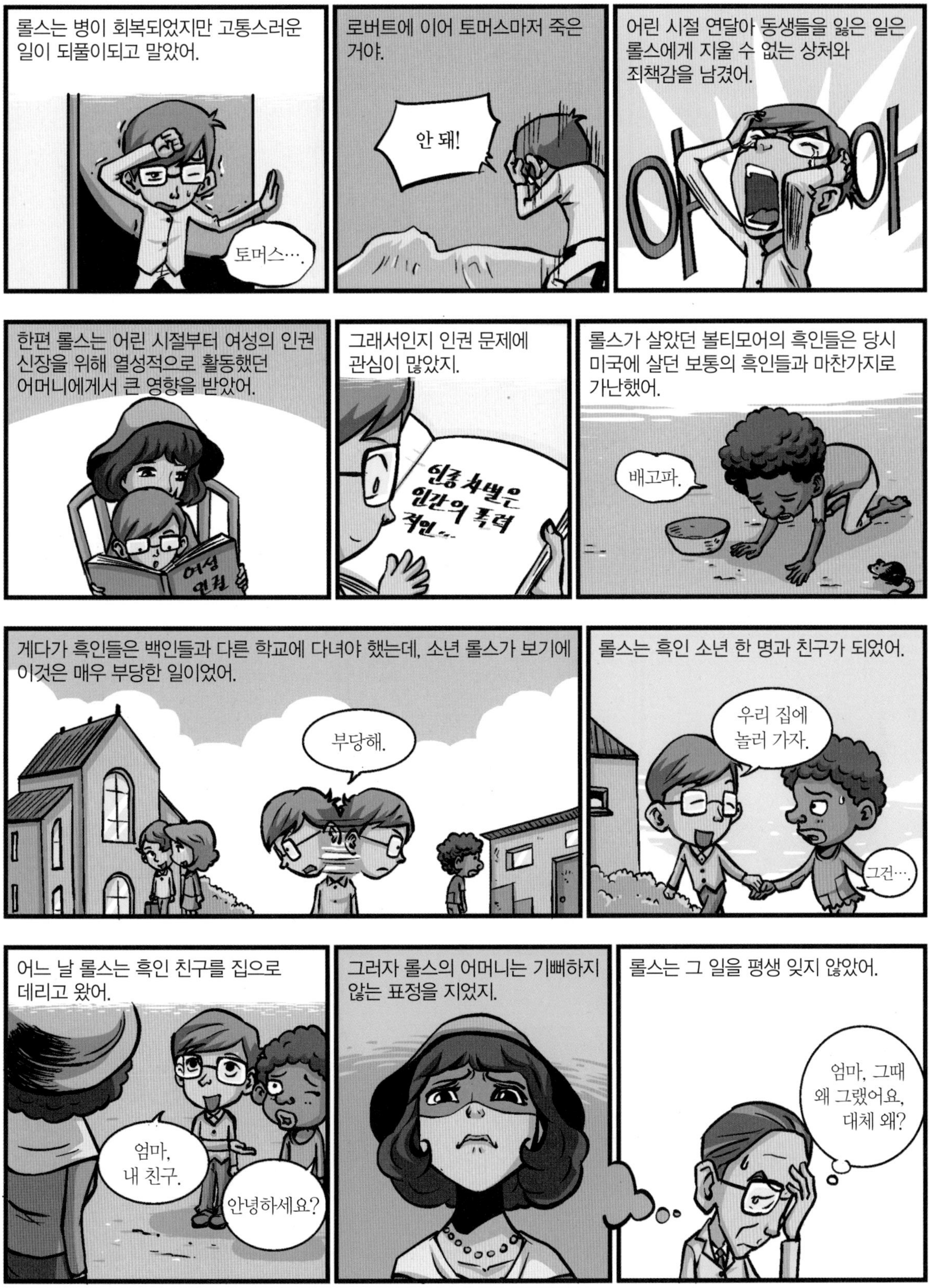
롤스는 병이 회복되었지만 고통스러운 일이 되풀이되고 말았어.
토머스….
로버트에 이어 토머스마저 죽은 거야.
안 돼!
어린 시절 연달아 동생들을 잃은 일은 롤스에게 지울 수 없는 상처와 죄책감을 남겼어.
아아
한편 롤스는 어린 시절부터 여성의 인권 신장을 위해 열성적으로 활동했던 어머니에게서 큰 영향을 받았어.
여성 인권
그래서인지 인권 문제에 관심이 많았지.
인종 차별은 인간의 폭력 적인…
롤스가 살았던 볼티모어의 흑인들은 당시 미국에 살던 보통의 흑인들과 마찬가지로 가난했어.
배고파.
게다가 흑인들은 백인들과 다른 학교에 다녀야 했는데, 소년 롤스가 보기에 이것은 매우 부당한 일이었어.
부당해.
롤스는 흑인 소년 한 명과 친구가 되었어.
우리 집에 놀러 가자.
그건….
어느 날 롤스는 흑인 친구를 집으로 데리고 왔어.
엄마, 내 친구.
안녕하세요?
그러자 롤스의 어머니는 기뻐하지 않는 표정을 지었지.
롤스는 그 일을 평생 잊지 않았어.
엄마, 그때 왜 그랬어요, 대체 왜?

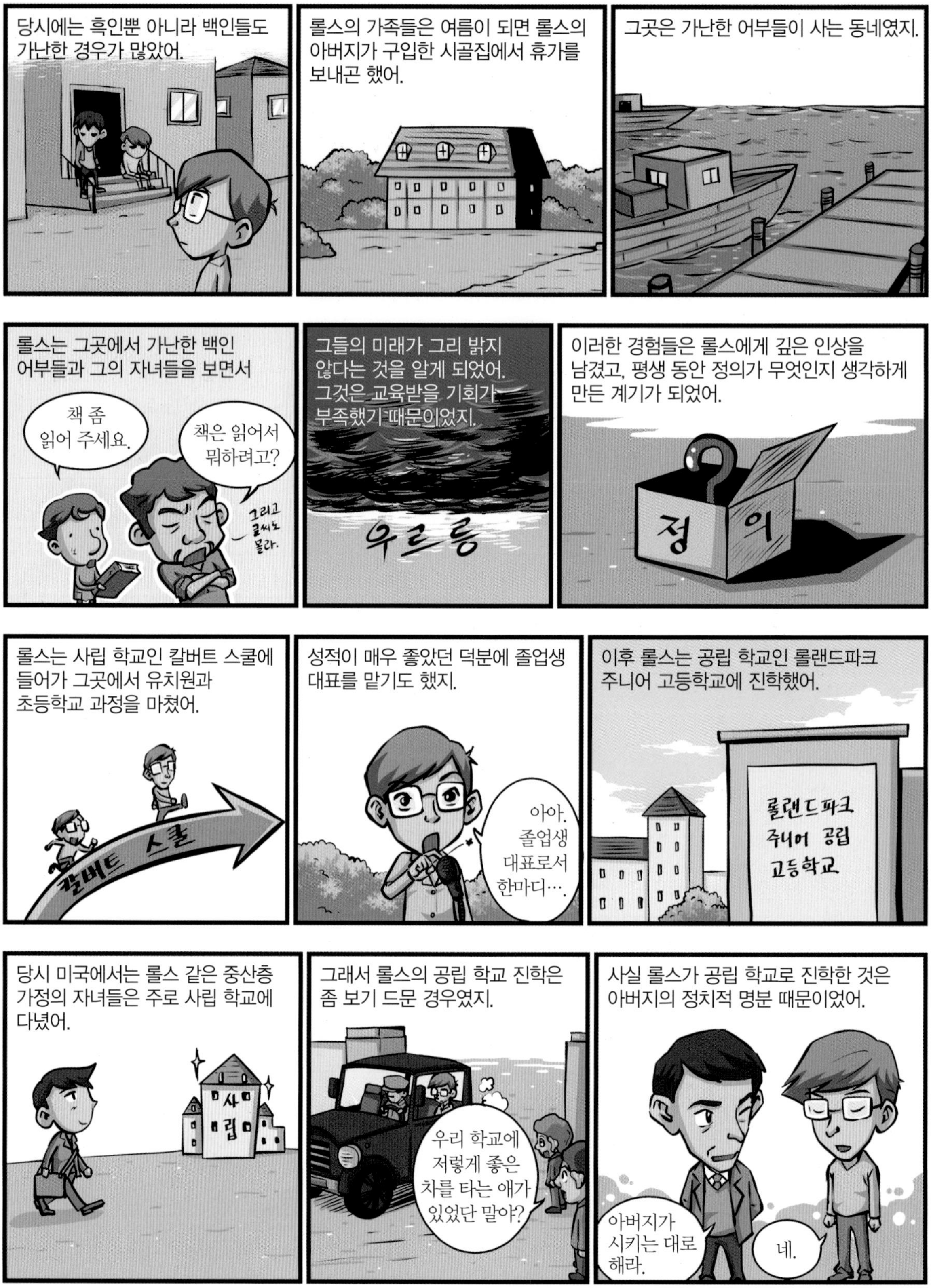
당시에는 흑인뿐 아니라 백인들도 가난한 경우가 많았어.
롤스의 가족들은 여름이 되면 롤스의 아버지가 구입한 시골집에서 휴가를 보내곤 했어.
그곳은 가난한 어부들이 사는 동네였지.
롤스는 그곳에서 가난한 백인 어부들과 그의 자녀들을 보면서
책 좀 읽어 주세요.
책은 읽어서 뭐하려고?
그리고 글씨도 몰라.
그들의 미래가 그리 밝지 않다는 것을 알게 되었어. 그것은 교육받을 기회가 부족했기 때문이었지.
우르릉
이러한 경험들은 롤스에게 깊은 인상을 남겼고, 평생 동안 정의가 무엇인지 생각하게 만든 계기가 되었어.
정의
롤스는 사립 학교인 칼버트 스쿨에 들어가 그곳에서 유치원과 초등학교 과정을 마쳤어.
칼버트 스쿨
성적이 매우 좋았던 덕분에 졸업생 대표를 맡기도 했지.
아아. 졸업생 대표로서 한마디….
이후 롤스는 공립 학교인 롤랜드파크 주니어 고등학교에 진학했어.
롤랜드파크 주니어 공립 고등학교
당시 미국에서는 롤스 같은 중산층 가정의 자녀들은 주로 사립 학교에 다녔어.
사립
그래서 롤스의 공립 학교 진학은 좀 보기 드문 경우였지.
우리 학교에 저렇게 좋은 차를 타는 애가 있었단 말야?
사실 롤스가 공립 학교로 진학한 것은 아버지의 정치적 명분 때문이었어.
아버지가 시키는 대로 해라.
네.

당시 롤스의 아버지가 볼티모어 학교 위원회의 회장을 지내면서
볼티모어 학교 위원회 회장
공립 학교를 지지한다고 선언했거든.
공립학교 지지
아버지가 학교 위원회 회장의 임기를 마치자 롤스는 곧 사립 학교로 전학을 갔어.
임 기
중산층 가정의 자녀들이 많이 다니던 캔트 스쿨이라는 사립 학교였지.
이제 눈치 보지 말고 좋은 학교로 가자.
캔트 스쿨은 교칙이 매우 엄격한 남학교였어.
딱
게다가 교장 선생님은 매우 독단적이어서
내 말이 곧 법!
학생들은 물론 교사들까지도 자유를 누리지 못했다고 해.
자 유
방학 기간을 제외하고는 학교 담장 밖으로 나갈 수 없었고
헉!
감히 어딜!
가까운 마을에 가서 쇼핑을 하는 것은 물론,
스윽-
쉿!
롯데 백화점
영화를 보는 것도 엄격하게 금지되어 있었지.
POP COR
영화 재미있어?
뿐만 아니라 모든 학생들은 청소나 빨래 등을 직접 해야만 했고
일주일에 여섯 시간은 의무적으로 예배에 참석해야 했어.
믿습니까?

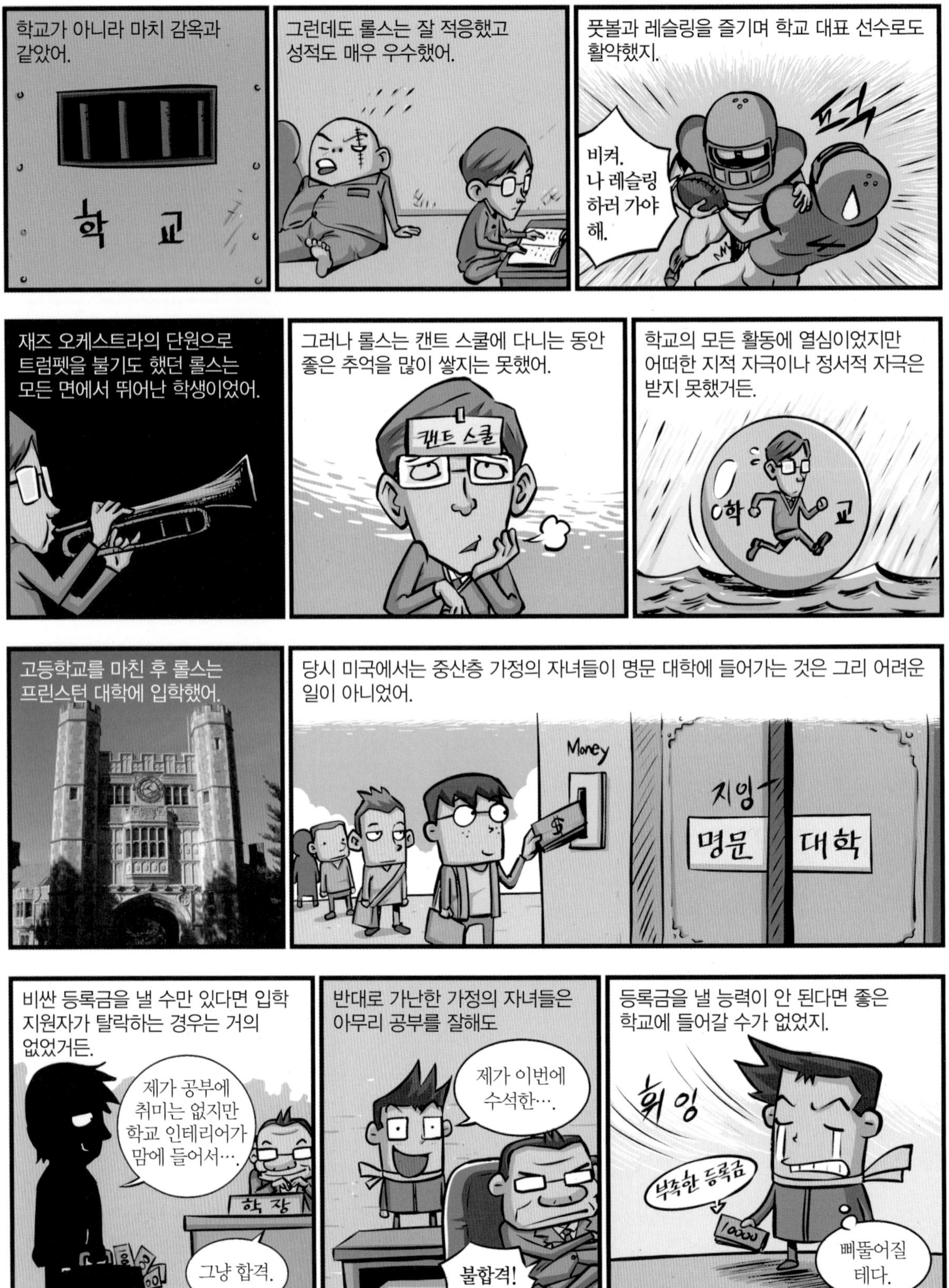
학교가 아니라 마치 감옥과 같았어.
학교
그런데도 롤스는 잘 적응했고 성적도 매우 우수했어.
풋볼과 레슬링을 즐기며 학교 대표 선수로도 활약했지.
비켜. 나 레슬링 하러 가야 해.
재즈 오케스트라의 단원으로 트럼펫을 불기도 했던 롤스는 모든 면에서 뛰어난 학생이었어.
그러나 롤스는 캔트 스쿨에 다니는 동안 좋은 추억을 많이 쌓지는 못했어.
캔트 스쿨
학교의 모든 활동에 열심이었지만 어떠한 지적 자극이나 정서적 자극은 받지 못했거든.
학교
고등학교를 마친 후 롤스는 프린스턴 대학에 입학했어.
당시 미국에서는 중산층 가정의 자녀들이 명문 대학에 들어가는 것은 그리 어려운 일이 아니었어.
Money
지잉
명문 대학
비싼 등록금을 낼 수만 있다면 입학 지원자가 탈락하는 경우는 거의 없었거든.
제가 공부에 취미는 없지만 학교 인테리어가 맘에 들어서….
학장
그냥 합격.
반대로 가난한 가정의 자녀들은 아무리 공부를 잘해도
제가 이번에 수석한….
불합격!
등록금을 낼 능력이 안 된다면 좋은 학교에 들어갈 수가 없었지.
휘잉
부족한 등록금
삐뚤어질 테다.

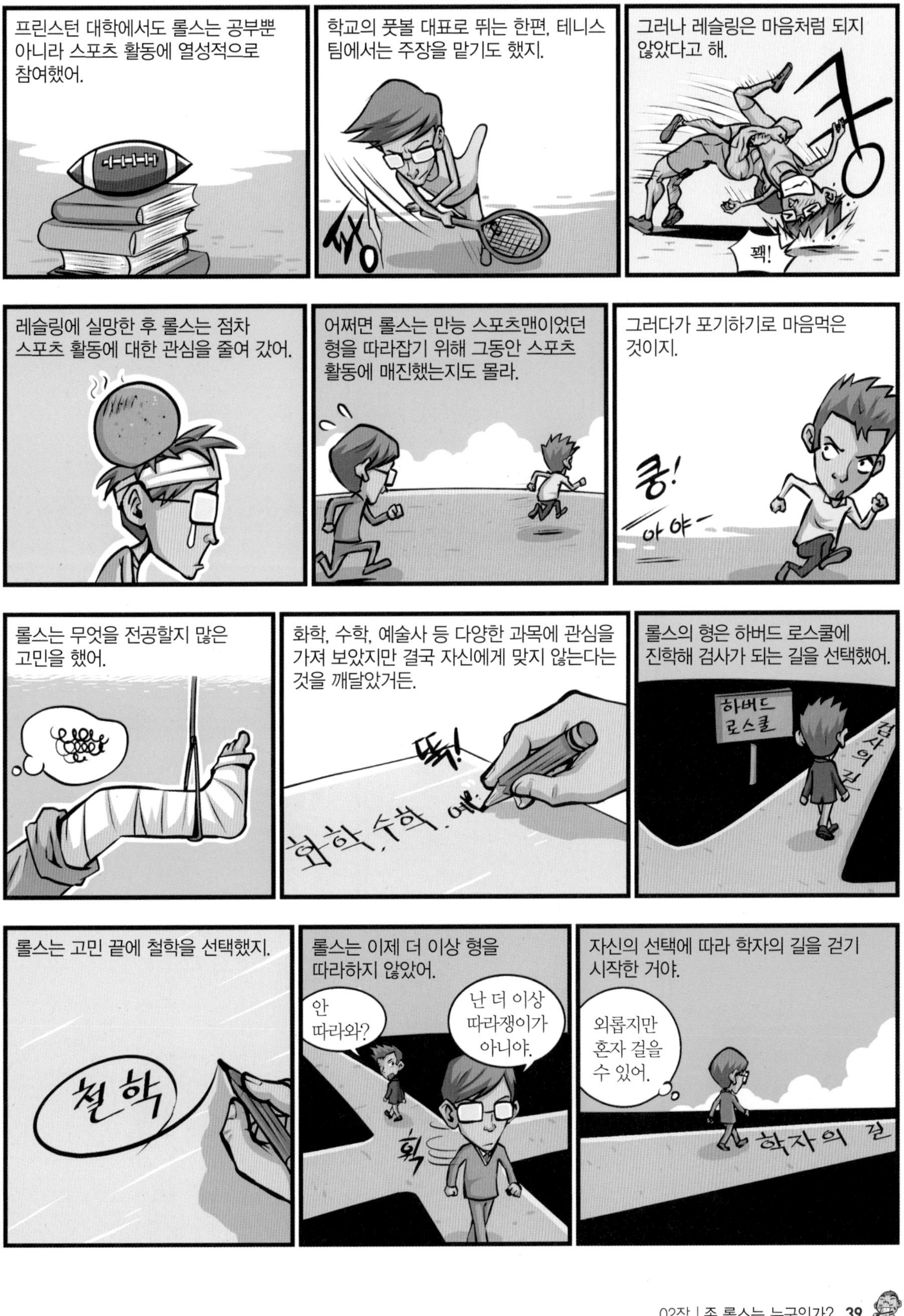
프린스턴 대학에서도 롤스는 공부뿐 아니라 스포츠 활동에 열성적으로 참여했어.
학교의 풋볼 대표로 뛰는 한편, 테니스 팀에서는 주장을 맡기도 했지.
쌩
그러나 레슬링은 마음처럼 되지 않았다고 해.
쿵
퍽!
레슬링에 실망한 후 롤스는 점차 스포츠 활동에 대한 관심을 줄여 갔어.
어쩌면 롤스는 만능 스포츠맨이었던 형을 따라잡기 위해 그동안 스포츠 활동에 매진했는지도 몰라.
그러다가 포기하기로 마음먹은 것이지.
쿵!
아야~
롤스는 무엇을 전공할지 많은 고민을 했어.
화학, 수학, 예술사 등 다양한 과목에 관심을 가져 보았지만 결국 자신에게 맞지 않는다는 것을 깨달았거든.
화학, 수학, 예
롤스의 형은 하버드 로스쿨에 진학해 검사가 되는 길을 선택했어.
하버드 로스쿨
검사의 길
롤스는 고민 끝에 철학을 선택했지.
철학
롤스는 이제 더 이상 형을 따라하지 않았어.
안 따라와?
난 더 이상 따라쟁이가 아니야.
휙
자신의 선택에 따라 학자의 길을 걷기 시작한 거야.
외롭지만 혼자 걸을 수 있어.
학자의 길

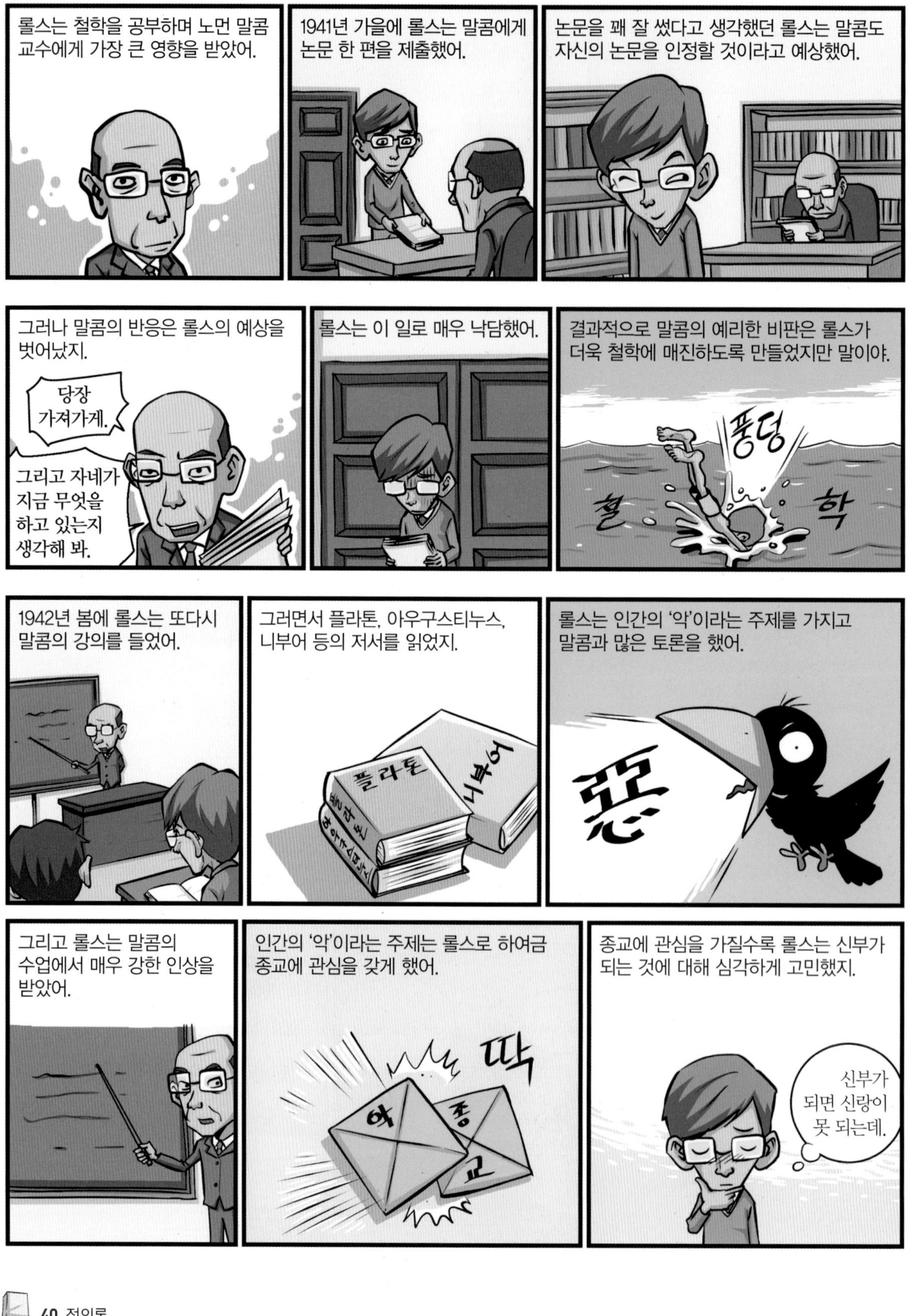
롤스는 철학을 공부하며 노먼 말콤 교수에게 가장 큰 영향을 받았어.
1941년 가을에 롤스는 말콤에게 논문 한 편을 제출했어.
논문을 꽤 잘 썼다고 생각했던 롤스는 말콤도 자신의 논문을 인정할 것이라고 예상했어.
그러나 말콤의 반응은 롤스의 예상을 벗어났지.
당장 가져가게.
그리고 자네가 지금 무엇을 하고 있는지 생각해 봐.
롤스는 이 일로 매우 낙담했어.
결과적으로 말콤의 예리한 비판은 롤스가 더욱 철학에 매진하도록 만들었지만 말이야.
풍덩
철
학
1942년 봄에 롤스는 또다시 말콤의 강의를 들었어.
그러면서 플라톤, 아우구스티누스, 니부어 등의 저서를 읽었지.
플라톤
니부어
롤스는 인간의 '악'이라는 주제를 가지고 말콤과 많은 토론을 했어.
惡
그리고 롤스는 말콤의 수업에서 매우 강한 인상을 받았어.
인간의 '악'이라는 주제는 롤스로 하여금 종교에 관심을 갖게 했어.
딱
악
종
교
종교에 관심을 가질수록 롤스는 신부가 되는 것에 대해 심각하게 고민했지.
신부가 되면 신랑이 못 되는데.

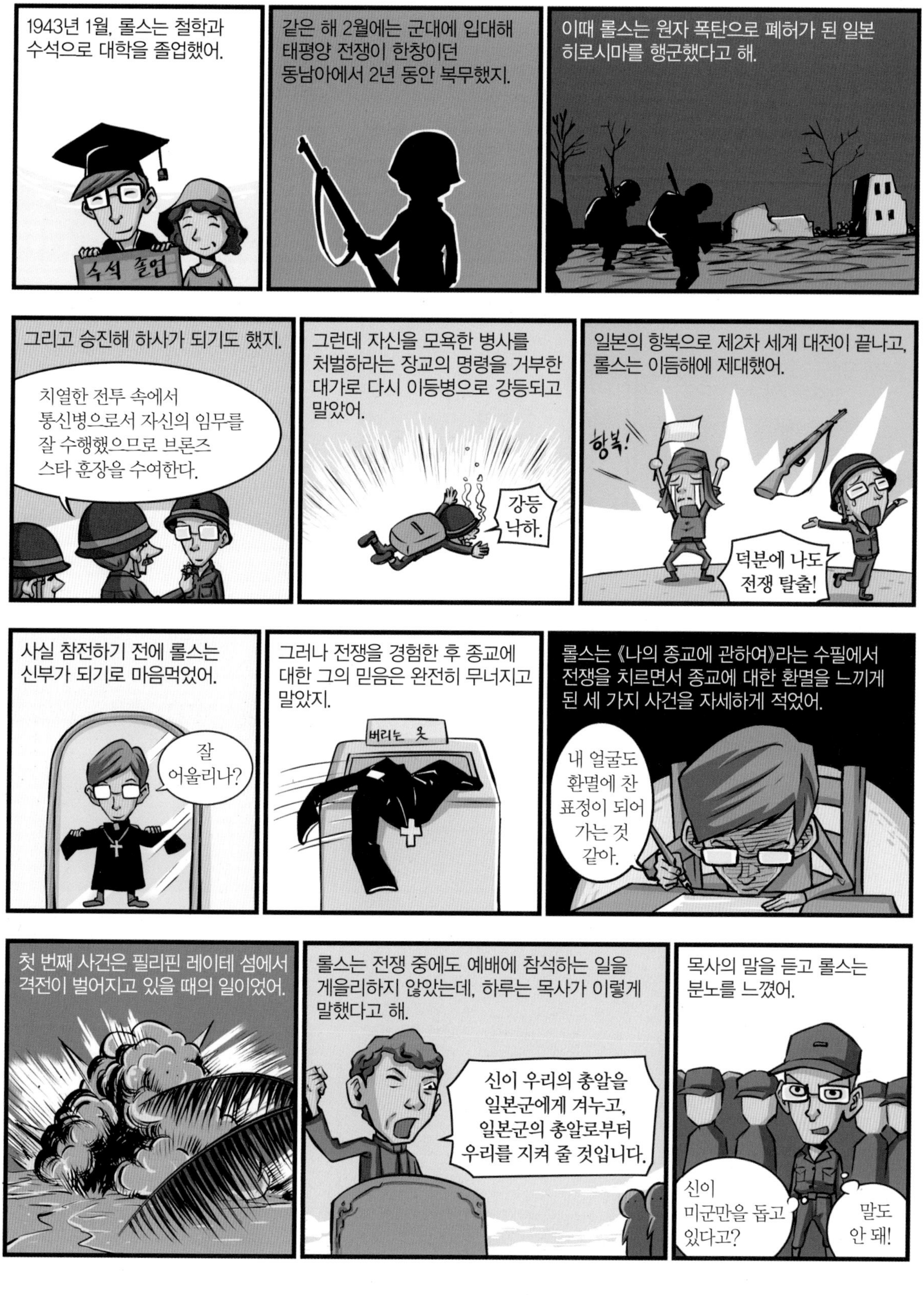
1943년 1월, 롤스는 철학과 수석으로 대학을 졸업했어.
수석 졸업
같은 해 2월에는 군대에 입대해 태평양 전쟁이 한창이던 동남아에서 2년 동안 복무했지.
이때 롤스는 원자 폭탄으로 폐허가 된 일본 히로시마를 행군했다고 해.
그리고 승진해 하사가 되기도 했지.
치열한 전투 속에서 통신병으로서 자신의 임무를 잘 수행했으므로 브론즈 스타 훈장을 수여한다.
그런데 자신을 모욕한 병사를 처벌하라는 장교의 명령을 거부한 대가로 다시 이등병으로 강등되고 말았어.
강등 낙하.
일본의 항복으로 제2차 세계 대전이 끝나고, 롤스는 이듬해에 제대했어.
항복!
덕분에 나도 전쟁 탈출!
사실 참전하기 전에 롤스는 신부가 되기로 마음먹었어.
잘 어울리나?
그러나 전쟁을 경험한 후 종교에 대한 그의 믿음은 완전히 무너지고 말았지.
버리는 옷
롤스는 《나의 종교에 관하여》라는 수필에서 전쟁을 치르면서 종교에 대한 환멸을 느끼게 된 세 가지 사건을 자세하게 적었어.
내 얼굴도 환멸에 찬 표정이 되어 가는 것 같아.
첫 번째 사건은 필리핀 레이테 섬에서 격전이 벌어지고 있을 때의 일이었어.
롤스는 전쟁 중에도 예배에 참석하는 일을 게을리하지 않았는데, 하루는 목사가 이렇게 말했다고 해.
신이 우리의 총알을 일본군에게 겨누고, 일본군의 총알로부터 우리를 지켜 줄 것입니다.
목사의 말을 듣고 롤스는 분노를 느꼈어.
신이 미군만을 돕고 있다고?
말도 안 돼!

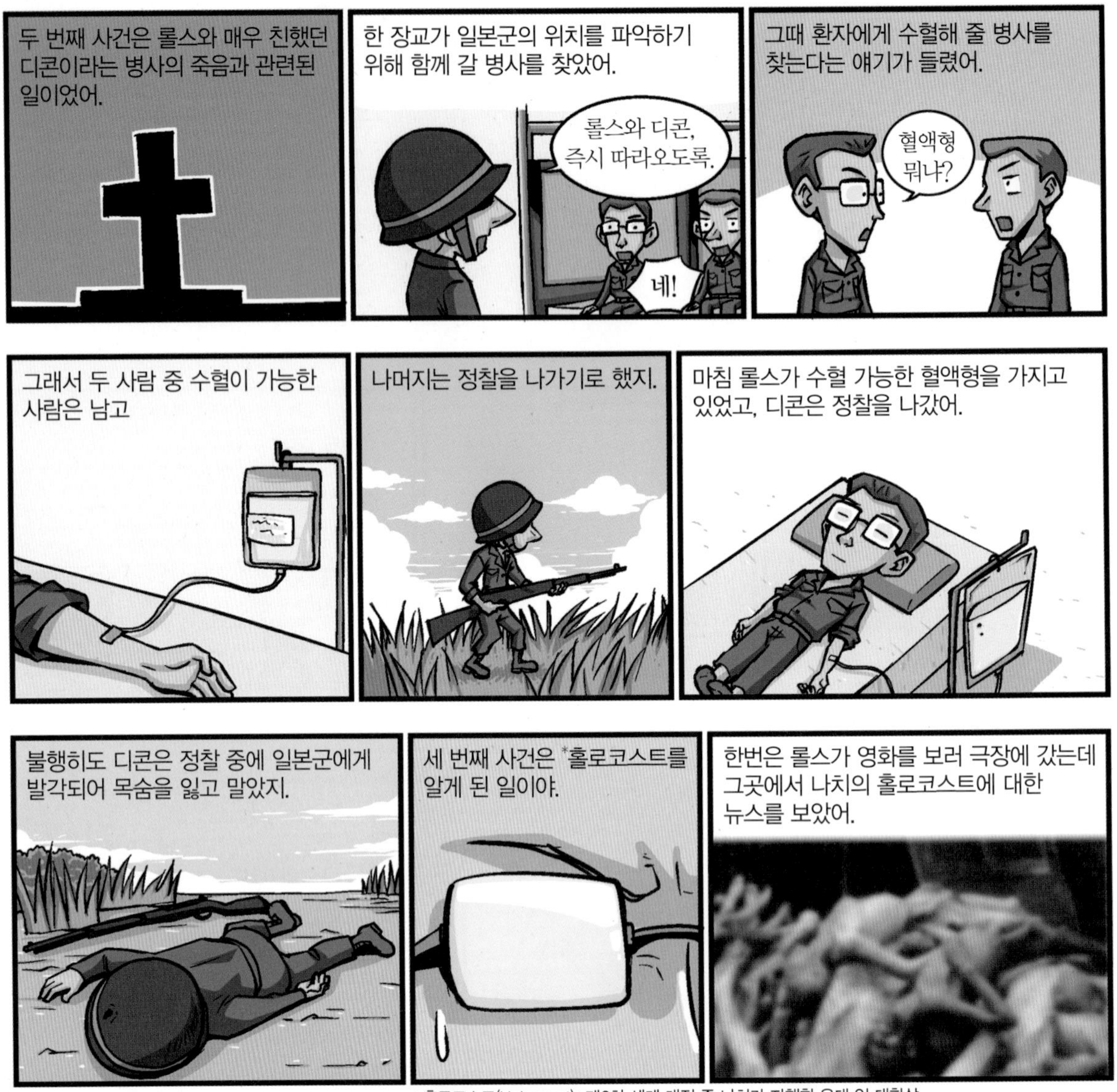
두 번째 사건은 롤스와 매우 친했던 디콘이라는 병사의 죽음과 관련된 일이었어.
한 장교가 일본군의 위치를 파악하기 위해 함께 갈 병사를 찾았어.
롤스와 디콘, 즉시 따라오도록.
네!
그때 환자에게 수혈해 줄 병사를 찾는다는 얘기가 들렸어.
혈액형 뭐냐?
그래서 두 사람 중 수혈이 가능한 사람은 남고
나머지는 정찰을 나가기로 했지.
마침 롤스가 수혈 가능한 혈액형을 가지고 있었고, 디콘은 정찰을 나갔어.
불행히도 디콘은 정찰 중에 일본군에게 발각되어 목숨을 잃고 말았지.
세 번째 사건은 *홀로코스트를 알게 된 일이야.
한번은 롤스가 영화를 보러 극장에 갔는데 그곳에서 나치의 홀로코스트에 대한 뉴스를 보았어.

* 홀로코스트(Holocaust): 제2차 세계 대전 중 나치가 자행한 유대 인 대학살.

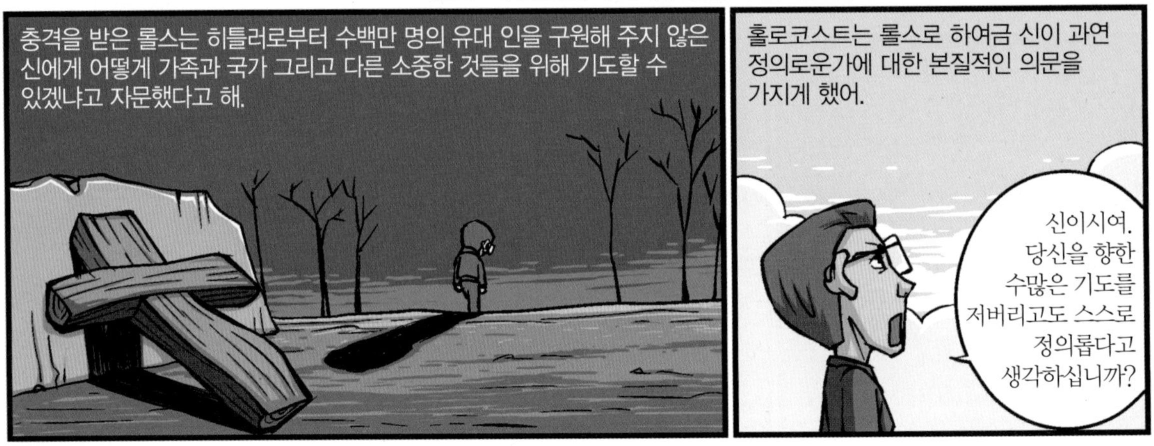
충격을 받은 롤스는 히틀러로부터 수백만 명의 유대 인을 구원해 주지 않은 신에게 어떻게 가족과 국가 그리고 다른 소중한 것들을 위해 기도할 수 있겠냐고 자문했다고 해.
홀로코스트는 롤스로 하여금 신이 과연 정의로운가에 대한 본질적인 의문을 가지게 했어.
신이시여. 당신을 향한 수많은 기도를 저버리고도 스스로 정의롭다고 생각하십니까?

이후 신학에 대한 미련을 완전히 떨친 롤스는 프린스턴 대학 철학과 대학원에 진학했어.
프린스턴 대학원
징-
1947년에는 말콤이 비트겐슈타인과 함께 연구하고 있던 코넬 대학에서 1년간 교환 학생으로 지냈지.
코넬 대학
징-
1948년부터 1949년까지는 다시 프린스턴 대학에서 공부했어.
Exit
프린스턴 대학
계단이 더 빠르겠다.
1948년에 논문을 끝내는 동안 롤스는 브라운 대학의 졸업반이었던 마가렛 팍스를 만났어.
지성미.
저기…
남자는 공부지.
그리고 두 사람은 1949년 6월에 결혼식을 올렸지.
마가렛은 롤스의 연구에서 매우 중요한 역할을 했어. 남편이 쓴 글을 다듬고 문체 등에 대해 많은 조언을 했거든.
표준어가 아닌 말은 쓰지 마세요.
탁탁
어.
또한 여성이 누려야 할 기회 평등에 대해 롤스에게 많은 것을 깨닫게 해 주었어.
마가렛, 하고 싶은 게 있으면 마음껏 해요.
고마워요.
마가렛의 부모님은 아들들에게만 대학 교육을 받도록 경제적인 지원을 해 주었어.
마가렛, 네가 대학에 가도 우린 네게 학비를 줄 수 없어.
마가렛은 브라운 대학에서 전액 장학금을 받아 학비를 충당하고 다양한 아르바이트를 하면서 대학에 다닐 수밖에 없었지.
그래서 롤스와 마가렛은 아들이나 딸 모두에게 똑같이 기회를 주기로 약속했어.
이후 두 사람 사이에서 네 명의 자녀가 태어났는데, 약속대로 차별하지 않고 그들 모두 대학에서 공부하도록 했단다.
남
녀
평
등

1950년부터 1952년까지
롤스는 프린스턴 대학에서
철학과 강사로 일했어.
옆 사람
깨워!
이 시기에 롤스는 한 경제학자의
세미나에 참석한 적이 있었는데
여기서 힉스의 《가치와 자본》, 폴 새뮤얼슨의
《경제 분석의 기초》 그리고 레옹 발라의
《순수 경제학 요론》 등을 공부했단다.
가치와
자본
롤스는 이 무렵 영국 옥스퍼드
대학의 철학과 교수였던 엄슨과
친구가 되었어.
그리고 엄슨을 통해 영국 철학계에서
흥미로운 철학적 탐구가 벌어지고 있다는
사실을 알게 되었지.
철학적
탐구 중.
당시 옥스퍼드 대학에서는
언어학파라고 불리는 철학자들이
활발하게 철학적 논의를 벌이고 있었어.
언어학파 철학자들은 우리의 언어가
일상생활 속에서 어떻게 사용되는지
분석하고
apple
이를 통해 언어가 잘못 사용되는
것을 바로잡는 데 관심이 많았어.
banana
롤스는 엄슨의 권유로 1952년부터
1953년까지 옥스퍼드 대학에서 연구원
과정을 밟았어.
옥스퍼드 대학에서 롤스는 영국의 철학자인 이사야 벌린의 세미나에 적극적으로 참여했는데, 이 세미나에서 콩도르세,
루소, 존 스튜어트 밀, 케인스의 논문 등을 공부했단다.
콩도르세
(1743~1794)
루소
(1712~1778)
존 스튜어트 밀
(1806~1873)
케인스
(1883~1946)
난 지금 이들과
이야기를 나누고
있는 거야.

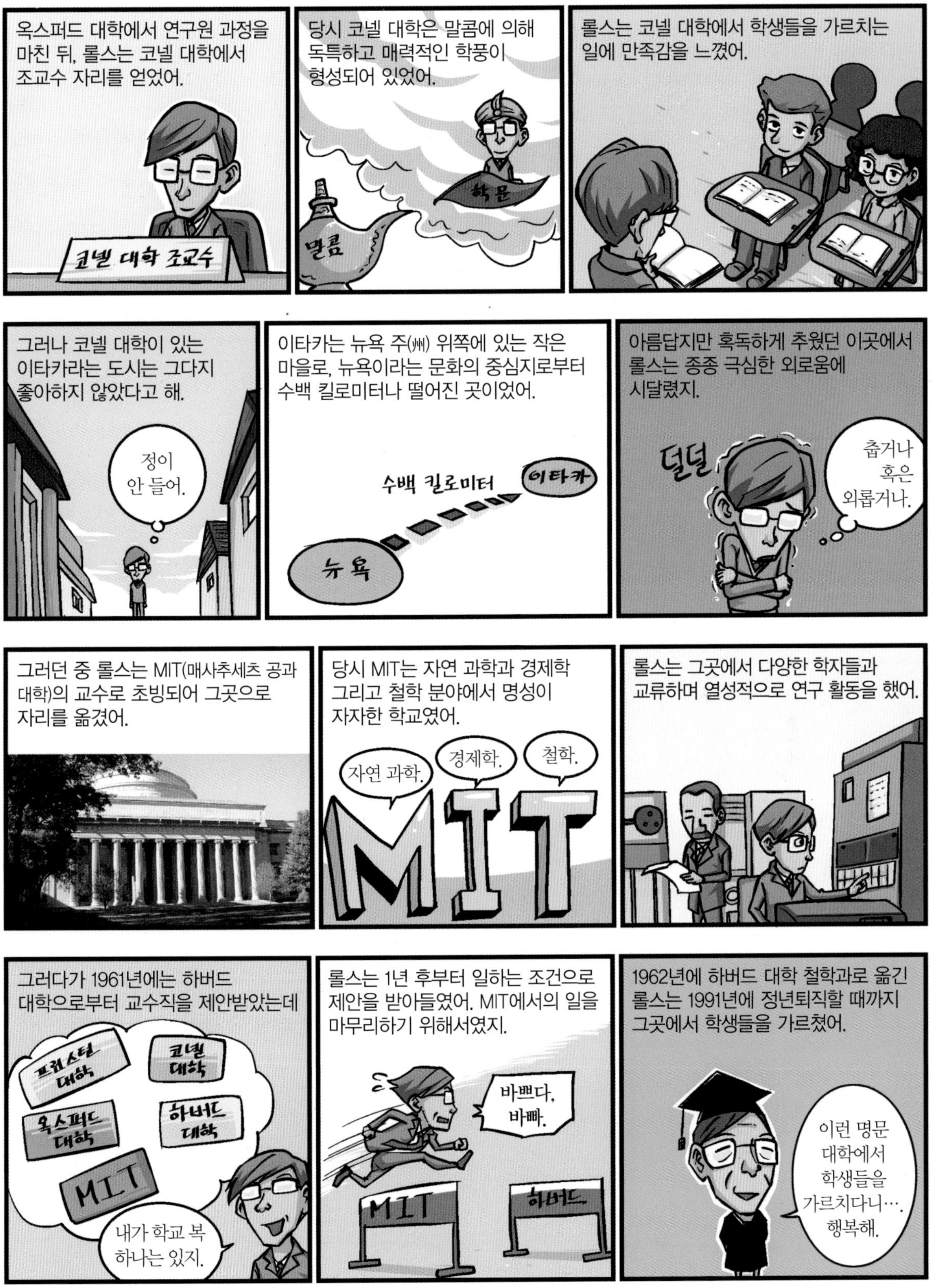
옥스퍼드 대학에서 연구원 과정을 마친 뒤, 롤스는 코넬 대학에서 조교수 자리를 얻었어.
코넬 대학 조교수
당시 코넬 대학은 말콤에 의해 독특하고 매력적인 학풍이 형성되어 있었어.
학문
말콤
롤스는 코넬 대학에서 학생들을 가르치는 일에 만족감을 느꼈어.
그러나 코넬 대학이 있는 이타카라는 도시는 그다지 좋아하지 않았다고 해.
정이 안 들어.
이타카는 뉴욕 주(州) 위쪽에 있는 작은 마을로, 뉴욕이라는 문화의 중심지로부터 수백 킬로미터나 떨어진 곳이었어.
수백 킬로미터
이타카
뉴욕
아름답지만 혹독하게 추웠던 이곳에서 롤스는 종종 극심한 외로움에 시달렸지.
덜덜
춥거나 혹은 외롭거나.
그러던 중 롤스는 MIT(매사추세츠 공과 대학)의 교수로 초빙되어 그곳으로 자리를 옮겼어.
당시 MIT는 자연 과학과 경제학 그리고 철학 분야에서 명성이 자자한 학교였어.
자연 과학.
경제학.
철학.
MIT
롤스는 그곳에서 다양한 학자들과 교류하며 열성적으로 연구 활동을 했어.
그러다가 1961년에는 하버드 대학으로부터 교수직을 제안받았는데
프린스턴 대학
코넬 대학
옥스퍼드 대학
하버드 대학
MIT
내가 학교 복 하나는 있지.
롤스는 1년 후부터 일하는 조건으로 제안을 받아들였어. MIT에서의 일을 마무리하기 위해서였지.
바쁘다, 바빠.
MIT
하버드
1962년에 하버드 대학 철학과로 옮긴 롤스는 1991년에 정년퇴직할 때까지 그곳에서 학생들을 가르쳤어.
이런 명문 대학에서 학생들을 가르치다니…. 행복해.

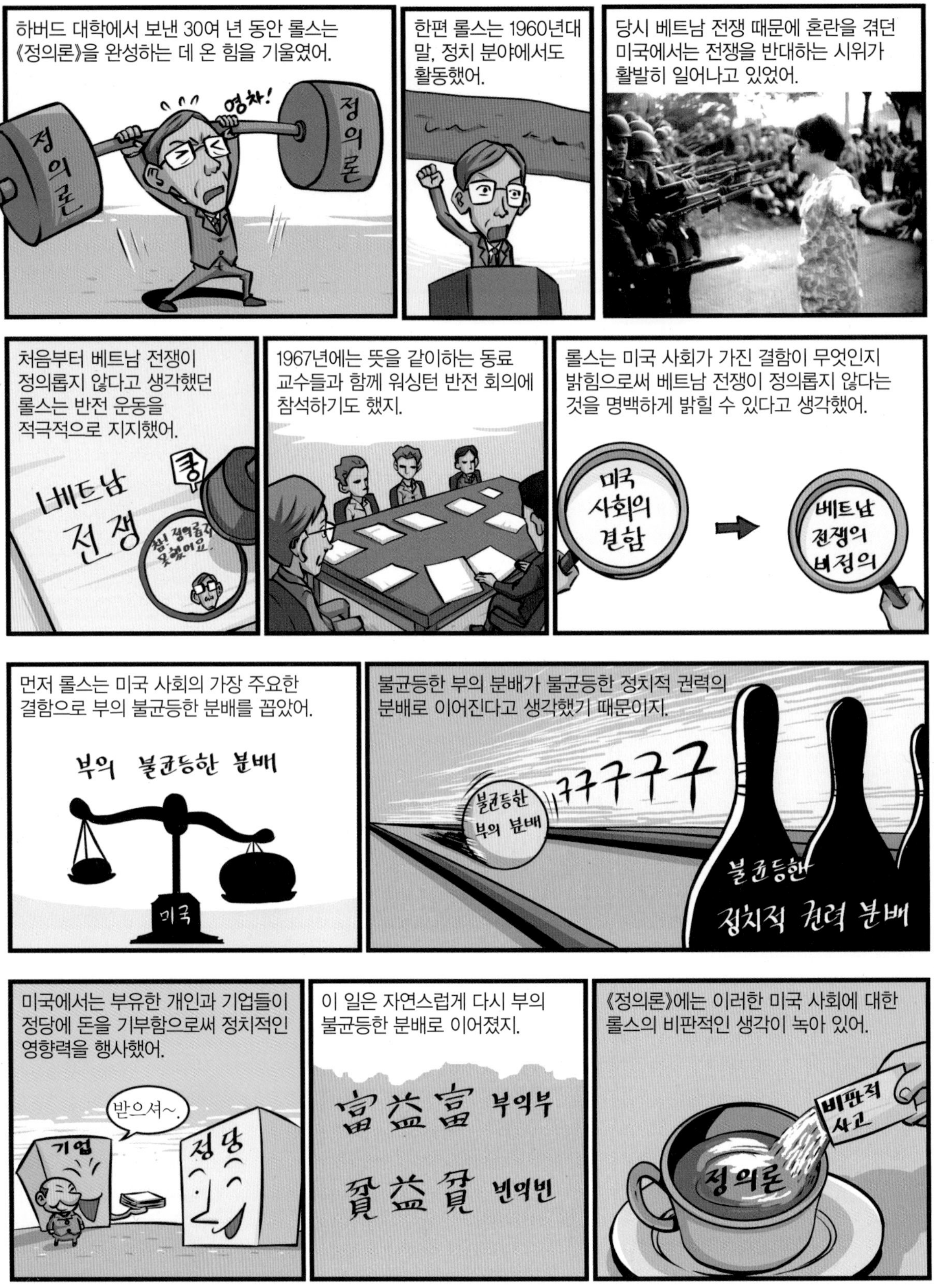
하버드 대학에서 보낸 30여 년 동안 롤스는 《정의론》을 완성하는 데 온 힘을 기울였어.
정의론
영차!
정의론
한편 롤스는 1960년대 말, 정치 분야에서도 활동했어.
당시 베트남 전쟁 때문에 혼란을 겪던 미국에서는 전쟁을 반대하는 시위가 활발히 일어나고 있었어.
처음부터 베트남 전쟁이 정의롭지 않다고 생각했던 롤스는 반전 운동을 적극적으로 지지했어.
베트남 전쟁
쿵
1967년에는 뜻을 같이하는 동료 교수들과 함께 워싱턴 반전 회의에 참석하기도 했지.
롤스는 미국 사회가 가진 결함이 무엇인지 밝힘으로써 베트남 전쟁이 정의롭지 않다는 것을 명백하게 밝힐 수 있다고 생각했어.
미국 사회의 결함
베트남 전쟁의 비정의
먼저 롤스는 미국 사회의 가장 주요한 결함으로 부의 불균등한 분배를 꼽았어.
부의 불균등한 분배
미국
불균등한 부의 분배가 불균등한 정치적 권력의 분배로 이어진다고 생각했기 때문이지.
불균등한 부의 분배
구구구구구
불균등한 정치적 권력 분배
미국에서는 부유한 개인과 기업들이 정당에 돈을 기부함으로써 정치적인 영향력을 행사했어.
받으셔~.
기업
정당
이 일은 자연스럽게 다시 부의 불균등한 분배로 이어졌지.
富益富 부익부
貧益貧 빈익빈
《정의론》에는 이러한 미국 사회에 대한 롤스의 비판적인 생각이 녹아 있어.
비판적 사고
정의론

롤스는 사람들이 경제적·사회적 배경과 상관없이 공정한 기회를 가져야 한다고 생각했어.
공정한 기회
재산과 권력의 불균등한 차이가 합법적인 제도에 의해 묵인되는 현실을 정의롭지 않다고 판단한 거야.
합법적 제도
롤스는 또 베트남 전쟁과 관련해 시민들이 전쟁에 반대하기 위해 무엇을 할 수 있는지 고민했어.
전쟁 반대
그리고 그에 대한 해답으로 시민 불복종과 양심에 따른 병역 거부를 주장했지.
시민 불복종
양심에 따른 병역 거부
롤스는 이 일이 다수의 폭력에 대항하는 소수의 목소리로 인정받아야 한다고 생각했어.
활활
졸졸
당시 미국 정부는 스물여섯 살 이전의 남성에게 의무적으로 군 복무를 하도록 했는데 많은 젊은이가 이를 꺼렸어.
MP
영장
오, 노!
게다가 정부는 공부를 잘하는 학생들은 징집하지 않고, 그렇지 않은 학생들만 징집하는 매우 불공평한 정책을 폈지.
그냥 둬 봤자 공부도 안 할 테니.
0
20
15
국방부
롤스는 한 과목에서 낙제 점수를 받은 것은 정당한 징집의 사유가 될 수 없다며 정부의 정책을 강하게 비판했어.
정부
입대를 명한다.
!

이러한 방식으로 학생들을 징집한다면 부유한 부모 아래에서 좋은 교육을 받은 학생들은 징집되지 않을 가능성이 컸어.
부웅
학원에 가야 해서.
정부
예, 예.
그러므로 징집 문제는 단순하게 성적과 연결시킬 일이 아니었지.
징집 문제
01:11
NEXT
부
성
적
11/00
LINE 16
LEVEL 2
롤스는 만일 젊은이가 전쟁에 참여해야 한다면
전쟁
부유한 사람의 아들이나 평범한 사람의 아들 모두 동일하게 운명의 짐을 나누어 져야 한다고 주장했어.
부자 아들
모두 지금 당장
완전 군장 실시!
소시민 아들
롤스는 징집 대상자들을 무작위 추첨을 통해 선발하자고 주장했어.
하버드 대학의 철학과 동료 교수 7명과 정치학과 교수 8명이 함께 교수 모임에서 이러한 제안을 했지.
하버드 대학
회의실
제가 제안 드릴 내용은….
그러나 보수주의자였던 당시 총장인 네이선 퓨지의 반대로 이는 거부되고 말았어.
안 돼!
하버드 대학에서는 베트남 전쟁과 관련된 문제로 인해 교수들과 대학 행정 기구 사이의 불편한 관계가 수년간 계속되었어.
하버드 대학 교수들
대학 행정 기구
바싹!
불편해~.
베트남 전쟁

롤스는 1969년과 1970년을 스탠퍼드 대학에서 보냈어.
이 기간 동안 롤스는 《정의론》을 완성했단다.
정의론
탈고한 후에도 롤스는 계속해서 원고를 수정하며 손을 보았지.
뭐 또 고칠거 없나?
탁
탁
그런데 어느 날 스탠퍼드 대학의 한 연구실에 불이 나서 《정의론》의 원고가 모두 타 버릴 뻔한 끔찍한 일이 일어났어.
그러나 운이 좋게도 롤스의 원고에는 불길이 닿지 않았지.
정의는 죽지 않아~.
정의론
대신 불을 끄느라 뿌린 물에 원고가 완전히 젖어 버렸어. 롤스는 원고를 한 장씩 일일이 손으로 펴서 말렸다고 해.
1970년에 다시 하버드 대학으로 돌아온 롤스는 철학과의 학장이 되었어.
학장의 위엄.
그때까지도 교수들은 베트남 전쟁을 두고 서로 대립하며 잦은 의견 충돌을 일으키고 있었지.
크릉~
롤스는 이 문제를 조절하는 동시에 자신의 강의도 열심히 준비했어.
바쁜 일상 때문에 《정의론》 원고는 주말에만 다듬을 수 있었어.
토요일 오후~
탁탁

1970년 말에 롤스는 드디어 《정의론》 원고를 모두 수정했어.
탁 다 고쳤다. 탁
하버드 대학 출판부에 넘긴 그의 원고는 무려 587쪽이나 되었어.
여기요.
….
롤스도 책의 분량이 그렇게 많은지 모르고 있다가 나중에 알고 매우 놀랐다고 해.
세상에 대한 나의 욕구 분출인가?
그리고 1971년에 드디어 롤스의 《정의론》이 출간되었어.
오예~.
이후 이 책은 정치 철학 분야에서 독보적인 위치를 차지하며 세계의 고전이 되었어.
정의론
1979년에 롤스는 하버드 대학의 정교수가 되었어.
축하해 주세요. 하버드 대학 정교수는 아무나 되는 것이 아니랍니다.
정교수
하버드 대학의 정교수는 높은 연봉을 받을 뿐만 아니라 시간적으로도 자유로웠어.
정교수는 연구를 위해 한 학기 동안 강의를 통째로 맡지 않을 수도 있단다.
1995년에 정년퇴직하기 전까지 롤스의 강의실은 항상 학생들로 가득 찼어.
하여튼 이놈의 인기란.
그만큼 롤스는 학생들은 물론, 동료 교수들에게도 존경의 대상이었어.
헉. 밟을라!
그러나 롤스는 퇴직 후 4년밖에 더 살지 못했어.
교단에 있을 때에야 비로소 내 삶의 의미를 찾을 수 있었다.
당시 롤스는 또 다른 책을 쓰려고 준비하다가 뇌졸중으로 쓰러지고 말았어.
쓰러진 후 롤스는 육체적으로나 정신적으로 많이 쇠약해졌어.

그런 상황에서도 롤스는 집필 활동을 멈추지 않았어. 아내와 제자들의 도움이 있어 가능한 일이었지.
콜록~
그만하고 쉬시지요.
그렇게 해서 《정치적 자유주의》가 출간되었어.
정치적 자유주의
《정치적 자유주의》는 《정의론》에 담긴 생각을 좀 더 정교하게 다루면서 정의에 대한 논의를 확장시키려 한 책이었지.
정의론
정치적 자유주의
2002년 11월 24일, 존 롤스는 자신의 집에서 아내가 지켜보는 가운데 세상을 떠났어.
여보! 고마우이.
롤스는 이 사회가 어떻게 하면 좀 더 가치 있고 정의로울 수 있을지에 대해 평생 탐구했던 진정한 학자였어.
정의로운 사회
인간의 본성과 인간이 처한 환경의 제약 사이에서 가능한 한 많은 사람이 자유롭고 행복할 수 있는 조건이 무엇인지 알기 위해 평생을 바쳤지.
자유와 행복
롤스는 정의로운 사회가 실현될 수 있을 것이라고 믿었어.
Justice
그 믿음을 바탕으로 인간의 정치적 삶이 정의로움과 일치할 수 있다는 전통적인 정치 철학과 도덕 철학을 다시 부활시켰지.
우리 친하게 지내자.
정치 철학
도덕 철학
이는 당시 지식인들이 가지고 있던 냉소주의를 극복하는 데 큰 영향을 끼쳤어.
따악
냉소주의
롤스는 오늘날에도 '정의'라는 말을 할 때마다 늘 함께 언급되는 위대한 지식의 거인이야.
정의
지식의 거인이다!
비록 롤스는 세상에 없지만 《정의론》과 그 속에 담긴 정의에 대한 그의 생각들은 앞으로도 영원히 우리와 함께할 거야.
정의라는 단어가 들릴 때마다 존 롤스, 당신을 떠올리겠습니다.
정의로 뭉친 주먹, 로보트 태권~

3장
공정으로서의 정의
롤스는 철학이나 과학과 같은 학문에서 가장 중요한 가치가 '진리'라면
진리
철학, 과학
사회 제도에서 가장 중요한 가치는 '정의'라고 했어.
사상 체계의 제1덕목이 진리라면, 정의는 사회 제도의 제1덕목입니다.
진리
정의
제1덕목이란 가장 핵심적이고 중요한 것, 그래서 절대로 포기할 수 없는 덕목을 말해.
제1덕목
이것만은 절대로 포기 못 해.
롤스는 명확하게 잘 만들어진 이론이라 할지라도 진리가 아니면 폐기해야 하듯이
어떤 법이나 제도가 효율적이고 많은 사회적 이익을 창출한다고 해도 그것이 정의롭지 않다면 개선하거나 폐기해야 한다고 주장했어.
개선
폐기
법, 제도
정의롭지 않았던 과거를 반성한다.
정의는 제1덕목이므로 모든 사회 구성원들에게 적용되어야 한다고 믿었지.
제1덕목
정의

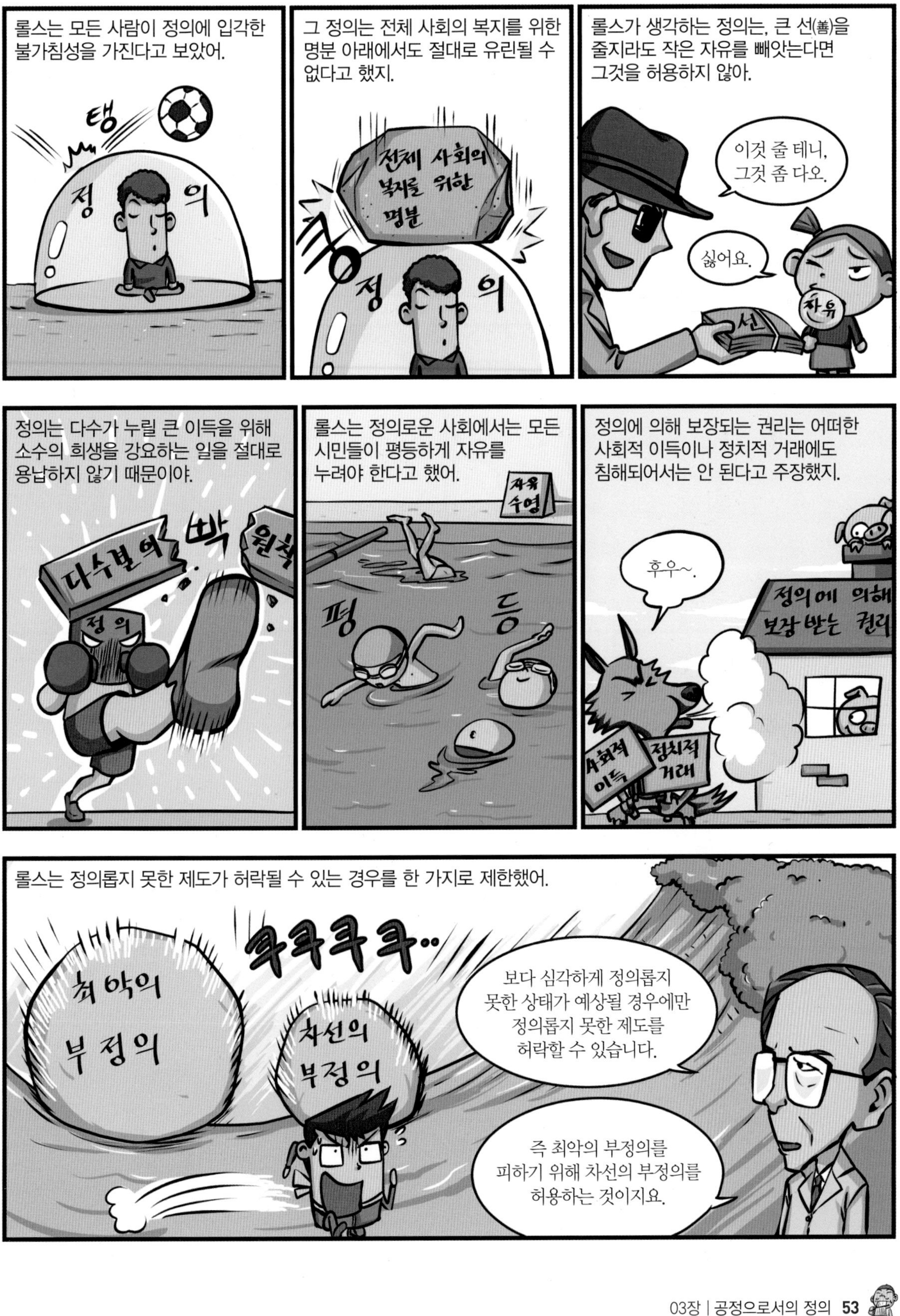
롤스는 모든 사람이 정의에 입각한 불가침성을 가진다고 보았어.
탱
정 의
그 정의는 전체 사회의 복지를 위한 명분 아래에서도 절대로 유린될 수 없다고 했지.
전체 사회의 복지를 위한 명분
정 의
롤스가 생각하는 정의는, 큰 선(善)을 줄지라도 작은 자유를 빼앗는다면 그것을 허용하지 않아.
이것 줄 테니, 그것 좀 다오.
싫어요.
선
자유
정의는 다수가 누릴 큰 이득을 위해 소수의 희생을 강요하는 일을 절대로 용납하지 않기 때문이야.
다수결의 원칙
빡
정의
롤스는 정의로운 사회에서는 모든 시민들이 평등하게 자유를 누려야 한다고 했어.
자유 수영
평 등
정의에 의해 보장되는 권리는 어떠한 사회적 이득이나 정치적 거래에도 침해되어서는 안 된다고 주장했지.
후우~.
정의에 의해 보장 받는 권리
사회적 이득
정치적 거래
롤스는 정의롭지 못한 제도가 허락될 수 있는 경우를 한 가지로 제한했어.
쿠쿠쿠쿠..
최악의 부정의
차선의 부정의
보다 심각하게 정의롭지 못한 상태가 예상될 경우에만 정의롭지 못한 제도를 허락할 수 있습니다.
즉 최악의 부정의를 피하기 위해 차선의 부정의를 허용하는 것이지요.

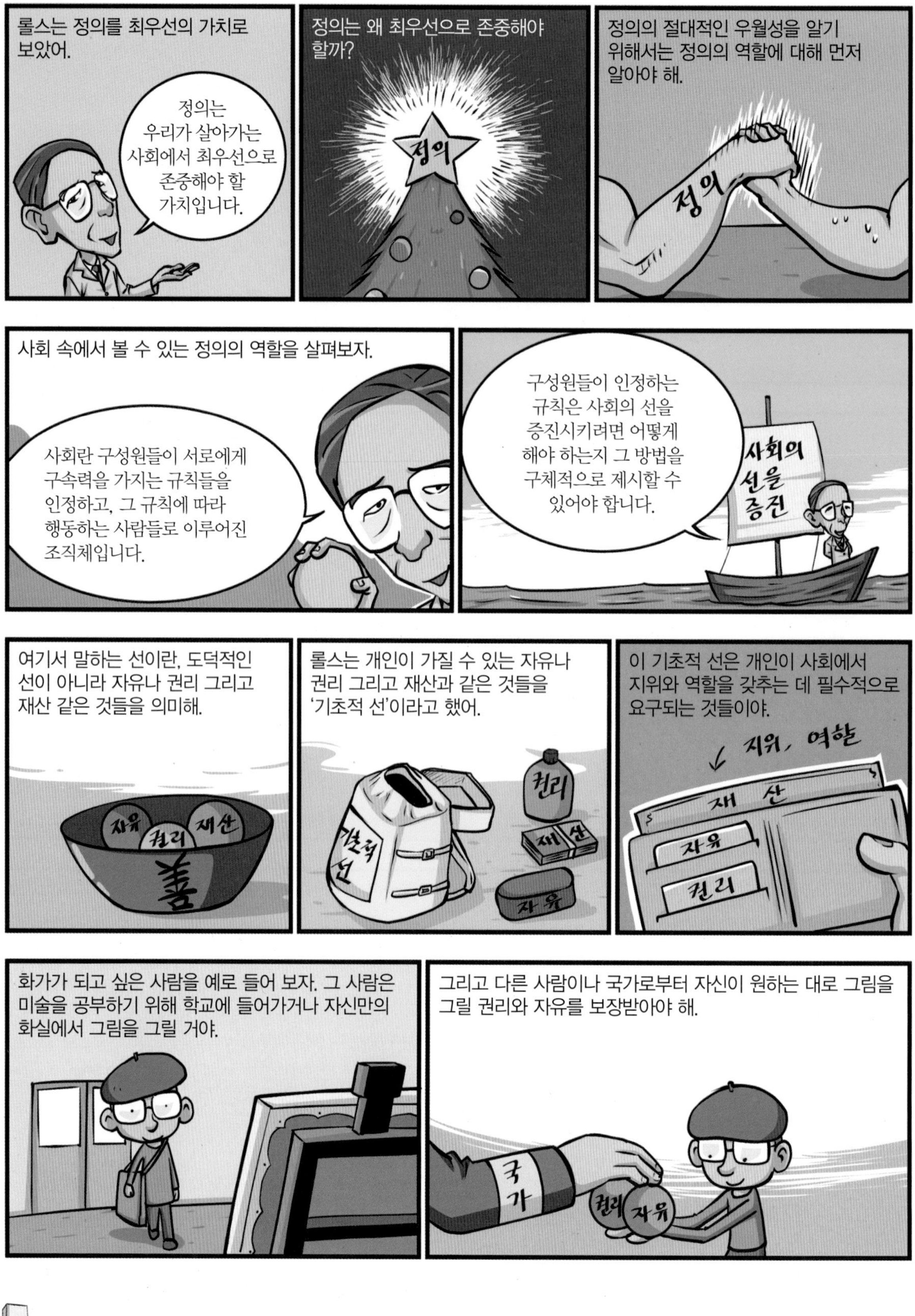
롤스는 정의를 최우선의 가치로 보았어.
정의는 우리가 살아가는 사회에서 최우선으로 존중해야 할 가치입니다.
정의는 왜 최우선으로 존중해야 할까?
정의
정의의 절대적인 우월성을 알기 위해서는 정의의 역할에 대해 먼저 알아야 해.
정의
사회 속에서 볼 수 있는 정의의 역할을 살펴보자.
사회란 구성원들이 서로에게 구속력을 가지는 규칙들을 인정하고, 그 규칙에 따라 행동하는 사람들로 이루어진 조직체입니다.
구성원들이 인정하는 규칙은 사회의 선을 증진시키려면 어떻게 해야 하는지 그 방법을 구체적으로 제시할 수 있어야 합니다.
사회의 선을 증진
여기서 말하는 선이란, 도덕적인 선이 아니라 자유나 권리 그리고 재산 같은 것들을 의미해.
자유
권리
재산
善
롤스는 개인이 가질 수 있는 자유나 권리 그리고 재산과 같은 것들을 '기초적 선'이라고 했어.
기초적 선
권리
재산
자유
이 기초적 선은 개인이 사회에서 지위와 역할을 갖추는 데 필수적으로 요구되는 것들이야.
지위, 역할
재산
자유
권리
화가가 되고 싶은 사람을 예로 들어 보자. 그 사람은 미술을 공부하기 위해 학교에 들어가거나 자신만의 화실에서 그림을 그릴 거야.
그리고 다른 사람이나 국가로부터 자신이 원하는 대로 그림을 그릴 권리와 자유를 보장받아야 해.
국가
권리
자유

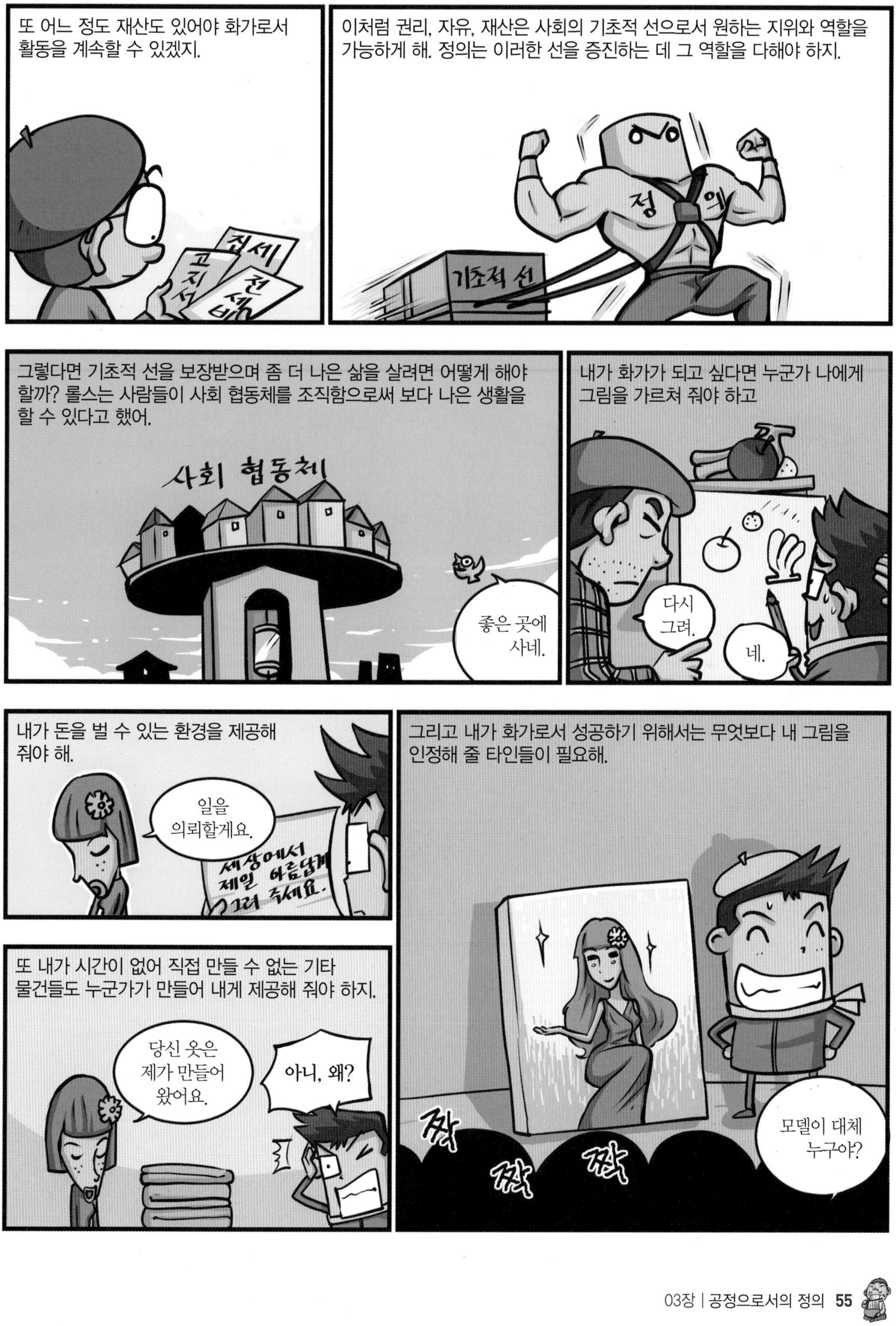
또 어느 정도 재산도 있어야 화가로서 활동을 계속할 수 있겠지.
집세
고지서
전세
이처럼 권리, 자유, 재산은 사회의 기초적 선으로서 원하는 지위와 역할을 가능하게 해. 정의는 이러한 선을 증진하는 데 그 역할을 다해야 하지.
정의
기초적 선
그렇다면 기초적 선을 보장받으며 좀 더 나은 삶을 살려면 어떻게 해야 할까? 롤스는 사람들이 사회 협동체를 조직함으로써 보다 나은 생활을 할 수 있다고 했어.
사회 협동체
좋은 곳에 사네.
내가 화가가 되고 싶다면 누군가 나에게 그림을 가르쳐 줘야 하고
다시 그려.
네.
내가 돈을 벌 수 있는 환경을 제공해 줘야 해.
일을 의뢰할게요.
세상에서 제일 아름답게 그려 주세요.
또 내가 시간이 없어 직접 만들 수 없는 기타 물건들도 누군가가 만들어 내게 제공해 줘야 하지.
당신 옷은 제가 만들어 왔어요.
아니, 왜?
그리고 내가 화가로서 성공하기 위해서는 무엇보다 내 그림을 인정해 줄 타인들이 필요해.
짝
짝
짝
모델이 대체 누구야?

조직체에서 모두가 적절한 이익을 얻을 수 있다면 좋겠지만
조직체
이익
이익
이익
때로는 서로의 이해관계가 상충하는 일이 벌어지기도 해.
이는 사람들이 들인 노력보다 더 많은 이익을 바라기 때문이야.
이익
이러한 문제를 해결하려면 이익의 분배를 결정해 줄 시스템이 필요해.
300만 원의 수익이 났으니까 자, 100만 원씩.
또 적절하게 분배된 몫에 합의하는 원칙들도 필요하지.
네.
이러한 것들이 바로 사회 정의의 원칙이란다.
사회 정의의 원칙
빳
정의는 사회를 구성하고 있는 사람들의 권리와 의무를 규정하는 원칙을 제시해.
정의
권리와 의무에 대한 원칙
또 사회 협동체에서 발생하는 이익과 부담을 적절하게 분배하는 방법을 결정하지.
이익과 부담의 분배법
이익과 부담의 분배법
롤스는 구성원들의 선을 증진하고, 이익의 공정한 분배를 효율적으로 규제하는 사회를 이상적으로 보았어.
사회
구성원들의 선을 증진
이익의 공정한 분배의 효율적 규제
그러한 사회를 '질서 정연한 사회'라고 규정했지.
질서 정연한 사회
질서 정연한 사회에서는 사회를 구성하는 사람들이 모두 동일한 정의의 원칙을 받아들입니다.
그리고 사회의 여러 가지 제도가 정의의 원칙을 충족하지요. 사람들은 이러한 사실을 당연한 것으로 여깁니다.

질서 정연한 사회는 하나의 정의관(正義觀)을 공유해.
질서 정연한 사회
정의관
질서 정연한 사회
그래서 서로 다른 이해관계를 가진 사람들도 굳건하게 결합시킬 수 있지.
손을 꼭 잡아야 하나?
정의관이 공유되려면 정의관은 공적이어야만 해.
징-
정의론
공적
X-레이
롤스는 이것을 '공지성'이라고 불렀어.
공적
공지성!
공지성은 모든 시민이 정의의 원칙이 무엇인지 알고 있고
정의의 원칙
그 원칙을 다른 시민들도 수용하고 있음을 아는 것이야.
정의의 원칙을 수용합니다.
알고 있습니다.
공지성을 통해 우리는 롤스의 정의론이 민주주의 사회를 전제로 하고 있음을 알 수 있어.
공지성
정의론
민주주의 사회
고대 그리스의 철학자 플라톤은 철학자같이 특별한 사람만이 정의의 원칙과 그 근거를 알 수 있도록 해야 한다고 주장했어.
팟
철학자는 특별하니까.
특별한 교육을 받은 사람들에게만 정의의 원칙이 알려지도록 해야 합니다. 그래야 그 사회가 정의로워질 수 있습니다.
그러나 롤스는 사회의 정의관은 공지성을 가져야 한다고 주장했어.
모두가 알지 못한다면 정의관은 성립될 수 없습니다.
정의관을 모든 시민에게 개방해야 한다고 했지.
활짝-
와!
정의관
정의는 모든 시민에게 적용되는 덕목이므로 정의의 원칙이나 근거 역시 모든 시민에게 공개해야 한다는 거야.
농사꾼도, 장사꾼도!
정의에 대해 알아야지, 암.

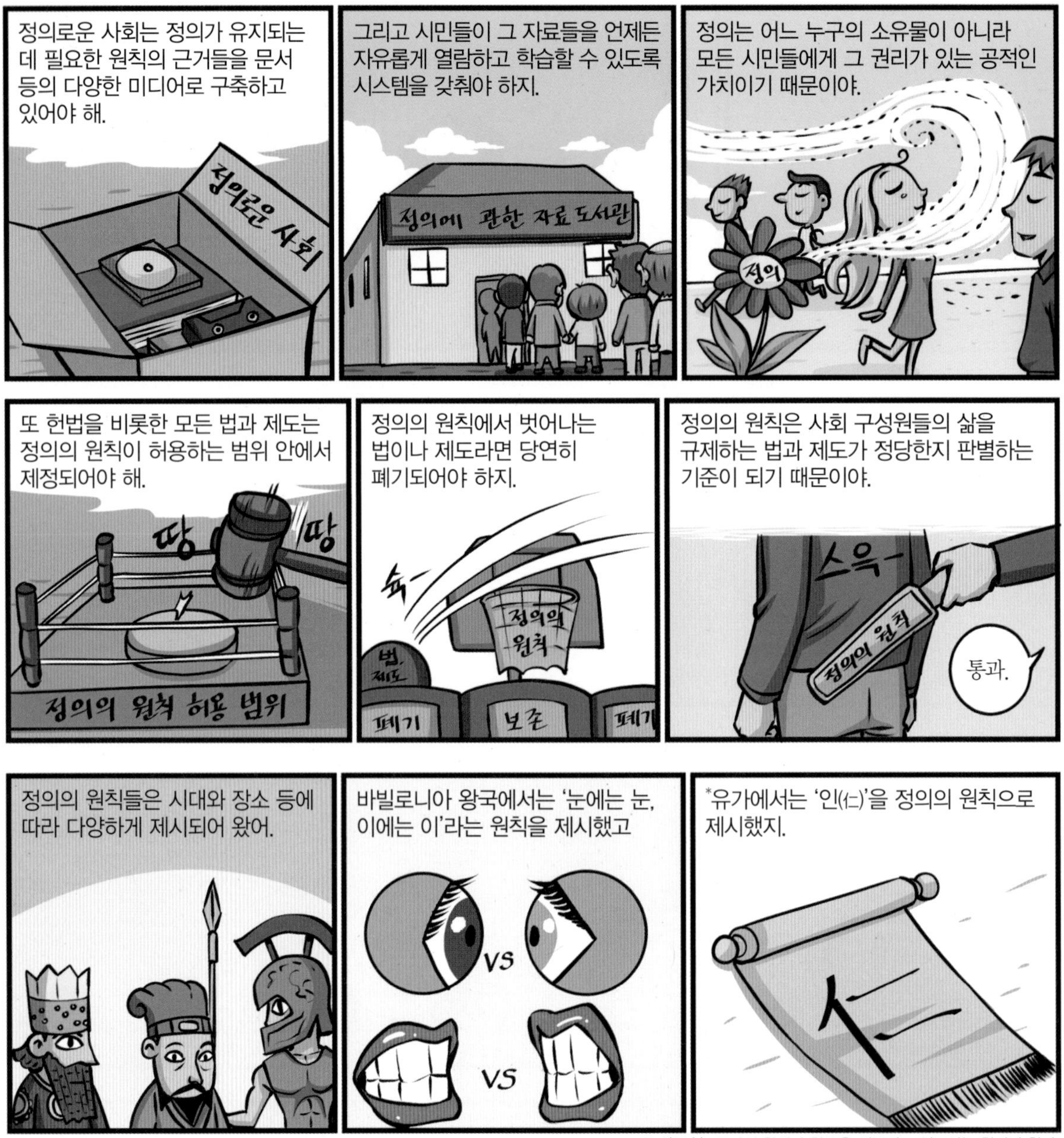
정의로운 사회는 정의가 유지되는 데 필요한 원칙의 근거들을 문서 등의 다양한 미디어로 구축하고 있어야 해.
정의로운 사회
그리고 시민들이 그 자료들을 언제든 자유롭게 열람하고 학습할 수 있도록 시스템을 갖춰야 하지.
정의에 관한 자료 도서관
정의는 어느 누구의 소유물이 아니라 모든 시민들에게 그 권리가 있는 공적인 가치이기 때문이야.
정의
또 헌법을 비롯한 모든 법과 제도는 정의의 원칙이 허용하는 범위 안에서 제정되어야 해.
땅
땅
정의의 원칙 허용 범위
정의의 원칙에서 벗어나는 법이나 제도라면 당연히 폐기되어야 하지.
슉
정의의 원칙
법, 제도
폐기
보존
폐기
정의의 원칙은 사회 구성원들의 삶을 규제하는 법과 제도가 정당한지 판별하는 기준이 되기 때문이야.
스윽
정의의 원칙
통과.
정의의 원칙들은 시대와 장소 등에 따라 다양하게 제시되어 왔어.
바빌로니아 왕국에서는 '눈에는 눈, 이에는 이'라는 원칙을 제시했고
VS
VS
*유가에서는 '인(仁)'을 정의의 원칙으로 제시했지.
仁

* 유가(儒家): 공자의 학설과 학풍을 신봉하고 연구하는 학자나 학파.

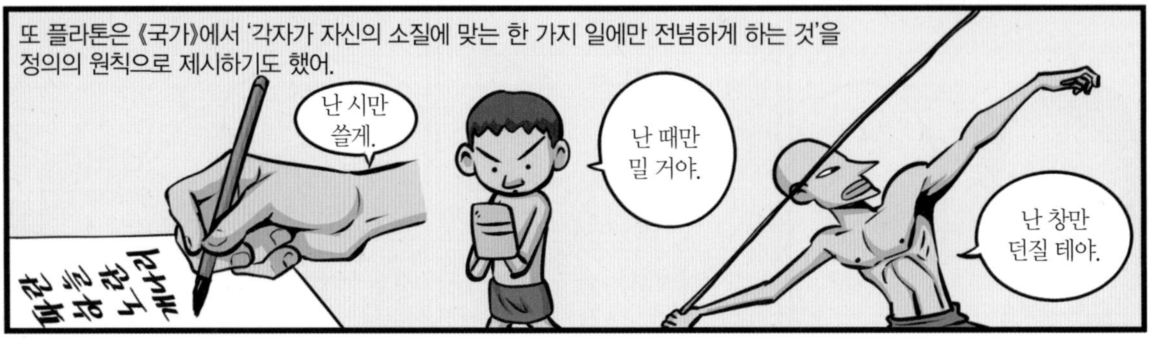
또 플라톤은 《국가》에서 '각자가 자신의 소질에 맞는 한 가지 일에만 전념하게 하는 것'을 정의의 원칙으로 제시하기도 했어.
난 시만 쓸게.
난 때만 밀 거야.
난 창만 던질 테야.

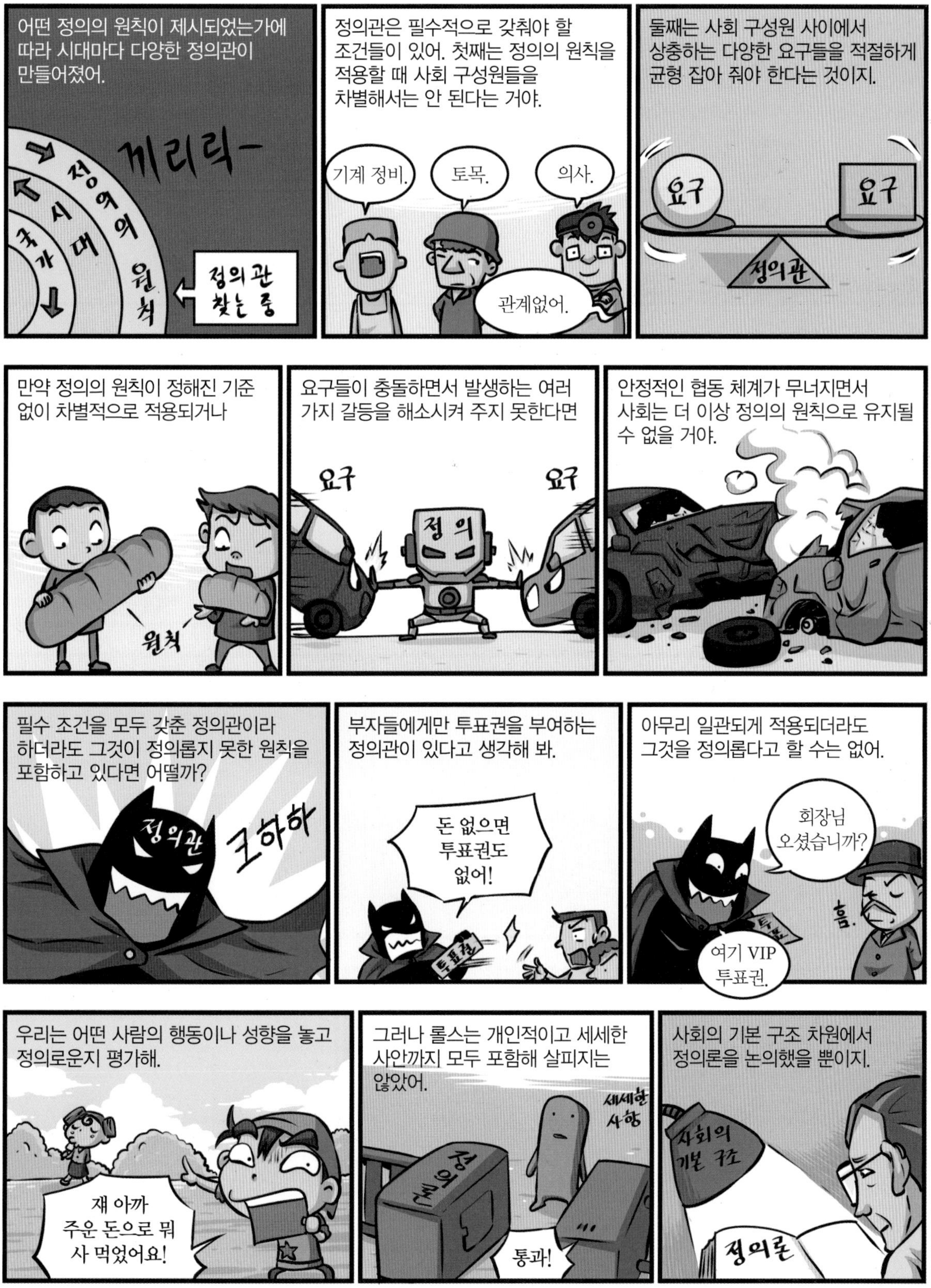
어떤 정의의 원칙이 제시되었는가에 따라 시대마다 다양한 정의관이 만들어졌어.
끼리릭-
정의의 원칙
시대
국가
정의관 찾는 중
정의관은 필수적으로 갖춰야 할 조건들이 있어. 첫째는 정의의 원칙을 적용할 때 사회 구성원들을 차별해서는 안 된다는 거야.
기계 정비.
토목.
의사.
관계없어.
둘째는 사회 구성원 사이에서 상충하는 다양한 요구들을 적절하게 균형 잡아 줘야 한다는 것이지.
요구
요구
정의관
만약 정의의 원칙이 정해진 기준 없이 차별적으로 적용되거나
원칙
요구들이 충돌하면서 발생하는 여러 가지 갈등을 해소시켜 주지 못한다면
요구
정의
요구
안정적인 협동 체계가 무너지면서 사회는 더 이상 정의의 원칙으로 유지될 수 없을 거야.
필수 조건을 모두 갖춘 정의관이라 하더라도 그것이 정의롭지 못한 원칙을 포함하고 있다면 어떨까?
정의관
크하하
부자들에게만 투표권을 부여하는 정의관이 있다고 생각해 봐.
돈 없으면 투표권도 없어!
투표권
아무리 일관되게 적용되더라도 그것을 정의롭다고 할 수는 없어.
회장님 오셨습니까?
흠.
여기 VIP 투표권.
우리는 어떤 사람의 행동이나 성향을 놓고 정의로운지 평가해.
재 아까 주운 돈으로 뭐 사 먹었어요!
그러나 롤스는 개인적이고 세세한 사안까지 모두 포함해 살피지는 않았어.
세세한 사항
정의론
통과!
사회의 기본 구조 차원에서 정의론을 논의했을 뿐이지.
사회의 기본 구조
정의론

롤스가 말하는 사회의 기본 구조란 그 사회의 구성원이 활동하는 다양한 영역의 기본적인 배경 또는 토대를 뜻해.
예를 들면 사상의 자유나 생산 수단의 사적 소유, 주요한 사회 제도들 그리고 시장 경제 체제와 같은 경제 구조 등이 사회의 기본 구조에 해당하지.
사회 기본 구조
사상의 자유
경제 구조
사회 제도
사회의 기본 구조는 중요한 사회 제도들을 하나의 협동 조직으로 편성하는 체제야.
사회 제도
반대로 말하면 다양한 사회 제도들이 모여 사회의 구조를 이루는 것이지.
사회 제도들은 서로 긴밀하게 연결되어 사회를 하나의 협동체로 조직해.
사회의 기본 구조들은 구성원들의 권리와 의무를 정하지.
권리
의무
권리
의무
권리
의무
그뿐 아니라 사회에서 발생한 이익을 어떻게 분배할 것인가를 규정하기도 해.
탁 탁 탁
이익
그렇기 때문에 사회의 기본 구조가 어떤 틀에 맞춰지느냐에 따라 사회 구성원들의 삶은 크게 달라질 수 있어.
사회 기본 구조 틀
부럽다.
사회 기본 구조 틀
롤스는 사회의 기본 구조가 뿌리 깊은 불평등을 만들어 낼 수 있다고 경고했어.
부익부 빈익빈.
비도덕적 행위.
사회 기본 구조
사회의 기본 구조는 사람들의 다양한 사회적 지위도 설정해.
회장, 장관, 총리
의사, 판사, 검사
대기업 사원, 공무원
일반직 노동자
서로 다른 위치에서 태어난 사람들은 각각의 지위에 따라 유리하거나 불리한 여건에 놓일 수 있지.
오늘도 라면….
해외여행도 이젠 지겨워!

그래서 사람들은 정의의 원칙이 가장 먼저 적용되어야 할 것으로 지위의 차이를 꼽곤 해.
붕어빵
우리처럼 평등 원칙이 적용되는 것이 사회 정의지.
이처럼 정의의 문제는 서로 다른 지위에 놓인 사람들 사이에서 주로 발생해.
부앙~
맘마.
오냐, 내 새끼.
상류층
시끄러워.
하층민
동일한 지위나 비슷한 처지의 사람들 사이에서는 정의의 문제를 크게 생각할 필요가 없어.
대학 등록금이 걱정이야.
휴~. 우리도 마찬가지야.
같은 노동자 사이에서나 같은 자본가 사이에서 정의는 큰 의미가 없다는 말이야.
나 이번에 한 방 터트렸어.
와, 축하해! 한턱 내.
그러나 서로 다른 사회적 지위를 가질 때는 문제가 달라져.
지금 출근하나?
넵. 늦었습니다.
사장님!
자본가와 노동자 간의 상이한 사회적 지위 사이에서 정의의 문제는 큰 의미를 가지게 되지.
업무 보고하러 이따 내 방에 들르게.
네.
이와 같은 롤스의 생각은 존 로크의 생각과는 다른 것이었어.
로크는 사회의 기본 구조가 공정한 합의에 의해 형성되었다면 그 이후의 상황은 모두 정의롭다고 보았거든.
공정
졸졸졸~
정의로움
로크는 사회 구성원들이 공정하게 자신의 노동력으로 획득한 재산이나 지위는 정당한 과정을 거친 것이므로 보호받아야 한다고 주장했어.
이 모두가 노력의 결과이므로!
부자
빈민
그리고 이후에 형성된 사회의 기본 구조들이 조금 불평등하더라도 정의롭다고 보았지.
재산
상류층
평등
하층민
Start
시간

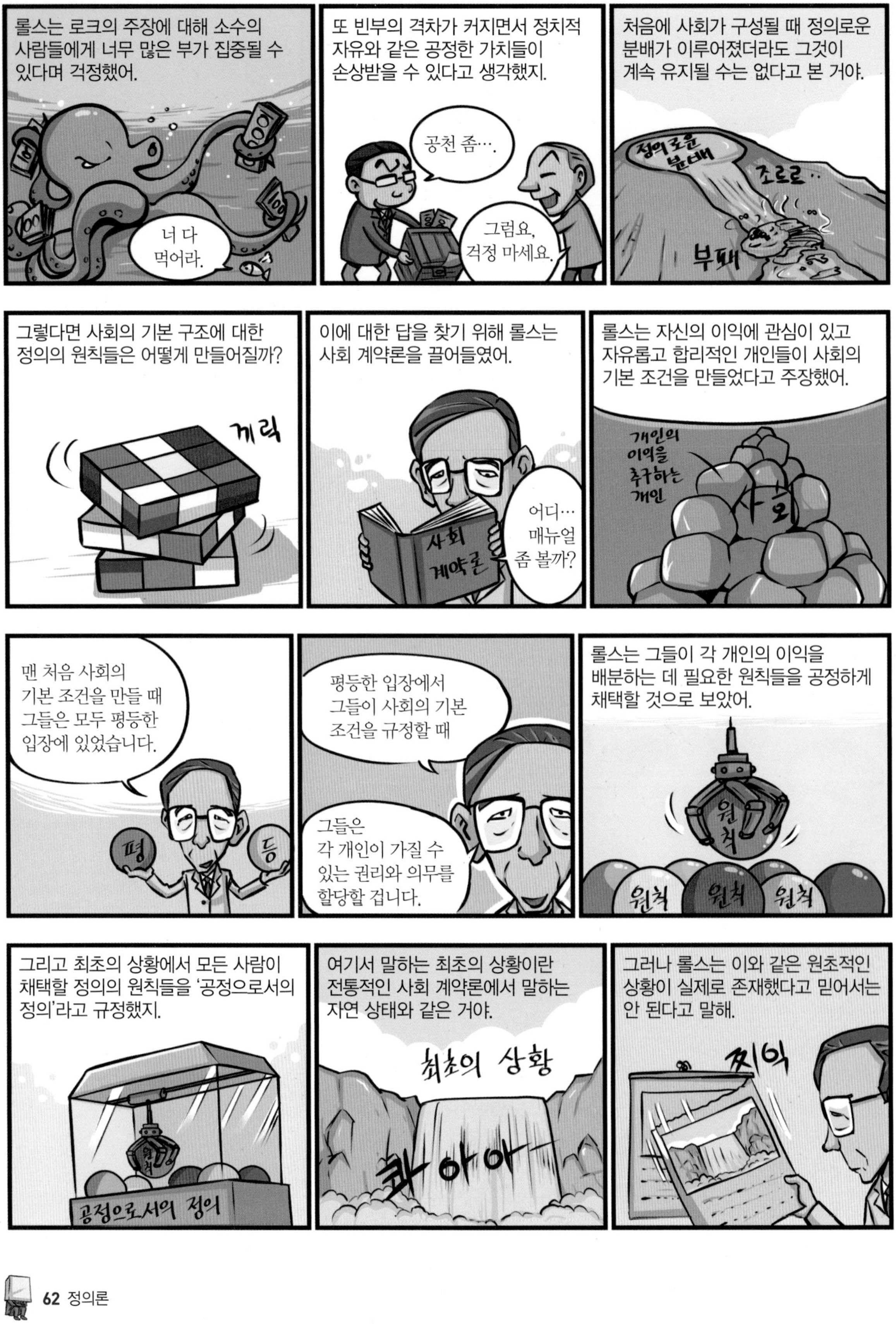
롤스는 로크의 주장에 대해 소수의 사람들에게 너무 많은 부가 집중될 수 있다며 걱정했어.
너 다 먹어라.
또 빈부의 격차가 커지면서 정치적 자유와 같은 공정한 가치들이 손상받을 수 있다고 생각했지.
공천 좀….
그럼요, 걱정 마세요.
처음에 사회가 구성될 때 정의로운 분배가 이루어졌더라도 그것이 계속 유지될 수는 없다고 본 거야.
정의로운 분배
조르르..
부패
그렇다면 사회의 기본 구조에 대한 정의의 원칙들은 어떻게 만들어질까?
끼릭
이에 대한 답을 찾기 위해 롤스는 사회 계약론을 끌어들였어.
사회 계약론
어디… 매뉴얼 좀 볼까?
롤스는 자신의 이익에 관심이 있고 자유롭고 합리적인 개인들이 사회의 기본 조건을 만들었다고 주장했어.
개인의 이익을 추구하는 개인
사회
맨 처음 사회의 기본 조건을 만들 때 그들은 모두 평등한 입장에 있었습니다.
평
등
평등한 입장에서 그들이 사회의 기본 조건을 규정할 때
그들은 각 개인이 가질 수 있는 권리와 의무를 할당할 겁니다.
롤스는 그들이 각 개인의 이익을 배분하는 데 필요한 원칙들을 공정하게 채택할 것으로 보았어.
원칙
원칙
원칙
원칙
그리고 최초의 상황에서 모든 사람이 채택할 정의의 원칙들을 '공정으로서의 정의'라고 규정했지.
원칙
공정으로서의 정의
여기서 말하는 최초의 상황이란 전통적인 사회 계약론에서 말하는 자연 상태와 같은 거야.
최초의 상황
콰아아
그러나 롤스는 이와 같은 원초적인 상황이 실제로 존재했다고 믿어서는 안 된다고 말해.
찌익

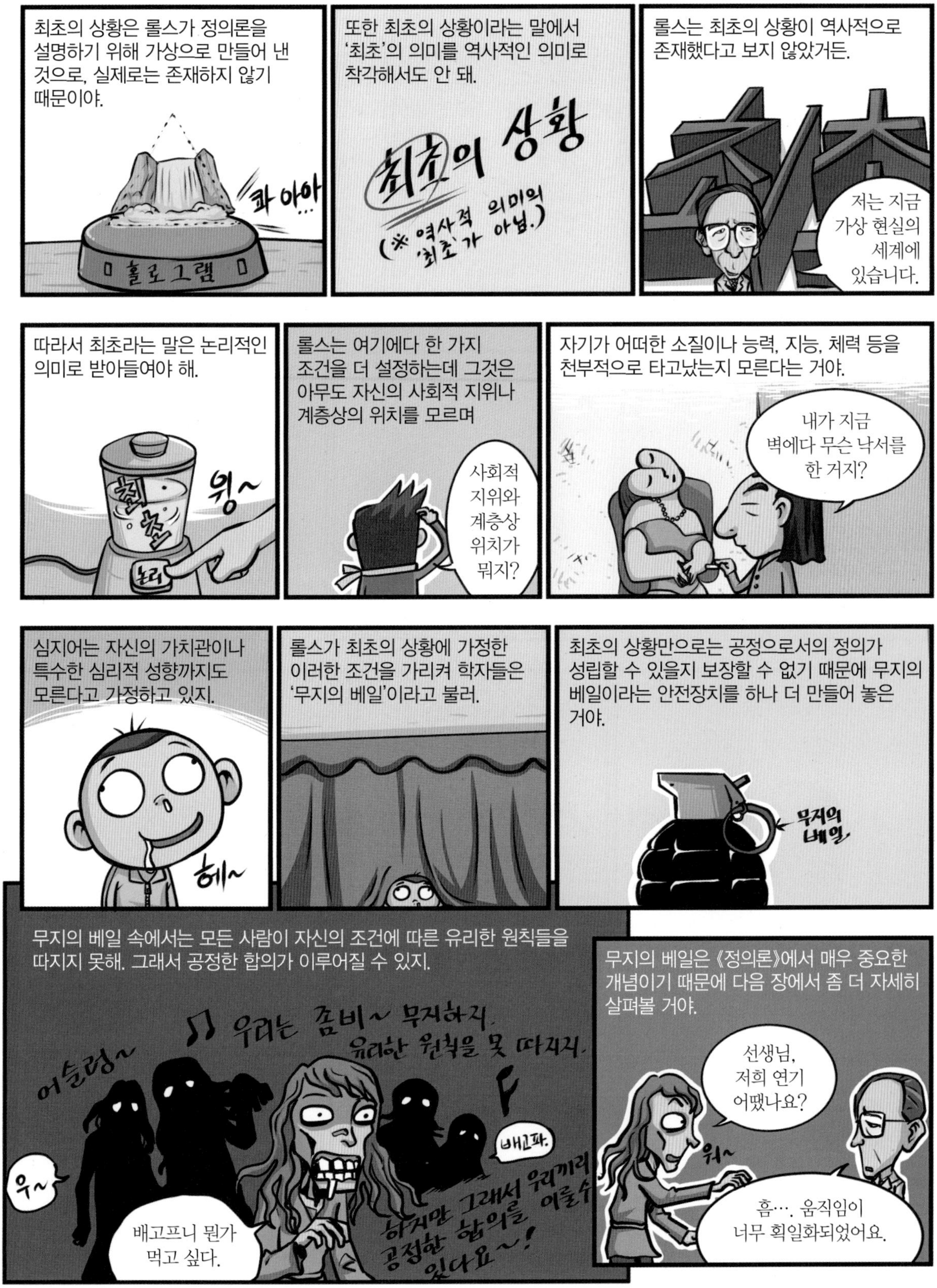
최초의 상황은 롤스가 정의론을 설명하기 위해 가상으로 만들어 낸 것으로, 실제로는 존재하지 않기 때문이야.
콰 아아…
홀로그램
또한 최초의 상황이라는 말에서 '최초'의 의미를 역사적인 의미로 착각해서도 안 돼.
최초의 상황
(※ 역사적 의미의 '최초'가 아님.)
롤스는 최초의 상황이 역사적으로 존재했다고 보지 않았거든.
저는 지금 가상 현실의 세계에 있습니다.
따라서 최초라는 말은 논리적인 의미로 받아들여야 해.
최초
윙~
논리
롤스는 여기에다 한 가지 조건을 더 설정하는데 그것은 아무도 자신의 사회적 지위나 계층상의 위치를 모르며
사회적 지위와 계층상 위치가 뭐지?
자기가 어떠한 소질이나 능력, 지능, 체력 등을 천부적으로 타고났는지 모른다는 거야.
내가 지금 벽에다 무슨 낙서를 한 거지?
심지어는 자신의 가치관이나 특수한 심리적 성향까지도 모른다고 가정하고 있지.
헤~
롤스가 최초의 상황에 가정한 이러한 조건을 가리켜 학자들은 '무지의 베일'이라고 불러.
최초의 상황만으로는 공정으로서의 정의가 성립할 수 있을지 보장할 수 없기 때문에 무지의 베일이라는 안전장치를 하나 더 만들어 놓은 거야.
무지의 베일
무지의 베일 속에서는 모든 사람이 자신의 조건에 따른 유리한 원칙들을 따지지 못해. 그래서 공정한 합의가 이루어질 수 있지.
♫ 우리는 좀비~ 무지하지. 유리한 원칙을 못 따지지.
어슬렁~
우~
배고파.
배고프니 뭔가 먹고 싶다.
하지만 그래서 우리끼리 공정한 합의를 이룰 수 있다요~!
무지의 베일은 《정의론》에서 매우 중요한 개념이기 때문에 다음 장에서 좀 더 자세히 살펴볼 거야.
선생님, 저희 연기 어땠나요?
흠…. 움직임이 너무 획일화되었어요.

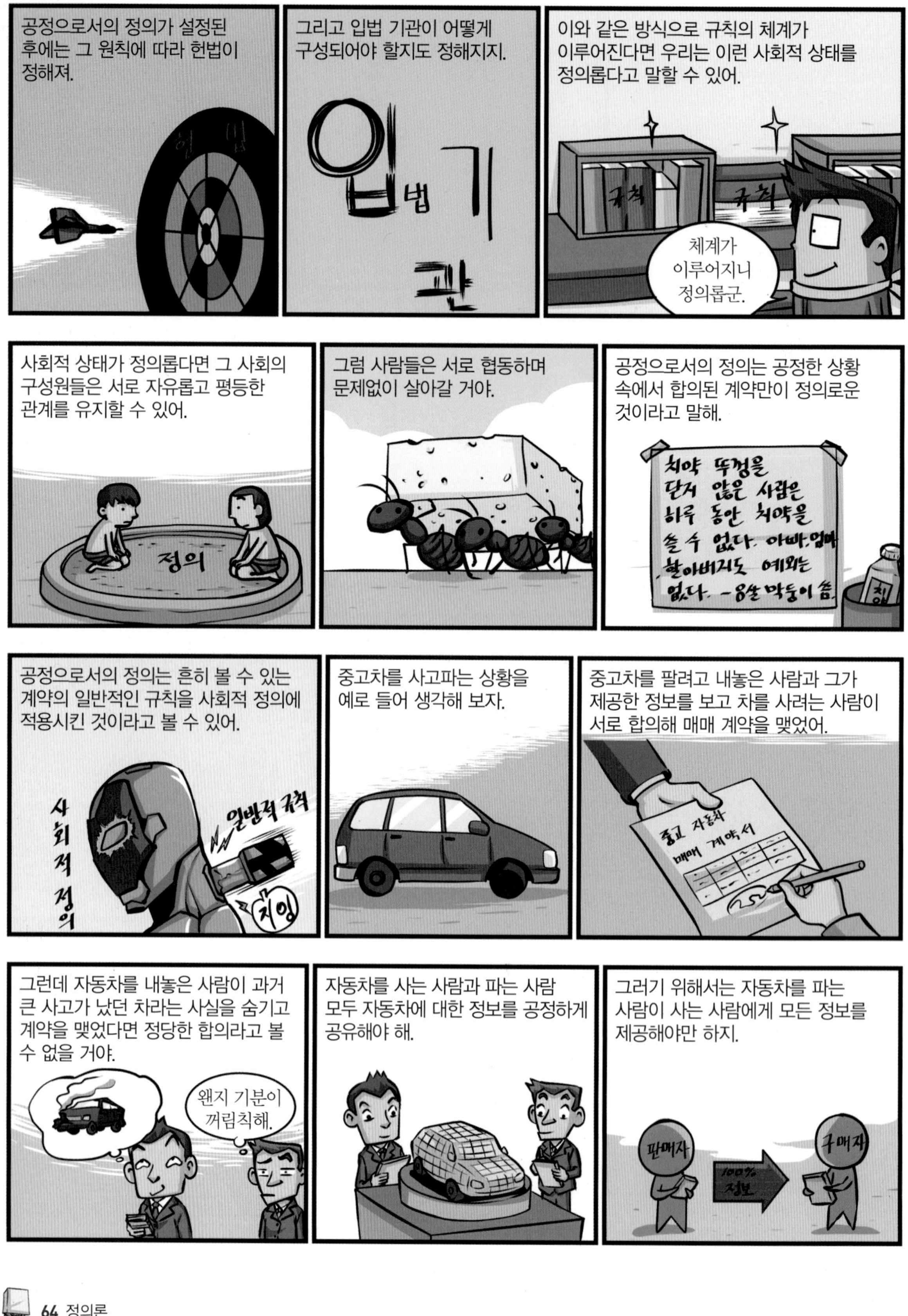
공정으로서의 정의가 설정된 후에는 그 원칙에 따라 헌법이 정해져.
그리고 입법 기관이 어떻게 구성되어야 할지도 정해지지.
입법기관
이와 같은 방식으로 규칙의 체계가 이루어진다면 우리는 이런 사회적 상태를 정의롭다고 말할 수 있어.
규칙
규칙
체계가 이루어지니 정의롭군.
사회적 상태가 정의롭다면 그 사회의 구성원들은 서로 자유롭고 평등한 관계를 유지할 수 있어.
정의
그럼 사람들은 서로 협동하며 문제없이 살아갈 거야.
공정으로서의 정의는 공정한 상황 속에서 합의된 계약만이 정의로운 것이라고 말해.
치약 뚜껑을 닫지 않은 사람은 하루 동안 치약을 쓸 수 없다. 아빠, 엄마, 할아버지도 예외는 없다. -8살 막둥이 씀.
치약
공정으로서의 정의는 흔히 볼 수 있는 계약의 일반적인 규칙을 사회적 정의에 적용시킨 것이라고 볼 수 있어.
사회적 정의
일반적 규칙
지잉
중고차를 사고파는 상황을 예로 들어 생각해 보자.
중고차를 팔려고 내놓은 사람과 그가 제공한 정보를 보고 차를 사려는 사람이 서로 합의해 매매 계약을 맺었어.
중고 자동차 매매 계약서
그런데 자동차를 내놓은 사람이 과거 큰 사고가 났던 차라는 사실을 숨기고 계약을 맺었다면 정당한 합의라고 볼 수 없을 거야.
왠지 기분이 꺼림칙해.
자동차를 사는 사람과 파는 사람 모두 자동차에 대한 정보를 공정하게 공유해야 해.
그러기 위해서는 자동차를 파는 사람이 사는 사람에게 모든 정보를 제공해야만 하지.
판매자
100% 정보
구매자

롤스는 사회적 정의도 일종의 사회 계약이라는 합의로 볼 수 있다고 했어.
사회적 정의
॥
사회 계약
그 계약은 앞에서 예를 든 일반적인 계약처럼 공정한 조건에서 이루어질 수 있다고 생각했지.
사회 계약
공정한 조건
공정한 조건 속에서 이루어진 정의에 대한 합의는 정당화될 수 있습니다. 이때 우리는 정의론을 확립할 수 있습니다.
정의론 확립
롤스는 정의의 원칙이 사회의 기본 구조에 적용되는 합의적 계약 상황을 최초의 상황이라고 불렀어.
정의의 원칙 합의
최초의 상황!
그리고 최초의 상황에서 이루어진 합의가 정의롭기 위해서는 계약 당사자들이 공정한 상황과 조건 속에 놓여 있어야 한다고 주장했지.
여기서 공정한 상황과 조건이란 평등한 조건을 말해.
자, 모두 같은 음료로 통일.
롤스는 우리가 정당화할 수 있는 정의는 이러한 과정에서 합의되는 공정으로서의 정의여야 한다고 했어.
공정으로서의 정의
그러니까 공정으로서의 정의를 도출하려면 최초의 상황이 공정해야 하는 것이지.
첫 단추를 잘 끼워야지.
롤스는 공정한 조건을 갖춘 최초의 상황을 '원초적 입장'이라고 불렀어.
우리도 원초적 입장이다.
아담
이브
중고차 시장에서 판매자와 구매자가 내놓은 정보가 양과 질에서 차이가 없어야 정상적인 매매가 이루어지는 것처럼
받은 정보대로 왼쪽에 문제가 있군.
정의의 원칙을 합의하는 과정에서도 공정한 조건이 충족되어야 하는데 그것이 바로 원초적 입장이 갖추어야 할 조건이라는 거야.
맛있는 거 보면 혼자 먹지 말고 똑같이 나눕시다.
알겠어요.
그럼 이제부터는 원초적 입장의 조건에 어떤 것이 있는지 자세히 살펴보자.

4장 원초적 입장

공정한 합의가 이루어지기 위해서는 어떤 조건들이 갖춰진 최초의 상황이 필요해.
최초의 상황

롤스는 이 최초의 상황을 철학적으로 해석하기 위해 '원초적 입장'이라는 개념을 도입했어.
원초적
입장

원초적 입장은 어떤 원칙을 정의롭게 만드는 공정한 절차를 설정하기 위해 필요합니다.

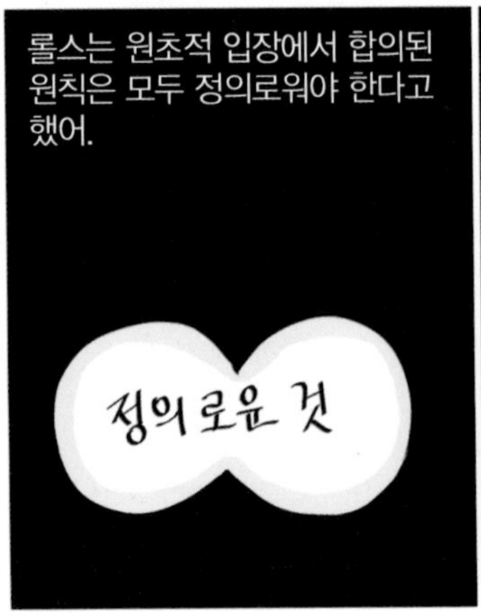
롤스는 원초적 입장에서 합의된 원칙은 모두 정의로워야 한다고 했어.
정의로운 것

원초적 입장에서 정해지는 정의의 원칙은 절차적 정의라고도 했지.
정의의 원칙
원초적 입장

결과에 도달하기까지의 과정이 공정했다면 그 결과를 받아들여야 하는 것이 바로 절차적 정의야.
공
정
과
정

절차적 정의는 순수한 절차적 정의, 완전한 절차적 정의, 불완전한 절차적 정의 이렇게 세 가지로 나눌 수 있어.
사 삭ㅡ
순수한 절차적 정의
완전한 절차적 정의
불완전한 절차적 정의
첫 번째, 순수한 절차적 정의는 공정한 절차를 따르면 그 결과도 정의롭다고 간주하는 경우를 말해.
순수한 절차
공정한 절차
위잉~
정의
카드놀이 같은 내기에서 적용되는 규칙과 절차가 바로 순수한 절차적 정의지.
크크, 이겼어.
게임의 규칙과 절차만 제대로 지켰다면 어떤 결과가 나오든 정당하다고 볼 수 있기 때문이야.
꼼수 쓰는 거 아냐?
내가 또 이겼다!
두 번째, 완전한 절차적 정의는 모든 사람이 정의롭다고 인정하는 결과에 대한 기준과 그 결과에 이르는 공정한 절차가 있는 경우야.
여러 사람이 케이크를 나누어 먹는 경우, 이때 정의롭다고 인정되는 결과는 모든 사람이 똑같은 양의 케이크를 받는 거야.
이렇게 케이크를 나누기 위해 필요한 공정한 절차는 가장 나중에 먹을 사람에게 케이크를 자르게 하는 것이지.
난 볼일 보고 와서 먹을 거니까.
꿀꺽
가장 나중에 먹을 사람은 자기도 동등한 몫을 먹기 위해 가능한 한 케이크를 똑같이 자를 테니까.
조금이라도 큰 조각은 먼저 먹어 버릴 테니까 똑같이 자르자.

세 번째, 불완전한 절차적 정의는 정의로운 결과에 대한 기준도 있고
정의로운 결과에 대한 기준
불완전한 절차적 정의
공정한 절차도 있지만 그것들이 정의로운 결과를 보장하지 못하는 경우야.
찌익
찌익
꾸깃
좋은 예로 법원에서 이루어지는 재판을 들 수 있어. 재판에서 정의로운 결과는 무엇일까?
원고가 고발한 범죄를 피고가 실제로 저지르고
쿵
재판에서 그 사실이 밝혀져 유죄 판결을 받는 경우일 거야.
쾅
유죄!
그러나 재판 절차가 공정하게 이루어졌어도 실제로 범죄를 저지른 피고가 무죄 판결이 날 수도 있어.
증인도 없고, CCTV도 없고….
알았어. 무죄.
반대로 무죄인 피고가 유죄로 판결이 날 수도 있지.
너무 억울해요.
유죄!
빨간불에 뛰어든 거라고요.
이렇게 정의로운 결과에 대한 기준과 공정한 절차가 마련되어 있지만
판례집
헌법
정의로운 결과를 보장할 수 없는 것이 바로 불완전한 절차적 정의란다.
판사
무단 횡단을 목격한 증인이 나타났다고?
롤스는 원초적 입장에서 선택하는 정의의 원칙은 순수한 절차적 정의를 따른다고 보았어.
선녀의 옷을 숨기는 것은 어떤 절차적 정의일까?
원초적 입장이 지니는 제한 조건에 따라 정의의 원칙이 합의된다면
제한 조건
원초적 입장
그 원칙은 어떤 것이든지 정의롭다는 것이지.
정의

이처럼 원초적 입장은 정의의 원칙을 공정하게 이끌어 내기 위해 필요한 절차적 정의의 기본적인 조건이야.
원초적 입장
롤스가 원초적 입장에서 가장 중요하게 생각했던 조건이 앞에서 설명했던 '무지의 베일'이야.
원초적 입장
무지의 베일
사람들이 원초적 입장에 있도록 하기 위해서는 그들이 무지의 베일 속에 있게 만들어야 해.
무지의 베일
사람들이 무지의 베일 속에 있도록 해야 한다는 것은 원초적 입장에 있는 사람들이 자신의 특수한 처지에 대해 모르고 있어야 한다는 뜻이야.
지금 자신의 처지를 알아야 해, 몰라야 해?
후루룩
몰라야 해.
무지의 베일
꼬르륵
여기서 특수한 처지란 사람들이 속해 있는 사회적 지위나 계층을 말해.
무지의 베일
배고프다.
王
또는 사람들이 가지고 있는 천부적인 재능이나 지능 그리고 타고난 체력 등을 말하지.
내 숙제는 해 왔겠지?
당연히 해 왔지.
무지의 베일
안 했으면 혼난다.
즉, 사람들이 원초적 입장에 있으려면 자신의 지위나 계층 혹은 재능 등의 달란트에 대해 몰라야 하는 거야.
휴~
심지어는 자신이 모험을 싫어한다든가 담력이 세다든가 하는 특징은 물론,
비관적 혹은 낙관적 성향을 가지고 있는지 같은 심리적인 특징들도 모르고 있어야 해.
올드보이 오대수
난 왜 여기에서 이러고 있지?

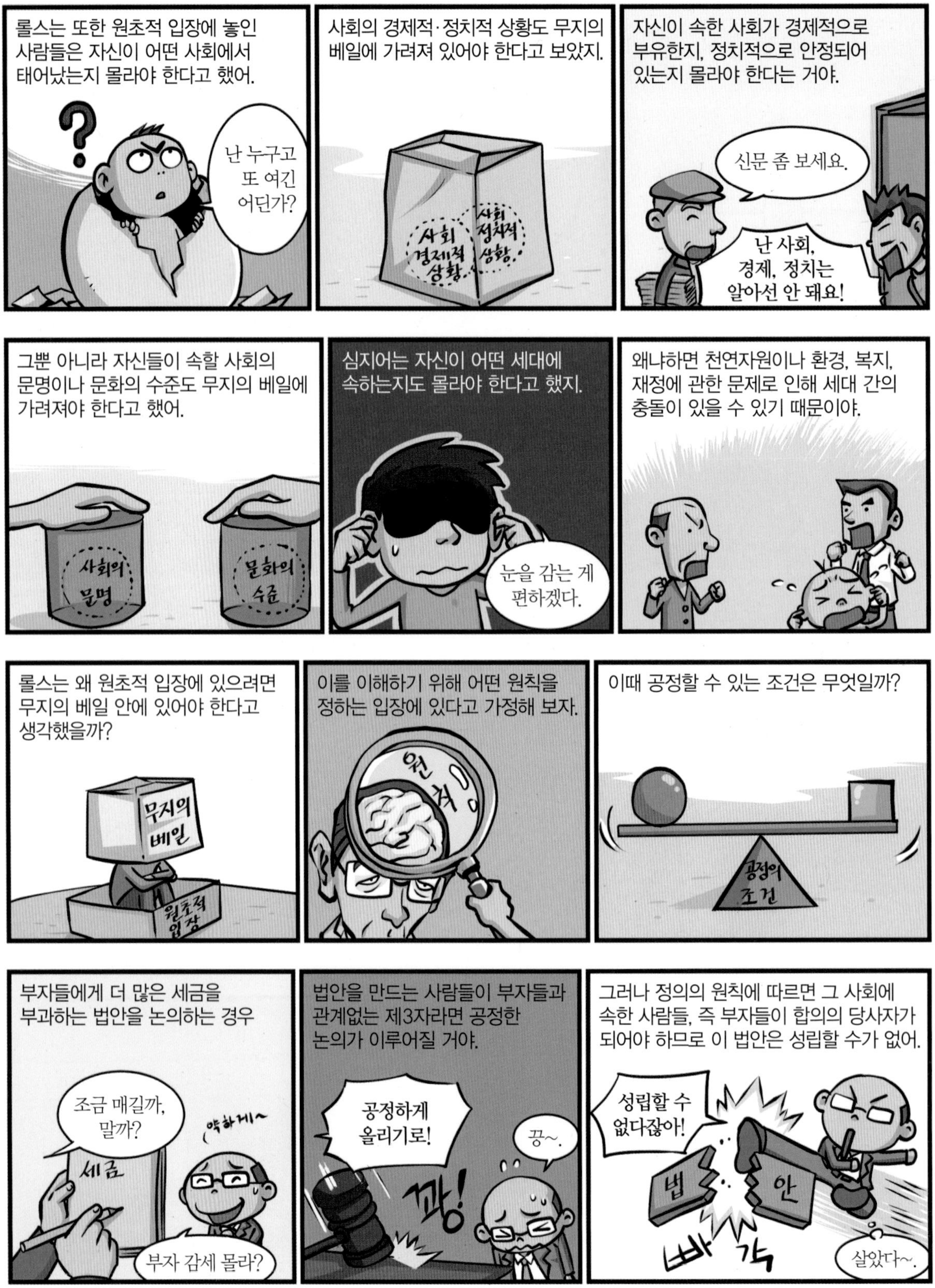

롤스는 또한 원초적 입장에 놓인 사람들은 자신이 어떤 사회에서 태어났는지 몰라야 한다고 했어.
?
난 누구고 또 여긴 어딘가?
사회의 경제적·정치적 상황도 무지의 베일에 가려져 있어야 한다고 보았지.
사회 경제적 상황
사회 정치적 상황
자신이 속한 사회가 경제적으로 부유한지, 정치적으로 안정되어 있는지 몰라야 한다는 거야.
신문 좀 보세요.
난 사회, 경제, 정치는 알아선 안 돼요!
그뿐 아니라 자신들이 속할 사회의 문명이나 문화의 수준도 무지의 베일에 가려져야 한다고 했어.
사회의 문명
문화의 수준
심지어는 자신이 어떤 세대에 속하는지도 몰라야 한다고 했지.
눈을 감는 게 편하겠다.
왜냐하면 천연자원이나 환경, 복지, 재정에 관한 문제로 인해 세대 간의 충돌이 있을 수 있기 때문이야.
롤스는 왜 원초적 입장에 있으려면 무지의 베일 안에 있어야 한다고 생각했을까?
무지의 베일
원초적 입장
이를 이해하기 위해 어떤 원칙을 정하는 입장에 있다고 가정해 보자.
원칙
이때 공정할 수 있는 조건은 무엇일까?
공정의 조건
부자들에게 더 많은 세금을 부과하는 법안을 논의하는 경우
조금 매길까, 말까?
약하게~
세금
부자 감세 몰라?
법안을 만드는 사람들이 부자들과 관계없는 제3자라면 공정한 논의가 이루어질 거야.
공정하게 올리기로!
끙~.
꽝!
그러나 정의의 원칙에 따르면 그 사회에 속한 사람들, 즉 부자들이 합의의 당사자가 되어야 하므로 이 법안은 성립할 수가 없어.
성립할 수 없다잖아!
법
안
빠각
살았다~.

법안을 논의하는 사람들이 모두 공평하고 이해관계에서 떠나 있다면 그들이 합의한 정의의 원칙은 정당할 거야.
아, 아름다워라.
공평
정당
그러나 롤스는 원초적 입장의 당사자들이 모두 공평하다고 가정하지는 않았어.
공평이라, 훗!
공정한 도덕률은 원초적 입장에 놓인 사람들이 갖춰야 할 조건이 아니거든.
원초적 입장
딱
공정한 도덕률
필요 없어!
롤스가 생각한 원초적 입장에 있는 사람들은 자신의 이해관계에 관심이 있는 합리적인 사람들이야.
합리적 사고
자신의 이해관계
원초적 입장
그들은 합의의 결과에 직접적으로 영향을 받는 사회의 구성원들이자
합의의 결과
자신의 이해관계를 잘 계산할 줄 아는 합리적인 사람들이지.
이해관계
만약에 이들이 자신의 사회적 지위나 계층, 혹은 개성이나 능력에 대한 정보를 가지고 있다면
사회적 지위, 계층
자신의 개성
자신의 능력
이들은 자신의 이익을 극대화하기 위해 노력할 거야.
뻥
이익
그렇게 되면 사람들은 욕심에 눈이 멀어 정의의 원칙에 대한 합의에 이르지 못할 수도 있어.
정의의 원칙에 대한 합의
욕심
욕심
이런 이유로 무지의 베일이 필요하다고 본 거야.
무지의 베일
텅~
원초적 입장
롤스는 사람들이 무지의 베일 안에 있어야 합리적으로 판단하고 합의할 수 있을 것이라고 생각했어.
합리적 판단.
합의.
무지의 베일
사람들은 자신의 특수한 처지를 잘 모를 때 공정한 입장을 취할 수 있거든.
공정한 입장

원초적 입장에 있는 사람들이 알아야 하는 유일한 사실은 자신들이 정의의 여건 아래에 있다는 거야.
정의의 여건
원초적 입장
정의의 여건이란 사람들이 협동 체제를 이루는 데 필요한 조건들을 말해.
정의의 여건
이는 정의라는 가치가 성립하기 위한 조건이라고 할 수 있지.
정 의
정의의 여건
정의의 여건은 객관적 여건과 주관적 여건으로 나눌 수 있어.
객관적 여건
주관적 여건
정의의 여건
먼저 객관적 여건은 사람들이 일정한 지역 안에 함께 살고
A B C
육체적·정신적 능력이 서로 비슷해서 그들 가운데 한 사람이 다른 사람을 지배할 수 없으며
체육 IQ
A 70점 93
B 68점 95
C 71점 92
다른 사람들에게 쉽게 공격을 받을 수 있는 것을 말해.
쾅
또 천연자원 등은 협동 체제가 필요 없을 정도로 풍족해서는 안 되지만 협동 체제가 결렬될 정도로 궁핍해서도 안 돼.
천연자원
저 중 고
반면에 주관적 여건은 협동의 주체들이 서로 비슷한 욕구와 관심을 가지고 있고
콱
고기
때로는 부족한 욕구를 서로에게서 보충할 수 있으며 각자가 서로 다른 인생의 목적과 계획을 가질 수 있는 것을 말해.
나랑 탁구 치자.
그러면 나랑 영화 봐 줄래?
또 사람들의 지식은 불완전해서 잘못된 판단을 내릴 가능성이 있고
흔들 흔들
불완전
다양한 정치적 가치관과 종교적 신념이 존재할 수 있지.
정치적 가치관
종교적 신념
복잡해!

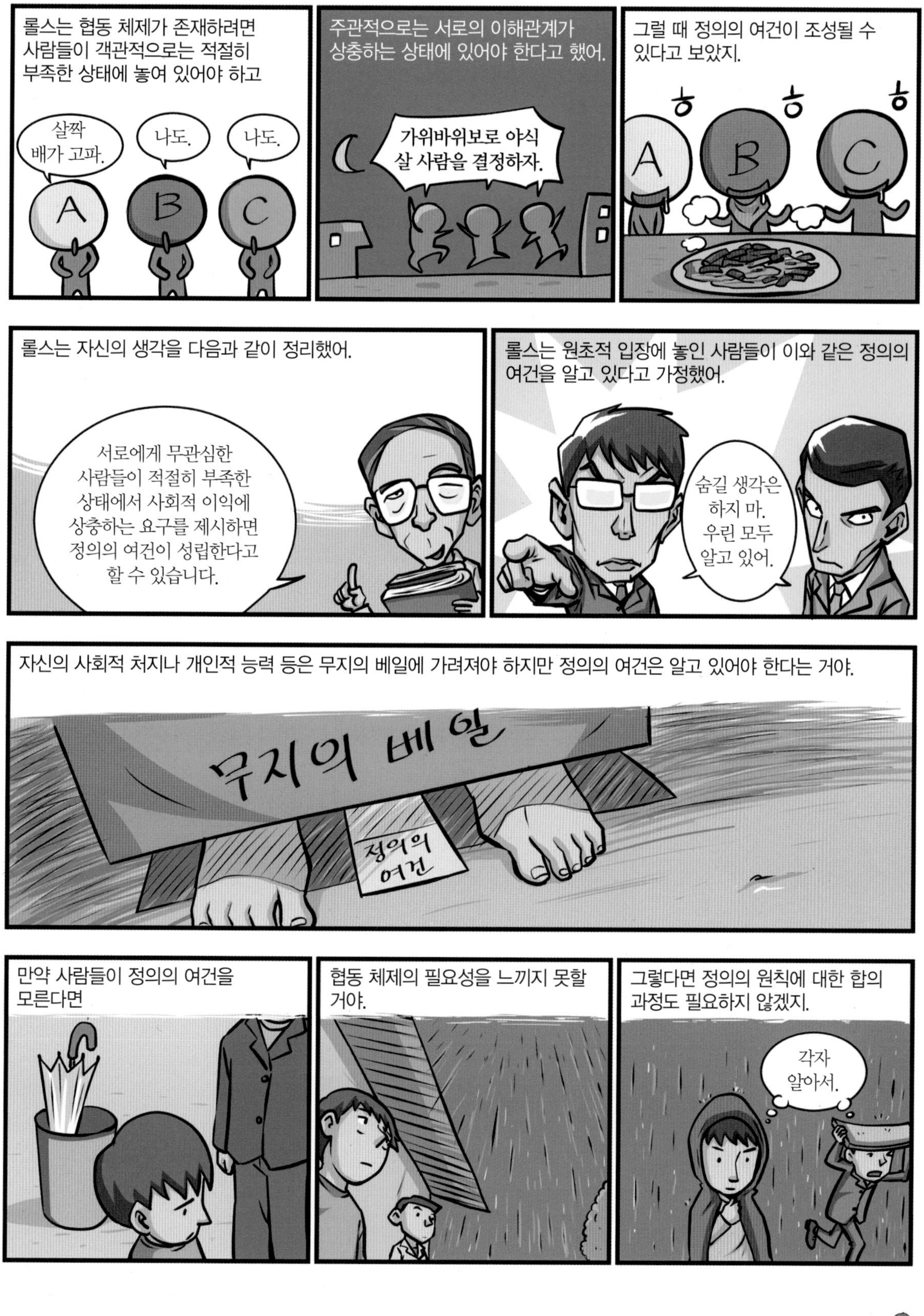
롤스는 협동 체제가 존재하려면 사람들이 객관적으로는 적절히 부족한 상태에 놓여 있어야 하고
살짝 배가 고파.
나도.
나도.
A
B
C
주관적으로는 서로의 이해관계가 상충하는 상태에 있어야 한다고 했어.
가위바위보로 야식 살 사람을 결정하자.
그럴 때 정의의 여건이 조성될 수 있다고 보았지.
ㅎ
ㅎ
ㅎ
A
B
C
롤스는 자신의 생각을 다음과 같이 정리했어.
서로에게 무관심한 사람들이 적절히 부족한 상태에서 사회적 이익에 상충하는 요구를 제시하면 정의의 여건이 성립한다고 할 수 있습니다.
롤스는 원초적 입장에 놓인 사람들이 이와 같은 정의의 여건을 알고 있다고 가정했어.
숨길 생각은 하지 마. 우린 모두 알고 있어.
자신의 사회적 처지나 개인적 능력 등은 무지의 베일에 가려져야 하지만 정의의 여건은 알고 있어야 한다는 거야.
무지의 베일
정의의 여건
만약 사람들이 정의의 여건을 모른다면
협동 체제의 필요성을 느끼지 못할 거야.
그렇다면 정의의 원칙에 대한 합의 과정도 필요하지 않겠지.
각자 알아서.

한편 롤스는 왜 원초적 입장에 있는 사람들을 본래부터 합리적인 사람들이라고 가정했을까?
내가 누군지는 몰라도 합리적이랍니다.
무지의 베일에 가려져 있는 이들은 자신들이 선이라고 생각하는 가치관이 무엇인지 알지 못하는 상황에 있어.
무엇이 선이라고 생각하시나요?
아… 그게… 저….
이는 그들이 합리적인 계획을 세울 수 있는 능력은 있지만
좋아. 이걸로.
무지의 베일로 인해 구체적으로 어떻게 자신의 목적과 이익을 증진시킬지 모른다는 뜻이야.
드르렁
ZZ
그렇다면 그들은 어떤 식으로 자신들에게 유익한 정의의 가치관을 정립할 수 있을까?
정의의 가치관
롤스는 그들이 먼저 인간의 자유나 부 같은 사회적인 가치를 중요하게 여길 것이라고 했어.
사회적 가치
원초적 입장에 놓인 사람들은 자신이 어떤 지위를 가지고 태어나 어떤 인생의 목적을 지니게 될지 몰라.
?
쩍
그러나 그들 역시 자신의 자유가 지켜지고, 더 많은 사회적 가치를 획득할 수 있는 기회를 얻길 원할 거야.
자유, 사회적 가치
결국 이들은 자신들의 욕구를 보다 많이 만족시키고
욕구
츄카 츄카
됐다. 치워라.
보다 성공적으로 실현시킬 수 있는 계획을 추구하겠지.
이 정도는 돼야지.
욕구
롤스는 원초적 입장에 놓인 사람들이 합리성을 근거로 합의 과정을 거칠 것이라고 생각했어.
제대로 됐는지 봐.
됐어.

롤스는 합리적 인간에 대해 한 가지 특수한 가정을 했어.
합리적 인간이라….
그것은 합리적 인간은 시기심에 흔들리지 않고
不動心
시기심
시기심
손실에 있어서도 합리적으로 사고한다는 것이지.
그들은 다른 사람에게 손해를 입혔다고 해서 자신의 손실도 선뜻 받아들이지는 않습니다.
합리적 인간은 다른 사람이 자신보다 더 많은 기본 가치를 가졌다는 것을 눈치채도 실망하지 않아.
괜찮아유~.
합리적 인간
기본 가치
롤스는 시기심이 모든 사람의 상황을 악화시킨다고 생각했어.
시기심
부럽다고 물길을 막으면 내 논부터 마르겠지?
시기심을 가지는 것은 전체에게 아무 이익이 되지 않기 때문이지.
내 땅
남의 땅
롤스는 정의의 원칙을 합의하는 데 있어 사람들의 시기심이 없어야 한다고 생각했어.
시기심
이는 사람들이 스스로를 인생의 계획을 지닌 사람이라고 생각하는 것과 같아.
저 푸른 초원 위에 그림 같은 집을 짓고….
다시 말해 타인의 목적을 실현하는 데 필요한 수단을 제한하기 위해 자신의 목적을 포기할 생각이 없다는 거야.
포기란 없다!
인생 목적

롤스가 말하는 합리성은 상호 무관심한 합리성이라고 볼 수 있어.
나한테 관심 있어요?
소리도 내지 말자.
원초적 입장에 있는 사람들은 가능한 한 더 많은 사회적 가치들을 얻고자 할 거야.
후두둑
사 회 적 가 치
그러나 상호 간에 이익을 주거나 손해를 끼치려 하지는 않지.
거울이 아닌가?
저러거나 말거나
텅
그들은 애정이나 증오 같은 감정에 의해 마음이 흔들리지 않을 거야.
전 당신한테 관심이 없어요.
상관 없습니다.
또한 서로를 비교하며 더 많은 것을 얻으려 하지 않고, 질투하거나 잘난 체하지도 않을 거야.
원초적 입장 단어 사전
퍽!
비교
질투
잘난 체
상호 무관심한 합리성을 가지고 있기 때문이지.
무관심한 합리성
롤스는 이를 운동 경기에 비유했어.
원초적 입장에 있는 사람들은 가능한 한 높은 점수를 얻으려 합니다. 그러나 그들은 상대편 때문에 높은 점수를 원하는 것이 아닙니다.
또한 그들은 상대편과의 점수 차이를 극대화 혹은 극소화하려고도 하지 않습니다.
쉬엄쉬엄하지 뭐.
우리가 알고 있는 운동 경기에서는 실제로 이런 일이 발생하지 않아. 그래서 이 비유는 우리의 상식과 잘 맞지 않지.
다다다다
상호 무관심한 사람들이 가지고 있는 합리성을 이해하는 데 도움이 될 뿐이야.
합리성

롤스가 원초적 입장의 사람들에게 이와 같은 합리성을 부여한 것은 이해관계를 일관되게 추구하는 합리성의 성격을 분명히 하기 위해서야.
합리성
질투심이나 시기심은 다른 사람과의 비교를 통해 발생하는 감정이야.
비교
질투심
시기심
이러한 감정은 사람들로 하여금 남보다 더 나아 보이고 싶게 만들어 이익을 감소시키는 행동을 유발할 수도 있어.
꽉!
아야! 이 사람 왜 이래?
실제로 미국의 한 경제학자는 사치품 시장을 분석해 남보다 우월해지려는 욕구가 사람들의 소비 행태를 비합리적으로 만든다는 것을 입증하기도 했어.
이 가게 가방 전부 살게요.
네~
그러나 원초적 입장에 이러한 변수가 작용한다면 정의의 원칙에 이르는 절차에 큰 혼선이 생길 거야.
제가 예약해 둔 가방은요?
그게….
그래서 롤스는 원초적 입장의 사람들이 합리성을 지니고 있어야 한다고 말한 거야.
합리성
롤스는 원초적 입장에 있는 사람들이 상대방의 이해관계에 무관심하다고 해서 정의론을 이기적인 이론이라고 비판해서는 안 된다고 했어.
정의론은 이기적 이론
원초적 입장에 있는 사람들이 상호 무관심하다고 해서 실제로 합의된 원칙을 가지고 사는 사람들도 서로에게 무관심하다고 볼 수는 없기 때문이야.
cafe
몇 살이나 먹었을까?
뭘 하는 사람일까?
상호 무관심한 합리성은 정의의 원칙을 합의하는 과정에 영향을 미쳐.
상호 무관심한 합리성
정의의 원칙
그렇게 합의된 원칙들은 사회에 적용되면서 시민들로 하여금 도덕적 감정을 형성하도록 도와주지.
팡
도덕적 감정
팡
도덕적 감정
합의된 원칙들
따라서 원초적 입장에서의 상호 무관심과 일상에서의 이기심을 같은 것으로 보는 것은 옳지 않아.
원초적 입장에서의 상호 무관심
≠
일상에서의 이기심

여기서 한 가지 의문이 생길 수도 있어.
슈슈슉
정의의 원칙을 정하려면 사람들이 어느 정도는 타인에 대한 관심이나 이타심 등을 가지고 있어야 하지 않을까 하는 의문이지.
땡강
이 의문에 대한 롤스의 입장을 다음과 같아.
상호 무관심과 무지의 베일의 결합은 이타심과 동일한 의미를 지닙니다.
파지직
이타심과 동일한 의미
상호 무관심
무지의 베일
치직
콰아
善
왜냐하면 두 개념이 결합되면 원초적 입장에 있는 사람들이 타인들의 선을 고려하기 때문이지요.
상호 무관심과 무지의 베일이 결합하면 어떻게 이타심과 같은 효과가 나타날까?
利他心
상호 무관심
무지의 베일
합체!
이는 사람들이 다른 사람의 이해관계에는 전혀 관심이 없지만, 무지의 베일로 인해 자신뿐만 아니라 다른 사람의 입장도 고려하게 되기 때문이야.
무지의 베일
그때 영민이가 떡볶이를 혼자 다 먹은 것에 난 무척 분노했었지.
이제와 생각해 보니 난 늘상 아침을 먹고 나오지만, 녀석은 아침을 밥 먹듯이 걸렀어. 녀석은 당시 몹시도 배가 고팠던 거야. 난 영민이를 이해할 수 있어.

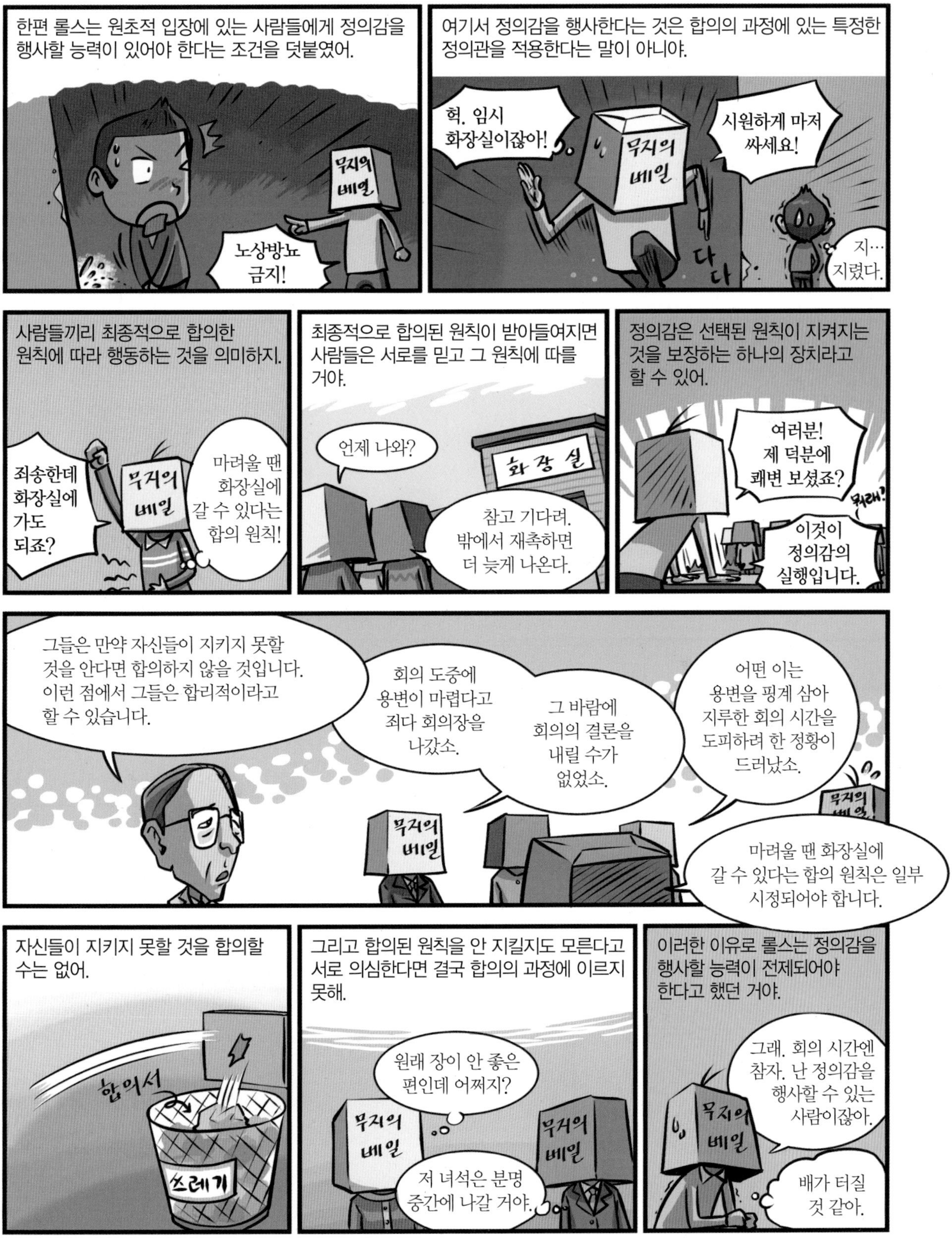

한편 롤스는 원초적 입장에 있는 사람들에게 정의감을 행사할 능력이 있어야 한다는 조건을 덧붙였어.
무지의 베일
노상방뇨 금지!
여기서 정의감을 행사한다는 것은 합의의 과정에 있는 특정한 정의관을 적용한다는 말이 아니야.
헉. 임시 화장실이잖아!
무지의 베일
시원하게 마저 싸세요!
다다
지… 지렸다.
사람들끼리 최종적으로 합의한 원칙에 따라 행동하는 것을 의미하지.
죄송한데 화장실에 가도 되죠?
무지의 베일
마려울 땐 화장실에 갈 수 있다는 합의 원칙!
최종적으로 합의된 원칙이 받아들여지면 사람들은 서로를 믿고 그 원칙에 따를 거야.
언제 나와?
화장실
참고 기다려. 밖에서 재촉하면 더 늦게 나온다.
정의감은 선택된 원칙이 지켜지는 것을 보장하는 하나의 장치라고 할 수 있어.
여러분! 제 덕분에 쾌변 보셨죠?
뭐래?
이것이 정의감의 실행입니다.
그들은 만약 자신들이 지키지 못할 것을 안다면 합의하지 않을 것입니다. 이런 점에서 그들은 합리적이라고 할 수 있습니다.
회의 도중에 용변이 마렵다고 죄다 회의장을 나갔소.
그 바람에 회의의 결론을 내릴 수가 없었소.
어떤 이는 용변을 핑계 삼아 지루한 회의 시간을 도피하려 한 정황이 드러났소.
무지의 베일
무지의 베일
마려울 땐 화장실에 갈 수 있다는 합의 원칙은 일부 시정되어야 합니다.
자신들이 지키지 못할 것을 합의할 수는 없어.
합의서
쓰레기
그리고 합의된 원칙을 안 지킬지도 모른다고 서로 의심한다면 결국 합의의 과정에 이르지 못해.
원래 장이 안 좋은 편인데 어쩌지?
무지의 베일
무지의 베일
저 녀석은 분명 중간에 나갈 거야.
이러한 이유로 롤스는 정의감을 행사할 능력이 전제되어야 한다고 했던 거야.
그래. 회의 시간엔 참자. 난 정의감을 행사할 수 있는 사람이잖아.
무지의 베일
배가 터질 것 같아.

다음으로 살펴볼 것은 '최소 극대화 전략'이야.
최소 극대화 전략
최소 극대화 전략이란 최악의 결과가 예상되는 일에서 최선의 여건을 보장받도록 대안을 선택하는 전략을 의미해.
최악의 결과
최선의
대안

롤스는 원초적 입장에 있는 사람들이 무지의 베일로 인해 발생하는 불확실한 상황을 어떻게 극복하고 어떤 전략을 선택할 것인가에 대해 생각해 보았어.
무지의 베일
불확실한 상황을 극복하고 합리적인 전략을 선택하자.
원초적 입장
무지의 베일에 있는 사람들은 자신이 어떤 상황에 처할지 알지 못해.
무지의 베일
그럴 때 그들이 취할 수 있는 가장 합리적인 선택은 무엇일까?

다음과 같은 손익표를 통해 생각해 보자.

	상황		
결정	C_1	C_2	C_3
D_1	-7	8	12
D_2	-8	7	14
D_3	5	6	8

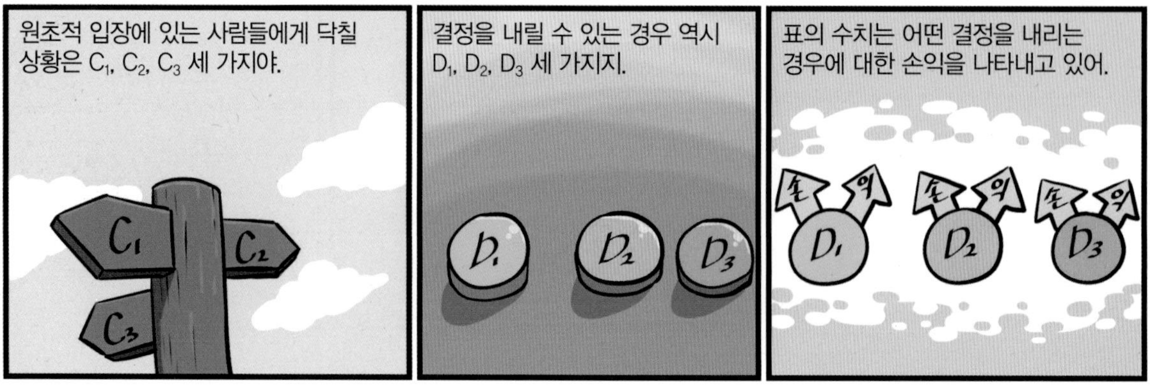
원초적 입장에 있는 사람들에게 닥칠 상황은 C_1, C_2, C_3 세 가지야.
C_1
C_2
C_3
결정을 내릴 수 있는 경우 역시 D_1, D_2, D_3 세 가지지.
D_1
D_2
D_3
표의 수치는 어떤 결정을 내리는 경우에 대한 손익을 나타내고 있어.
손
익
D_1
D_2
D_3

단위를 만 원이라고 정한다면 D_2의 결정을 내릴 경우 C_1에서는 8만 원이 손해야.
8만 원
10000
그러나 C_2에서는 7만 원이 이득이지.
7만 원
10000
C_3에서는 14만 원이 이득이야.
14만 원
10000
원초적 입장에 놓인 사람들은 어떤 선택을 하게 될까?
D_1
D_2
D_3
롤스가 말한 최소 극대화 전략에 따르면 그들은 D_3의 결정을 선택하게 될 거야.
D_3
최소 극대화 전략은 최소 중의 최대를 선택하는 전략이기 때문이야.
최소
최 대
표에서 D_1, D_2, D_3의 최소는 각각 −7, −8, 5이므로 이 중에서 최대인 D_3를 선택하게 된다는 것이지.
D_1 (-7), D_2 (-8)
D_3 (5)
3 (5)
이것은 무엇을 의미하는 걸까?
What?
원초적 입장에 놓인 사람은 자신이 어떠한 상황에 처할지 알 수 없기 때문에 최악의 상황에 대한 가능성을 염두에 둘 수밖에 없어.
그렇기 때문에 큰 이익을 얻지 못하더라도 최악의 경우 손해가 가장 적은 쪽을 선택하게 된다는 거야.

자신이 C_3의 상황에 놓일 것을 기대하고 가장 큰 이득을 얻을 수 있는 D_2를 선택하는 도박을 하기보다
C3 C3 C3
10000
자신이 C_1이라는 최악의 상황에 놓일 것을 대비해 그래도 안전하게 5만 원의 이득을 얻는 쪽을 선택하는 것이지.
소심~
요거라도.
롤스는 원초적 입장에 있는 사람들이 그들만의 특별한 성격으로 인해 최소 극대화라는 지극히 보수적인 전략에 따라 선택한다고 주장했어.
꾹~
최소 극대화
다시 말하면 가능한 대안들 중 가장 최선의 여건을 보장하는 대안을 선택함으로써
최악
최선
각자의 삶에서 반드시 필요한 기본적 자유나 최소한의 경제적 조건까지 상실하는 것만은 피하려 한다는 거야.
기본적 자유
최소한의 경제적 조건
이것은 우리가 사회에서 최소한의 혜택을 받을 가능성 때문에 정의의 원칙을 숙고하는 경우라고 볼 수 있어.
사회의 수혜
원초적 입장이 전통적 사회 계약설에서 말하는 자연 상태에 해당한다고 했던 것 기억하지?
롤스의 원초적 입장
=
전통적 사회 계약설의 자연 상태
그러나 이는 현실에 실재하는 역사적 상황이 아니라고 했어.
정의의 원칙을 구성하는 데 필요한 공정한 절차를 위해 고안된 가상의 상황일 뿐이지.
원초적 입장

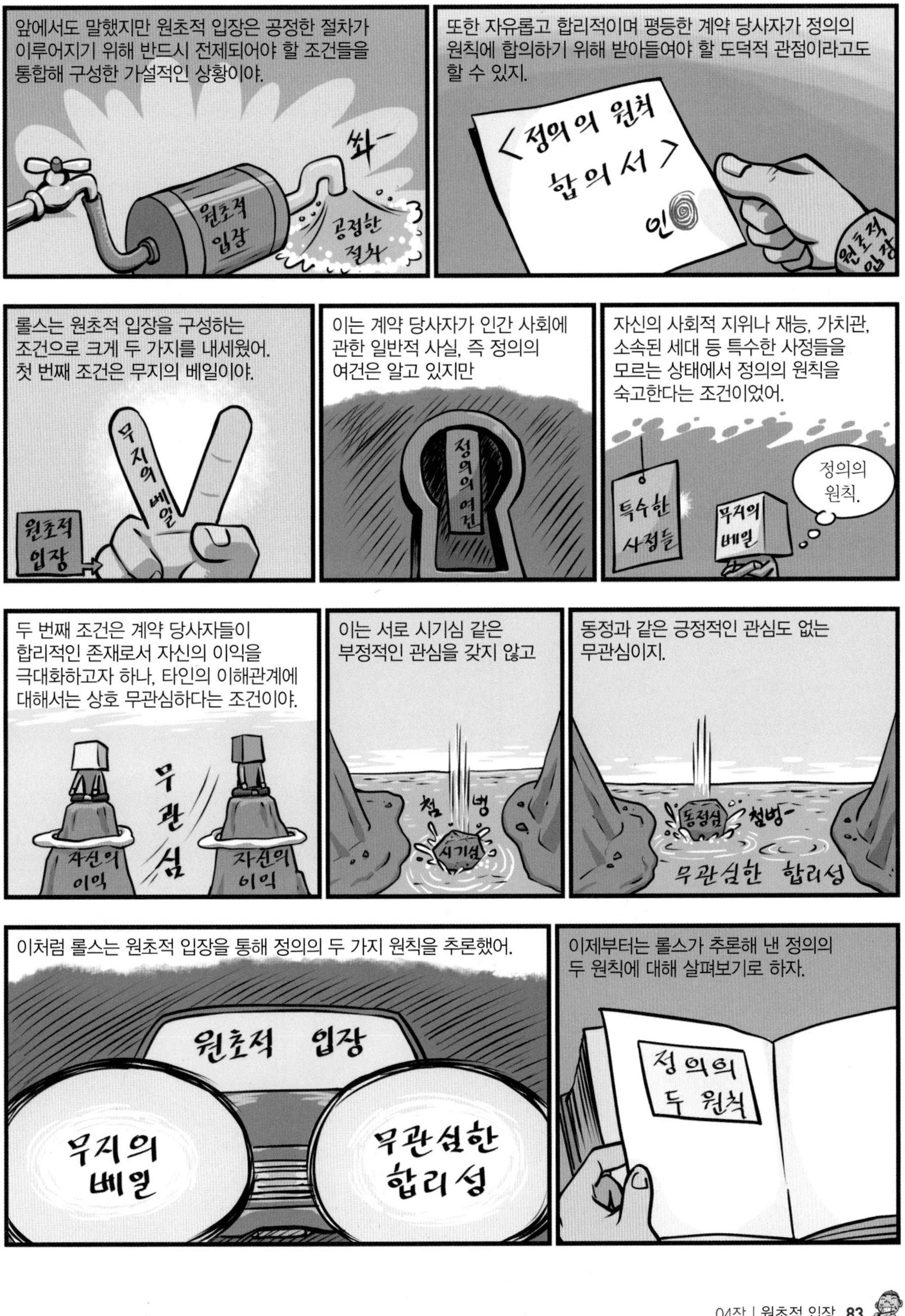
앞에서도 말했지만 원초적 입장은 공정한 절차가 이루어지기 위해 반드시 전제되어야 할 조건들을 통합해 구성한 가설적인 상황이야.
쏴-
원초적 입장
공정한 절차
또한 자유롭고 합리적이며 평등한 계약 당사자가 정의의 원칙에 합의하기 위해 받아들여야 할 도덕적 관점이라고도 할 수 있지.
<정의의 원칙 합의서>
인
원초적 입장
롤스는 원초적 입장을 구성하는 조건으로 크게 두 가지를 내세웠어. 첫 번째 조건은 무지의 베일이야.
무지의 베일
원초적 입장
이는 계약 당사자가 인간 사회에 관한 일반적 사실, 즉 정의의 여건은 알고 있지만
정의의 여건
자신의 사회적 지위나 재능, 가치관, 소속된 세대 등 특수한 사정들을 모르는 상태에서 정의의 원칙을 숙고한다는 조건이었어.
특수한 사정들
무지의 베일
정의의 원칙.
두 번째 조건은 계약 당사자들이 합리적인 존재로서 자신의 이익을 극대화하고자 하나, 타인의 이해관계에 대해서는 상호 무관심하다는 조건이야.
무관심
자신의 이익
자신의 이익
이는 서로 시기심 같은 부정적인 관심을 갖지 않고
첨벙
시기심
동정과 같은 긍정적인 관심도 없는 무관심이지.
동정심
첨벙-
무관심한 합리성
이처럼 롤스는 원초적 입장을 통해 정의의 두 가지 원칙을 추론했어.
원초적 입장
무지의 베일
무관심한 합리성
이제부터는 롤스가 추론해 낸 정의의 두 원칙에 대해 살펴보기로 하자.
정의의 두 원칙

5장

정의의 두 원칙

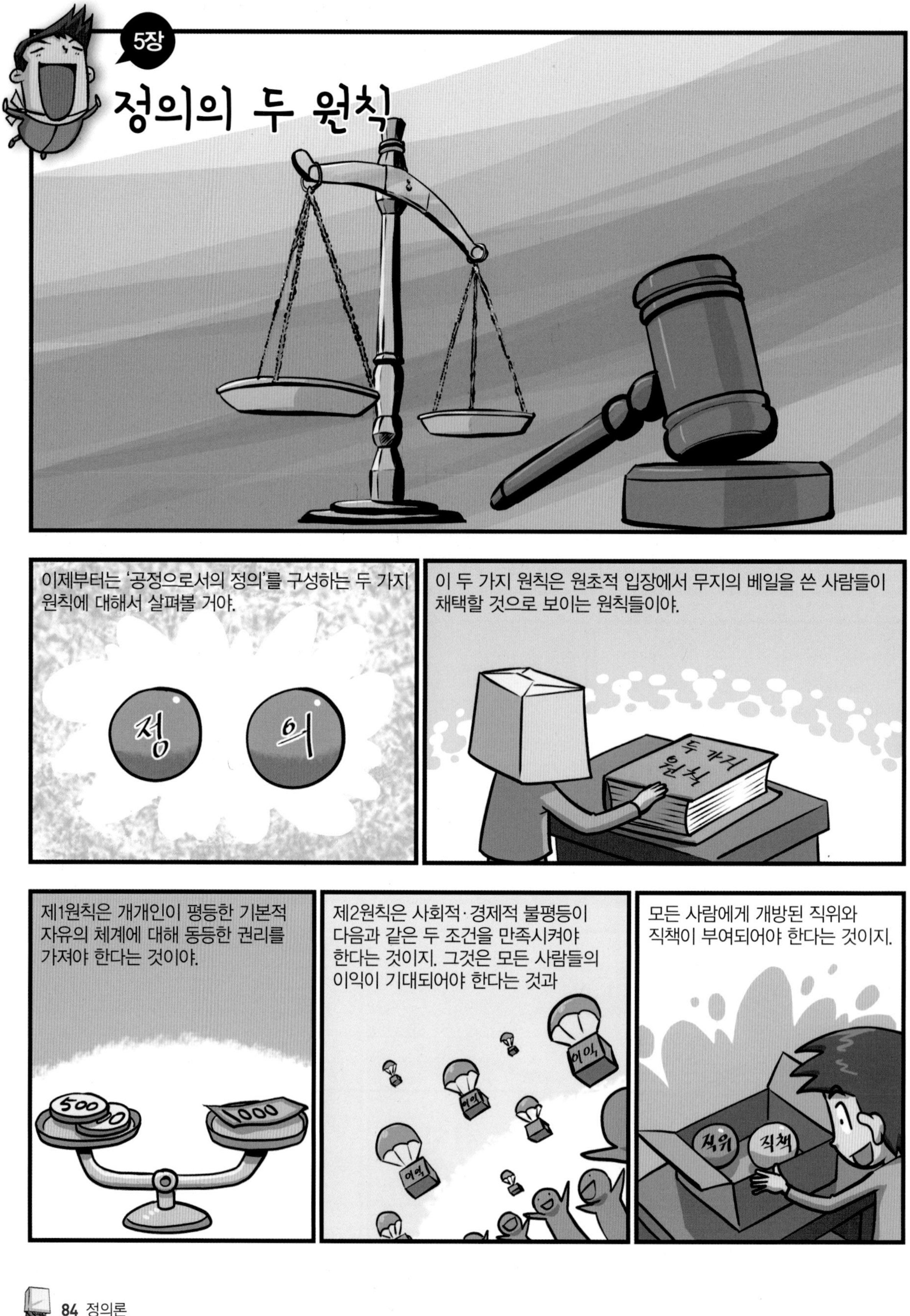
이제부터는 '공정으로서의 정의'를 구성하는 두 가지 원칙에 대해서 살펴볼 거야.
정
의
이 두 가지 원칙은 원초적 입장에서 무지의 베일을 쓴 사람들이 채택할 것으로 보이는 원칙들이야.
두 가지 원칙
제1원칙은 개개인이 평등한 기본적 자유의 체계에 대해 동등한 권리를 가져야 한다는 것이야.
500
1000
제2원칙은 사회적·경제적 불평등이 다음과 같은 두 조건을 만족시켜야 한다는 것이지. 그것은 모든 사람들의 이익이 기대되어야 한다는 것과
이익
모든 사람에게 개방된 직위와 직책이 부여되어야 한다는 것이지.
직위
직책

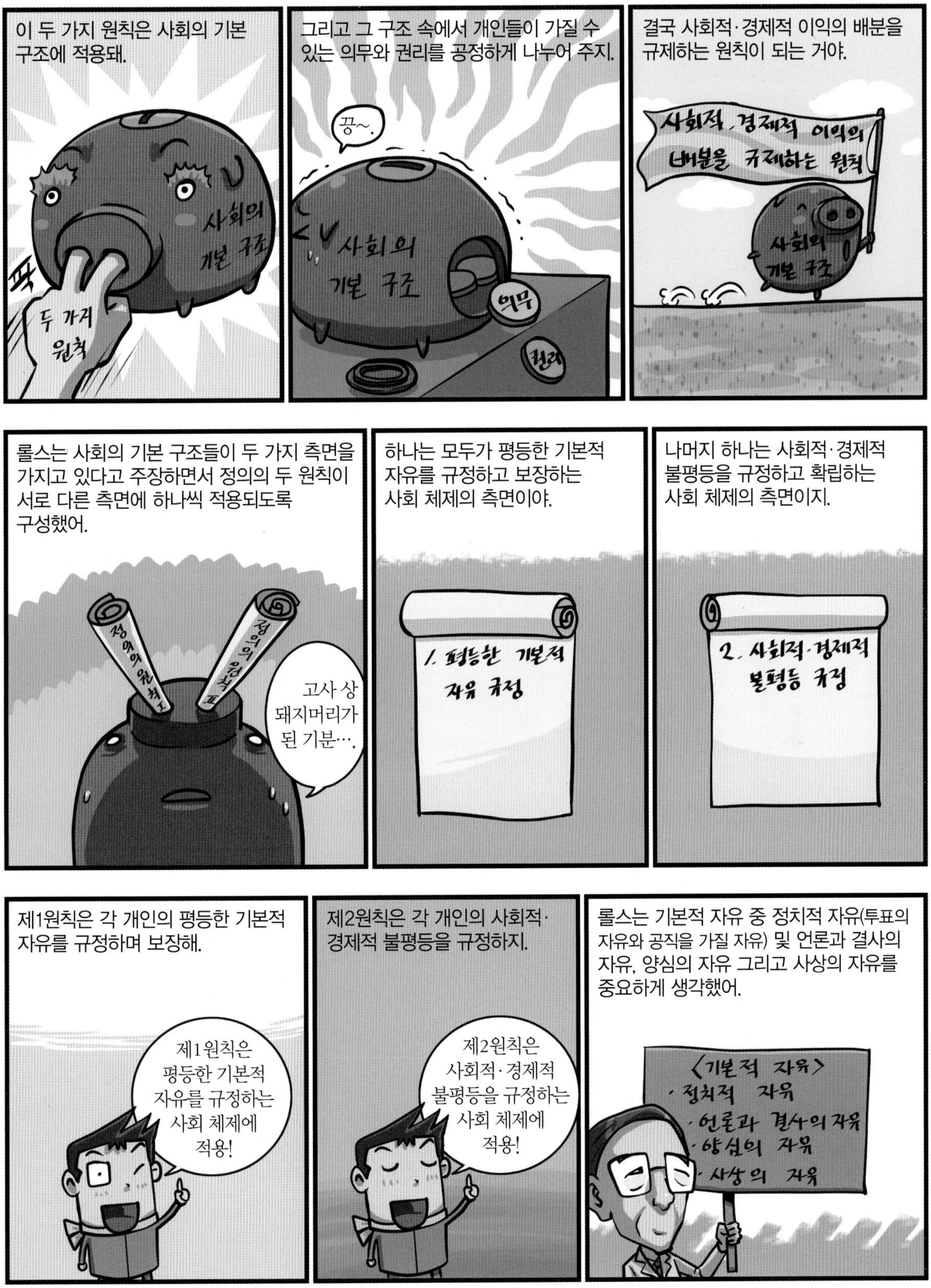
이 두 가지 원칙은 사회의 기본 구조에 적용돼.
사회의 기본 구조
두 가지 원칙
그리고 그 구조 속에서 개인들이 가질 수 있는 의무와 권리를 공정하게 나누어 주지.
끙~.
사회의 기본 구조
의무
권리
결국 사회적·경제적 이익의 배분을 규제하는 원칙이 되는 거야.
사회적, 경제적 이익의 배분을 규제하는 원칙
사회의 기본 구조
롤스는 사회의 기본 구조들이 두 가지 측면을 가지고 있다고 주장하면서 정의의 두 원칙이 서로 다른 측면에 하나씩 적용되도록 구성했어.
정의의 원칙 I
정의의 원칙 II
고사 상 돼지머리가 된 기분….
하나는 모두가 평등한 기본적 자유를 규정하고 보장하는 사회 체제의 측면이야.
1. 평등한 기본적 자유 규정
나머지 하나는 사회적·경제적 불평등을 규정하고 확립하는 사회 체제의 측면이지.
2. 사회적·경제적 불평등 규정
제1원칙은 각 개인의 평등한 기본적 자유를 규정하며 보장해.
제1원칙은 평등한 기본적 자유를 규정하는 사회 체제에 적용!
제2원칙은 각 개인의 사회적·경제적 불평등을 규정하지.
제2원칙은 사회적·경제적 불평등을 규정하는 사회 체제에 적용!
롤스는 기본적 자유 중 정치적 자유(투표의 자유와 공직을 가질 자유) 및 언론과 결사의 자유, 양심의 자유 그리고 사상의 자유를 중요하게 생각했어.
<기본적 자유>
· 정치적 자유
· 언론과 결사의 자유
· 양심의 자유
· 사상의 자유

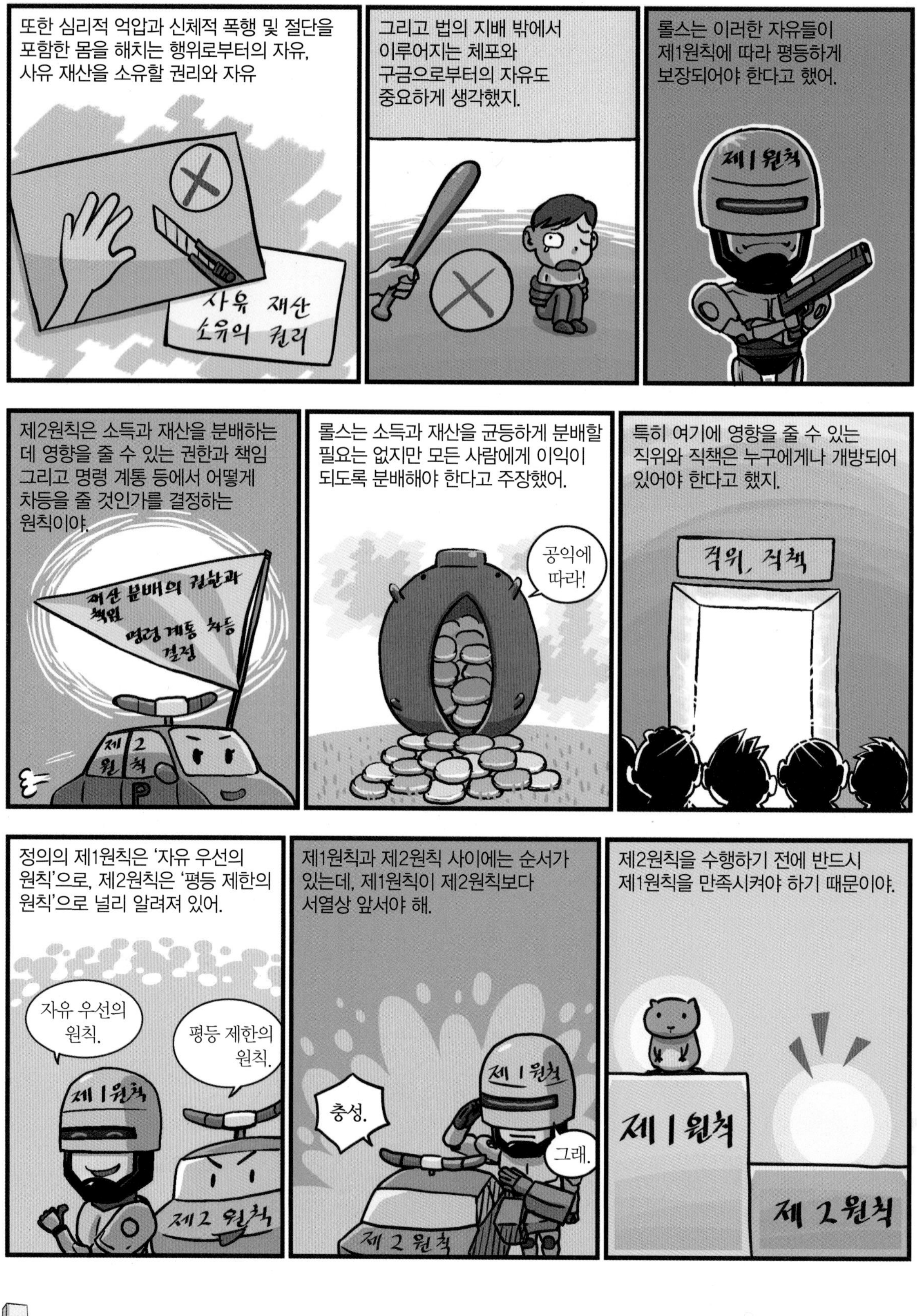

또한 심리적 억압과 신체적 폭행 및 절단을 포함한 몸을 해치는 행위로부터의 자유, 사유 재산을 소유할 권리와 자유
사유 재산 소유의 권리
그리고 법의 지배 밖에서 이루어지는 체포와 구금으로부터의 자유도 중요하게 생각했지.
롤스는 이러한 자유들이 제1원칙에 따라 평등하게 보장되어야 한다고 했어.
제1원칙
제2원칙은 소득과 재산을 분배하는 데 영향을 줄 수 있는 권한과 책임 그리고 명령 계통 등에서 어떻게 차등을 줄 것인가를 결정하는 원칙이야.
재산 분배의 권한과 책임
명령 계통 차등 결정
제2 원칙
롤스는 소득과 재산을 균등하게 분배할 필요는 없지만 모든 사람에게 이익이 되도록 분배해야 한다고 주장했어.
공익에 따라!
특히 여기에 영향을 줄 수 있는 직위와 직책은 누구에게나 개방되어 있어야 한다고 했지.
직위, 직책
정의의 제1원칙은 '자유 우선의 원칙'으로, 제2원칙은 '평등 제한의 원칙'으로 널리 알려져 있어.
자유 우선의 원칙.
평등 제한의 원칙.
제1원칙
제2 원칙
제1원칙과 제2원칙 사이에는 순서가 있는데, 제1원칙이 제2원칙보다 서열상 앞서야 해.
제1원칙
충성.
그래.
제2 원칙
제2원칙을 수행하기 전에 반드시 제1원칙을 만족시켜야 하기 때문이야.
제1원칙
제2원칙

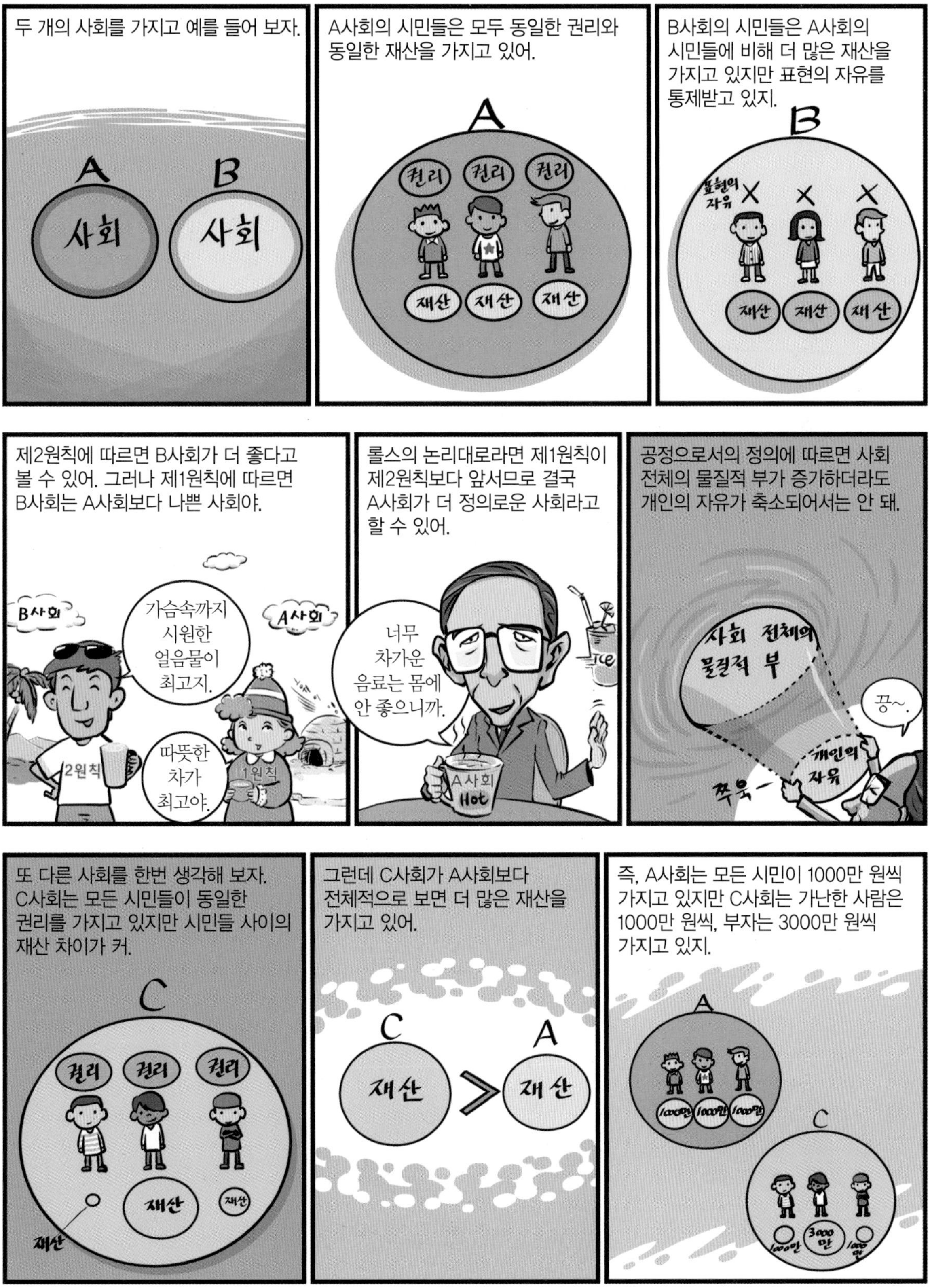
두 개의 사회를 가지고 예를 들어 보자.
A
B
사회
사회
A사회의 시민들은 모두 동일한 권리와 동일한 재산을 가지고 있어.
A
권리 권리 권리
재산 재산 재산
B사회의 시민들은 A사회의 시민들에 비해 더 많은 재산을 가지고 있지만 표현의 자유를 통제받고 있지.
B
표현의 자유
재산 재산 재산
제2원칙에 따르면 B사회가 더 좋다고 볼 수 있어. 그러나 제1원칙에 따르면 B사회는 A사회보다 나쁜 사회야.
B사회
A사회
가슴속까지 시원한 얼음물이 최고지.
따뜻한 차가 최고야.
2원칙
1원칙
롤스의 논리대로라면 제1원칙이 제2원칙보다 앞서므로 결국 A사회가 더 정의로운 사회라고 할 수 있어.
너무 차가운 음료는 몸에 안 좋으니까.
Ice
A사회 Hot
공정으로서의 정의에 따르면 사회 전체의 물질적 부가 증가하더라도 개인의 자유가 축소되어서는 안 돼.
사회 전체의 물질적 부
개인의 자유
끙~.
쭈욱-
또 다른 사회를 한번 생각해 보자. C사회는 모든 시민들이 동일한 권리를 가지고 있지만 시민들 사이의 재산 차이가 커.
C
권리 권리 권리
재산
재산
재산
그런데 C사회가 A사회보다 전체적으로 보면 더 많은 재산을 가지고 있어.
C
A
재산
재산
즉, A사회는 모든 시민이 1000만 원씩 가지고 있지만 C사회는 가난한 사람은 1000만 원씩, 부자는 3000만 원씩 가지고 있지.
A
1000만 1000만 1000만
C
1000만 3000만 1000만

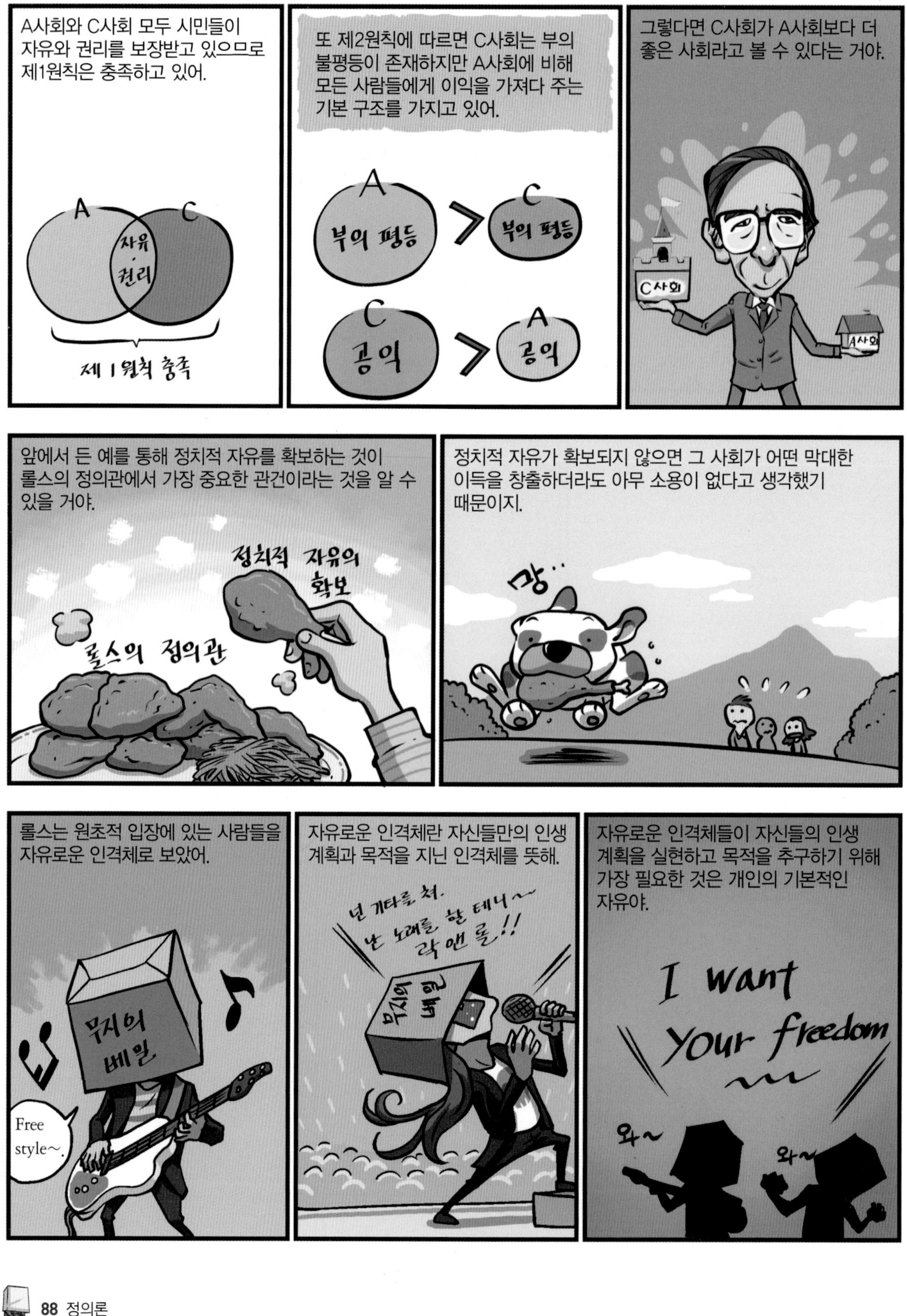
A사회와 C사회 모두 시민들이 자유와 권리를 보장받고 있으므로 제1원칙은 충족하고 있어.
A
C
자유
·
권리
제 1원칙 충족
또 제2원칙에 따르면 C사회는 부의 불평등이 존재하지만 A사회에 비해 모든 사람들에게 이익을 가져다 주는 기본 구조를 가지고 있어.
A
부의 평등
C
부의 평등
C
공익
A
공익
그렇다면 C사회가 A사회보다 더 좋은 사회라고 볼 수 있다는 거야.
C사회
A사회
앞에서 든 예를 통해 정치적 자유를 확보하는 것이 롤스의 정의관에서 가장 중요한 관건이라는 것을 알 수 있을 거야.
정치적 자유의 확보
롤스의 정의관
정치적 자유가 확보되지 않으면 그 사회가 어떤 막대한 이득을 창출하더라도 아무 소용이 없다고 생각했기 때문이지.
캉··
롤스는 원초적 입장에 있는 사람들을 자유로운 인격체로 보았어.
무지의 베일
Free style~.
자유로운 인격체란 자신들만의 인생 계획과 목적을 지닌 인격체를 뜻해.
넌 기타를 쳐. 난 노래를 할 테니~ 락 앤 롤!!
무지의 베일
자유로운 인격체들이 자신들의 인생 계획을 실현하고 목적을 추구하기 위해 가장 필요한 것은 개인의 기본적인 자유야.
I want Your freedom ~~
와~
와~

그들은 스스로 자신의 인생 계획을 판단하고
곡명: <인생 계획>
그것을 실현하는 과정에서 계획을 변경하고 수정할 수 있어야 해.
트로트를 힙합으로 편곡하자.
그러기 위해서는 최우선적으로 개인의 자유를 보존해야 하지.
자유가 너무 과했나?
이에 대해 롤스는 다음과 같이 말했어.
자유의 우선성이란 기본적 자유가 실질적으로 확립된 후라도
기본적 자유
경제적 복지를 얻기 위해 불평등한 자유를 허용하지 않는 것을 의미합니다.
불평등한 자유
No~
경제적 복지
롤스는 사회를 협동체로 보았어.
사회
너, 힘 뺐지?
그리고 거기에 속한 개인의 정치적 자유는 단순히 개인이 원하는 대로 하는 것이 아니라고 했지.
뭐하는 짓이여?
정치적 자유
윙~
개인의 정치적 자유는 협동의 과정에서 훼손되지 말아야 할 기본권과 같아.
절대 건들지 말 것
개인의 정치적 자유
자신의 자유를 포기하면서까지 다른 사람과 협력하려는 사람은 없어.
김대리는 어디 아픈가?
주말에 혼자 나와 일했대요.
각 개인이 사회를 이루며 살아가는 이유는 다른 사람과의 협력이 자신의 자유를 실현하는 데 큰 도움이 되기 때문이야.
일을 분담해서 일찍 끝내고 주말에는 등산이나 가야지.

사회 정의의 목적은 사회의 구성원들이 자유를 실현하면서 공존하기 위해 필요한 사회의 질서를 만드는 데 있어.
사회의 질서
개인의 자유
개인의 자유
개인의 자유
사회 구성원
구성원
그런 의미에서 자유 우선의 원칙은 어떠한 이유로든 훼손되어서는 안 되는 원칙이란다.
자유
그러나 다양한 자유들은 서로를 제한하는 요소가 되기도 해.
자유
자유
자유
자유
자유
자유
예를 들어 표현의 자유를 극대화할 경우 다른 사람의 기본권이 침해되는 일이 생길 수 있어.
표현의 자유
인터넷상에서 어떤 사람에 대한 특정한 정보를 유포한다면 이는 명백하게 그 사람의 자유를 침해하는 일이야.
내가 코 파는 모습을 SNS에 올렸겠다?
어때?
표현의 자유거든.
그러나 롤스는 기본적인 자유들이 서로 충돌하지 않고 적절히 규제되는 질서를 세울 수 있다고 믿었어.
자유
자유
자유
앞서 말했다시피 인터넷을 통해 다른 사람을 근거 없이 비방하는 자유는 언론의 자유가 지니는 중요한 의미에서 벗어나.
반면에 정치적 견해를 밝히는 자유는 언론의 자유에서 매우 중요한 의미를 지니기 때문에 보호되어야 하지.
공공요금이 또 오른다고 하네요.
이런 식으로 나랏일을 해도 되나요?
이 사건은 이해할 수가 없네요. 누가 설명 좀….

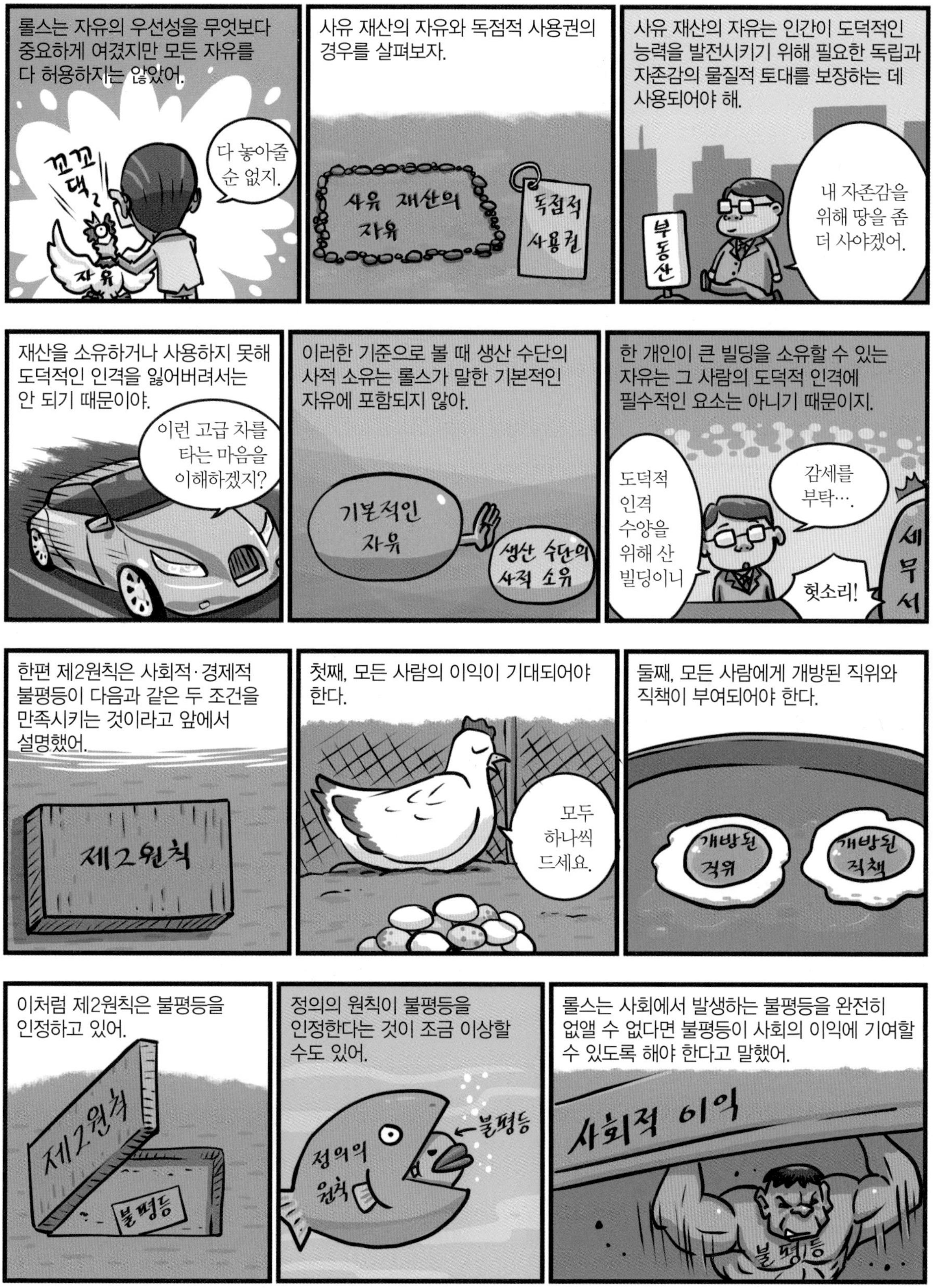
롤스는 자유의 우선성을 무엇보다 중요하게 여겼지만 모든 자유를 다 허용하지는 않았어.
꼬꼬댁?
자유
다 놓아줄 순 없지.
사유 재산의 자유와 독점적 사용권의 경우를 살펴보자.
사유 재산의 자유
독점적 사용권
사유 재산의 자유는 인간이 도덕적인 능력을 발전시키기 위해 필요한 독립과 자존감의 물질적 토대를 보장하는 데 사용되어야 해.
부동산
내 자존감을 위해 땅을 좀 더 사야겠어.
재산을 소유하거나 사용하지 못해 도덕적인 인격을 잃어버려서는 안 되기 때문이야.
이런 고급 차를 타는 마음을 이해하겠지?
이러한 기준으로 볼 때 생산 수단의 사적 소유는 롤스가 말한 기본적인 자유에 포함되지 않아.
기본적인 자유
생산 수단의 사적 소유
한 개인이 큰 빌딩을 소유할 수 있는 자유는 그 사람의 도덕적 인격에 필수적인 요소는 아니기 때문이지.
도덕적 인격 수양을 위해 산 빌딩이니
감세를 부탁….
헛소리!
세무서
한편 제2원칙은 사회적·경제적 불평등이 다음과 같은 두 조건을 만족시키는 것이라고 앞에서 설명했어.
제2원칙
첫째, 모든 사람의 이익이 기대되어야 한다.
모두 하나씩 드세요.
둘째, 모든 사람에게 개방된 직위와 직책이 부여되어야 한다.
개방된 직위
개방된 직책
이처럼 제2원칙은 불평등을 인정하고 있어.
제2원칙
불평등
정의의 원칙이 불평등을 인정한다는 것이 조금 이상할 수도 있어.
정의의 원칙
←불평등
롤스는 사회에서 발생하는 불평등을 완전히 없앨 수 없다면 불평등이 사회의 이익에 기여할 수 있도록 해야 한다고 말했어.
사회적 이익
불평등

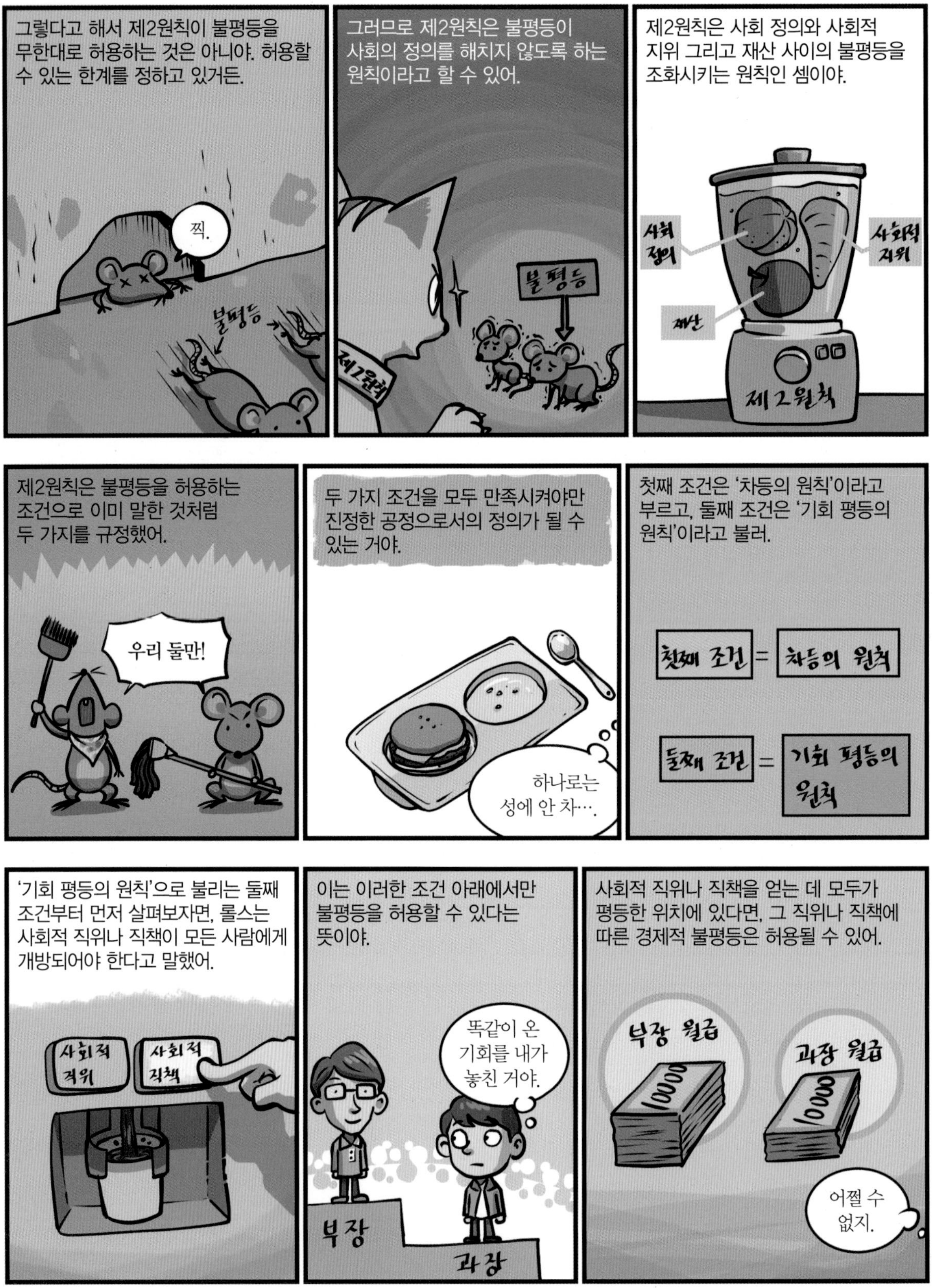
그렇다고 해서 제2원칙이 불평등을 무한대로 허용하는 것은 아니야. 허용할 수 있는 한계를 정하고 있거든.
찍.
불평등
그러므로 제2원칙은 불평등이 사회의 정의를 해치지 않도록 하는 원칙이라고 할 수 있어.
불평등
제2원칙
제2원칙은 사회 정의와 사회적 지위 그리고 재산 사이의 불평등을 조화시키는 원칙인 셈이야.
사회 정의
사회적 지위
재산
제2원칙
제2원칙은 불평등을 허용하는 조건으로 이미 말한 것처럼 두 가지를 규정했어.
우리 둘만!
두 가지 조건을 모두 만족시켜야만 진정한 공정으로서의 정의가 될 수 있는 거야.
하나로는 성에 안 차….
첫째 조건은 '차등의 원칙'이라고 부르고, 둘째 조건은 '기회 평등의 원칙'이라고 불러.
첫째 조건 = 차등의 원칙
둘째 조건 = 기회 평등의 원칙
'기회 평등의 원칙'으로 불리는 둘째 조건부터 먼저 살펴보자면, 롤스는 사회적 직위나 직책이 모든 사람에게 개방되어야 한다고 말했어.
사회적 직위
사회적 직책
이는 이러한 조건 아래에서만 불평등을 허용할 수 있다는 뜻이야.
똑같이 온 기회를 내가 놓친 거야.
부장
과장
사회적 직위나 직책을 얻는 데 모두가 평등한 위치에 있다면, 그 직위나 직책에 따른 경제적 불평등은 허용될 수 있어.
부장 월급
과장 월급
10000
10000
어쩔 수 없지.

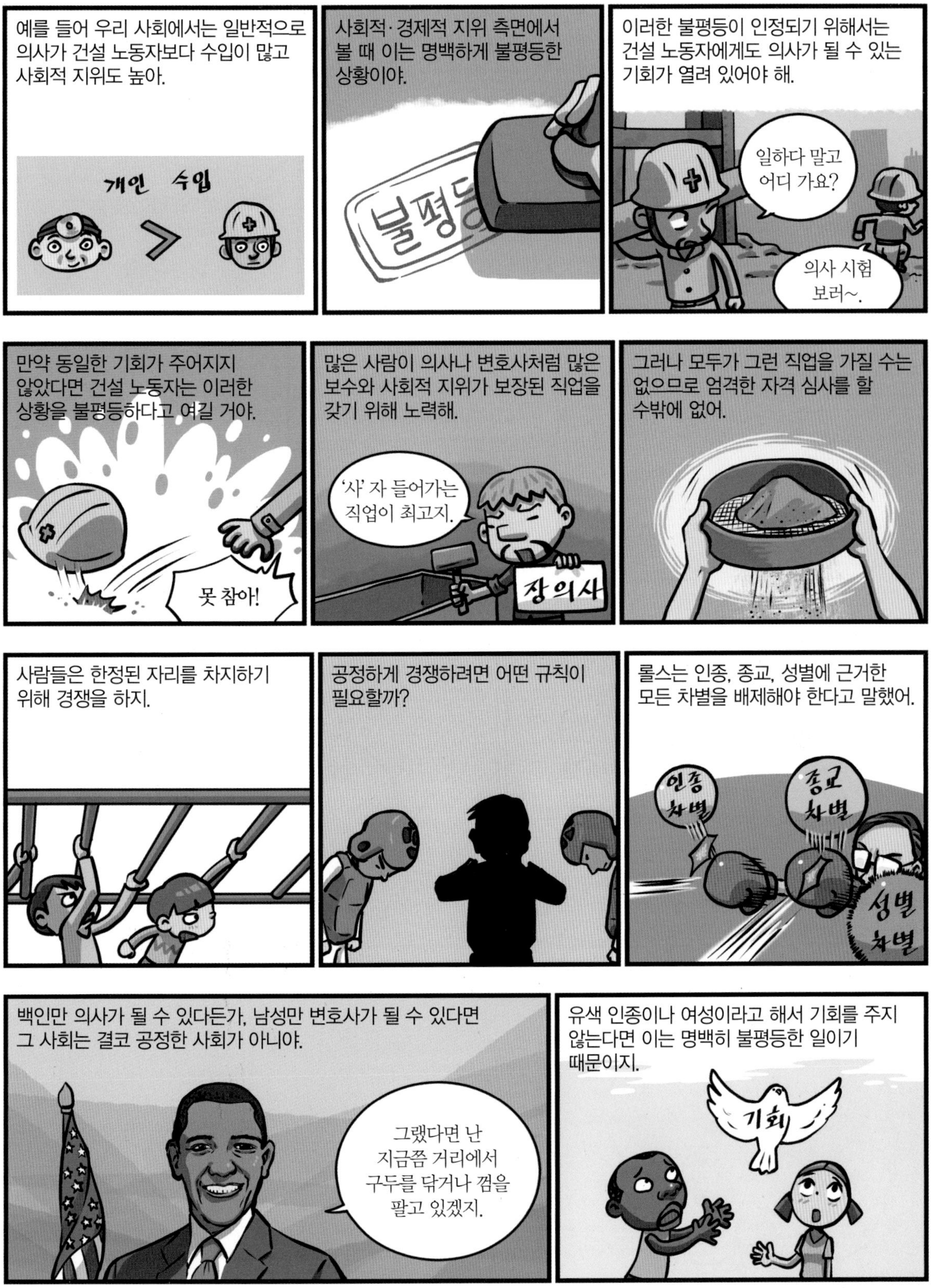
예를 들어 우리 사회에서는 일반적으로 의사가 건설 노동자보다 수입이 많고 사회적 지위도 높아.
개인 수입
사회적·경제적 지위 측면에서 볼 때 이는 명백하게 불평등한 상황이야.
불평등
이러한 불평등이 인정되기 위해서는 건설 노동자에게도 의사가 될 수 있는 기회가 열려 있어야 해.
일하다 말고 어디 가요?
의사 시험 보러~.
만약 동일한 기회가 주어지지 않았다면 건설 노동자는 이러한 상황을 불평등하다고 여길 거야.
못 참아!
많은 사람이 의사나 변호사처럼 많은 보수와 사회적 지위가 보장된 직업을 갖기 위해 노력해.
'사' 자 들어가는 직업이 최고지.
장의사
그러나 모두가 그런 직업을 가질 수는 없으므로 엄격한 자격 심사를 할 수밖에 없어.
사람들은 한정된 자리를 차지하기 위해 경쟁을 하지.
공정하게 경쟁하려면 어떤 규칙이 필요할까?
롤스는 인종, 종교, 성별에 근거한 모든 차별을 배제해야 한다고 말했어.
인종 차별
종교 차별
성별 차별
백인만 의사가 될 수 있다든가, 남성만 변호사가 될 수 있다면 그 사회는 결코 공정한 사회가 아니야.
그랬다면 난 지금쯤 거리에서 구두를 닦거나 껌을 팔고 있겠지.
유색 인종이나 여성이라고 해서 기회를 주지 않는다면 이는 명백히 불평등한 일이기 때문이지.
기회

롤스는 차별이 배제된 상황에서 두 가지 자질을 가지고 사람들이 경쟁에 참여한다고 주장했어.
차별
첫째는 사람들의 자연적 재능과 능력이고
자연적 재능
둘째는 타인으로부터 얻거나 자신이 우연히 얻은 것들이지.
멘탈
여기 백인 소년과 흑인 소녀가 있어. 두 사람은 커서 의사가 되고 싶어 해.
백인 소년은 보통의 지능을 가지고 있으며 열심히 공부하지 않아.
반면에 흑인 소녀는 뛰어난 지능을 가지고 있으며 열심히 공부해.
우리는 당연히 흑인 소녀가 백인 소년보다 의사가 될 가능성이 더 높다고 생각해.
의사가 될 가능성
흑인 소녀가 자연적 재능이나 능력 면에서 백인 소년보다 월등하기 때문이지.
자연적 재능
자연적 재능
그러나 백인 소년과 흑인 소녀가 의사가 되는 데는 개인적인 자질과 능력 외에도 다른 요인이 작용해.
개인적 자질
바로 타인으로부터 혹은 자신이 우연히 얻은 선물 같은 것이지.
대표적으로 부모로부터 얻은 것들을 꼽을 수 있어.

만약에 백인 소년의 아버지는 의사이고, 흑인 소녀의 아버지는 건설 노동자라면 어떨까?
백인 소년의 아버지는 아들에게 좋은 교육 환경을 제공하는 것은 물론, 의사가 되는 데 필요한 조언도 많이 해 줄 거야.
반면에 흑인 소녀의 아버지는 경제적인 문제로 딸에게 좋은 교육 환경을 제공하지 못하고 여러 가지 좋은 조언도 해 주지 못할 거야.
아빠, 이거 모르겠는데….
드르렁
결국 흑인 소녀는 뛰어난 자질과 성실한 태도를 가지고 있음에도 불구하고 백인 소년에 비해 의사가 될 가능성이 떨어지겠지.
그렇다면 이건 공정하다고 볼 수 없어.
비록 모든 사람에게 평등한 기회가 주어졌지만 실질적으로는 사회적 지위나 경제적 상황이 이미 평등하지 않기 때문이야.
엄마, 나 전 과목 개인 과외 받고 싶어요.
그러렴.
롤스도 이러한 사실을 잘 알고 있었어. 그래서 초기 자산의 분배는 선행하는 자연적 자산, 즉 자연적 재능의 분배가 축적된 결과라고 말했어.
자연적 재능의 분배
초기 자산의 분배
이것들은 사회적 여건과 액운 혹은 행운 등 우연적 변수들에 의해 형성된 것들이며
우연적 변수
초기 자산의 분배
오랜 기간 동안 그 변수들이 유리하게 혹은 불리하게 작용되면서 서로 다른 결과를 낳는다고 했지.

'사회적 여건과 액운 혹은 행운 등 우연적 변수들에 의해 축적된 결과'라는 말의 의미는 무엇일까요?
쉽게 설명해 줄게. 백인 소년의 조상들은 열심히 노력했거나 우연히 얻은 행운으로 사회적 지위와 재산을 얻었어. 그것들은 세월이 흐르면서 축적되어 백인 소년의 초기 자산이 되었지.
조상
유산
노력 + 행운
= 사회적 지위, 재산
초기 자산
반면에 흑인 소녀의 조상들은 열심히 일했지만 비운의 역사를 겪으며 좋은 결과를 얻지 못했어.
그로 인한 가난과 낮은 사회적 지위는 세월이 흐르며 고착되어 흑인 소녀의 초기 자산이 되었지.
조상
유산
가난 + 낮은 사회적 지위
초기 자산
이처럼 불평등한 초기 자산은 사회적 지위나 재산의 불평등으로 이어지기 마련이야.
초기 자산의 불평등
사회적 지위의 불평등
재산의 불평등
롤스는 이렇게 축적된 사회적 지위나 재산을 도덕적인 관점에서 임의적인 것이라고 했어.
임의적인 것.
도덕적 관점
재산
사회적 지위
도덕적인 관점에서 임의적이라는 것은 도덕적인 책임이 없다는 말이야.
여보, TV만 보지 말고 청소 좀 해.
난 도덕적인 관점에서 임의적이다.
백인 소년이 자신의 부모로부터 좋은 교육 환경을 제공받았다는 사실이 그 소년에게 도덕적인 책임으로 전가될 수 없다는 거야.
좋은 환경
+
교육
내 잘못이 아니잖아?
이런 문제점을 해결하기 위한 가장 확실한 방법은 가족 제도를 해체하는 것뿐이야.
가
족
제
도
가족 제도를 해체하면 모든 사람의 초기 자산이 '0'으로 평등해질 테니까.
나는 이제 네 아빠가 아니다.
네, 아저씨.

그러나 기회의 평등을 얻기 위해 가족을 해체하는 것은 너무 많은 비용이 들어가는 좋지 않은 방법이야.
가족 제도가 해체되면서
전 고아가 됐어요.
따라서 롤스는 불완전한 기회의 평등에 따라 살아갈 수밖에 없다고 했어.
휴, 인생이란….
대신 불평등을 완화할 수 있는 다양한 방법들을 찾을 수는 있다고 했지.
불평등
?
그 방법들 중에는 공정한 공교육 제도도 포함된단다.
통
공교육 제도
백인 소년이건 흑인 소녀건 혹은 부잣집 자녀건 가난한 가정의 자녀건 상관없이
모두 동일한 교육 환경과 교육 과정을 제공받는다면 사회적 여건에 영향을 받지 않고 모두 동일한 교육 기회를 제공받을 수 있을 거야.
삐약- 삐약-
동일한 교육
물론 공정한 교육 기회가 모든 불평등 요소를 제거할 수는 없어.
딱
저런, 거른다고 걸렀는데.
그래도 교육의 기회만이라도 공평하게 주어진다면 사회의 불평등은 상당 부분 받아들일 만한 수준이 될 거야.
교육
그러나 초기의 사회적 자원을 균등하게 배분하는 데 성공한다 해도 문제점은 생길 수밖에 없어.
사회적 자원
천부적 재능과 능력의 초기 분배는 천부적인 운의 영역이기 때문에 사람이나 제도로 보완할 수 없거든.
깡-
천부적 운
선천적으로 주어지는 능력의 불평등은 교정할 수 없고, 행운이나 불운은 개인적으로 어떠한 도덕적 책임과 연결 지을 수 없어.
우리 할아버지는 독립운동가야.
우리 할아버지는 강남 땅 부자.

롤스는 이러한 불평등을 결과적 평등으로 교정하는 것에 대해 반대했어.
불평등 ⇒ 결과적 평등
결과적 평등이란 결과를 균등하게 분배하는 것을 의미해.
결 과 적 평 등
능력도 부족하고 노력하지도 않은 사람에게도 사회가 만든 이득을 모두 똑같이 분배하는 것이지.
배식구
한 것도 없는데 밥을 주네.
의사와 건설 노동자가 받는 임금을 동일하게 한다고 가정해 보자.
그렇다면 사람들은 굳이 많은 시간과 노력, 돈을 투자해 의사가 되려고 애쓰지 않을 거야.
어느 누가 들인 노력에 비해 턱없이 부족한 보상을 받길 원하겠어?
안 다니는 게 돈 버는 길.
의과 대학
롤스는 이런 상황을 긍정적으로 보지 않았어.
인류의 수명이 다시 줄 거야.
보상 체계가 없는 사회는 사람들을 노력하게 만드는 유인책이 없기 때문에 바람직하지 않다고 생각했지.
보상 체계
창의적으로 열심히 노력하는 사람이 더 많은 보상을 받는 사회가 옳다고 본 거야.
노력
BONUS
디리링
기업가에게 허용된 좀 더 큰 기대치는 그들로 하여금 장기적인 전망을 향상시키는 일을 하도록 노동자 계급을 격려하게 합니다.
향상된 전망은 사람들에게 유인책으로 작용해 경제는 더 효율적으로 발전하고, 기술 혁신은 더 빠른 속도로 진행되며 여러 가지 이익이 생겨납니다.
이렇게 산출된 이익들은 체제 전체로 퍼져 나가 최소 수혜자들에게까지 도달하게 될 거야.
이익
최소 수혜자

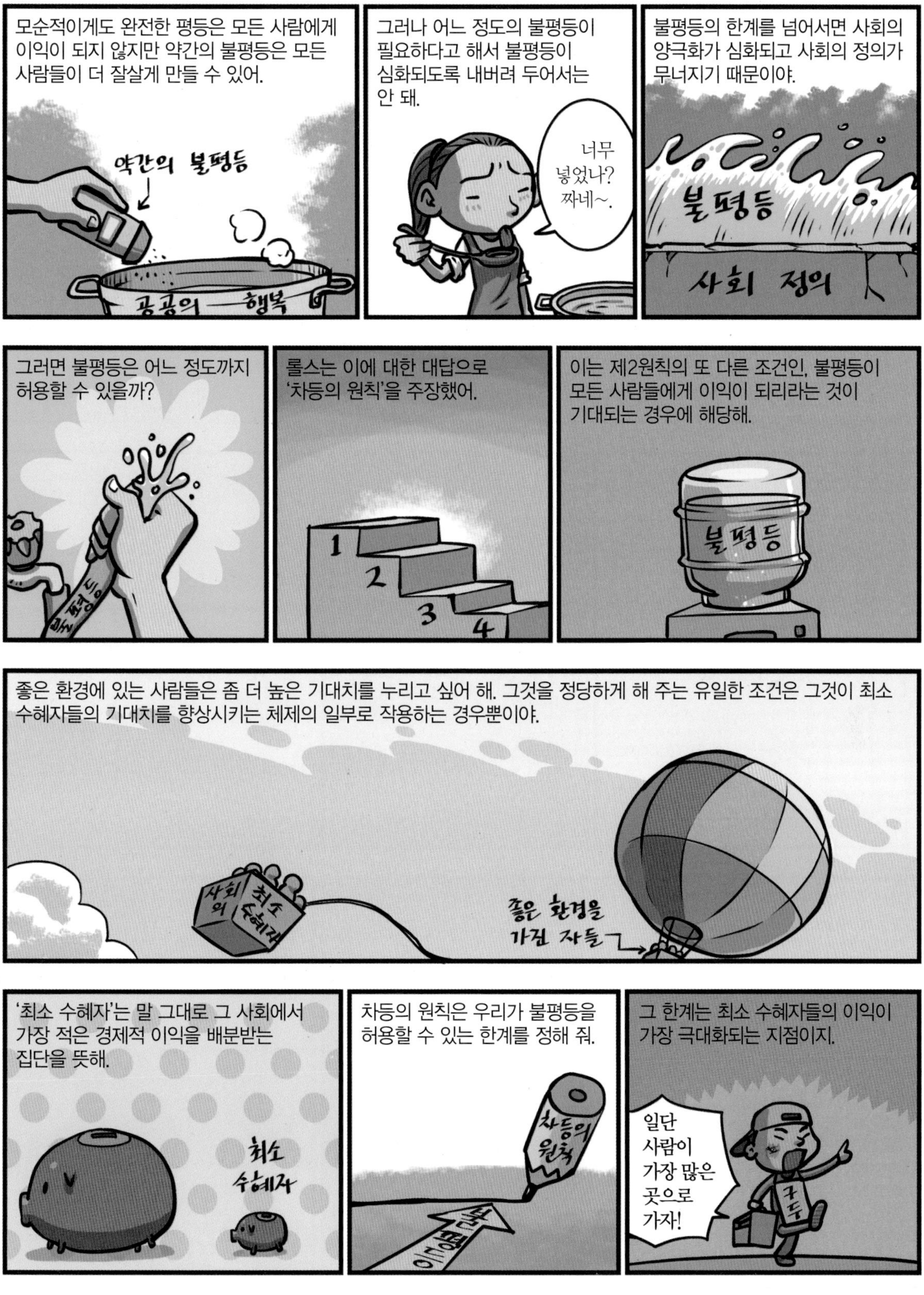
모순적이게도 완전한 평등은 모든 사람에게 이익이 되지 않지만 약간의 불평등은 모든 사람들이 더 잘살게 만들 수 있어.
약간의 불평등
공공의 행복
그러나 어느 정도의 불평등이 필요하다고 해서 불평등이 심화되도록 내버려 두어서는 안 돼.
너무 넣었나? 짜네~.
불평등의 한계를 넘어서면 사회의 양극화가 심화되고 사회의 정의가 무너지기 때문이야.
불평등
사회 정의
그러면 불평등은 어느 정도까지 허용할 수 있을까?
롤스는 이에 대한 대답으로 '차등의 원칙'을 주장했어.
1
2
3
4
이는 제2원칙의 또 다른 조건인, 불평등이 모든 사람들에게 이익이 되리라는 것이 기대되는 경우에 해당해.
불평등
좋은 환경에 있는 사람들은 좀 더 높은 기대치를 누리고 싶어 해. 그것을 정당하게 해 주는 유일한 조건은 그것이 최소 수혜자들의 기대치를 향상시키는 체제의 일부로 작용하는 경우뿐이야.
사회의 최소 수혜자
좋은 환경을 가진 자들
'최소 수혜자'는 말 그대로 그 사회에서 가장 적은 경제적 이익을 배분받는 집단을 뜻해.
최소 수혜자
차등의 원칙은 우리가 불평등을 허용할 수 있는 한계를 정해 줘.
차등의 원칙
불평등
그 한계는 최소 수혜자들의 이익이 가장 극대화되는 지점이지.
일단 사람이 가장 많은 곳으로 가자!

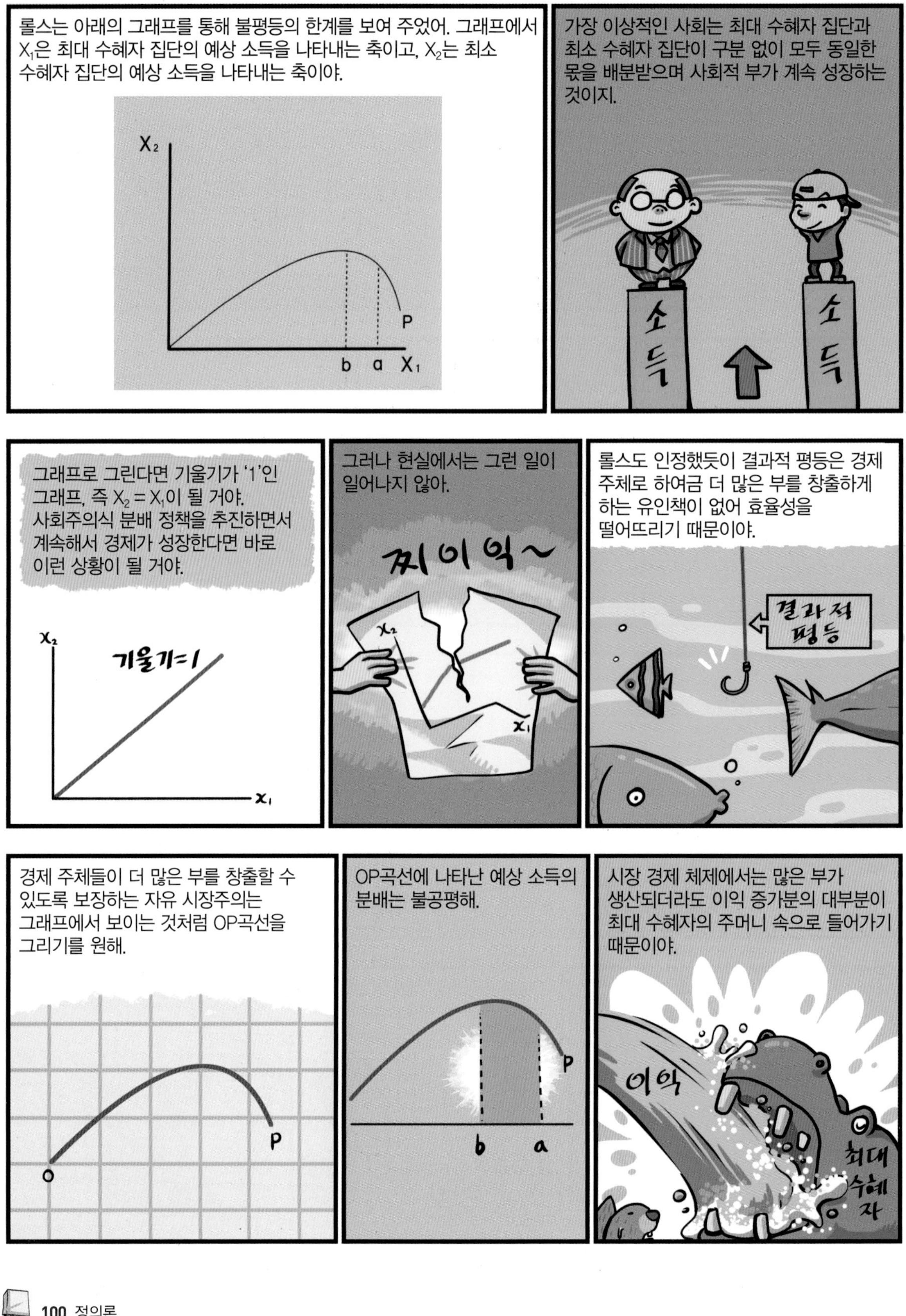
롤스는 아래의 그래프를 통해 불평등의 한계를 보여 주었어. 그래프에서 X_1은 최대 수혜자 집단의 예상 소득을 나타내는 축이고, X_2는 최소 수혜자 집단의 예상 소득을 나타내는 축이야.
X_2
P
b
a
X_1
가장 이상적인 사회는 최대 수혜자 집단과 최소 수혜자 집단이 구분 없이 모두 동일한 몫을 배분받으며 사회적 부가 계속 성장하는 것이지.
소득
소득
그래프로 그린다면 기울기가 '1'인 그래프, 즉 $X_2 = X_1$이 될 거야. 사회주의식 분배 정책을 추진하면서 계속해서 경제가 성장한다면 바로 이런 상황이 될 거야.
x_2
기울기=1
x_1
그러나 현실에서는 그런 일이 일어나지 않아.
찌이익~
x_2
x_1
롤스도 인정했듯이 결과적 평등은 경제 주체로 하여금 더 많은 부를 창출하게 하는 유인책이 없어 효율성을 떨어뜨리기 때문이야.
결과적 평등
경제 주체들이 더 많은 부를 창출할 수 있도록 보장하는 자유 시장주의는 그래프에서 보이는 것처럼 OP곡선을 그리기를 원해.
O
P
OP곡선에 나타난 예상 소득의 분배는 불공평해.
P
b
a
시장 경제 체제에서는 많은 부가 생산되더라도 이익 증가분의 대부분이 최대 수혜자의 주머니 속으로 들어가기 때문이야.
이익
최대 수혜자

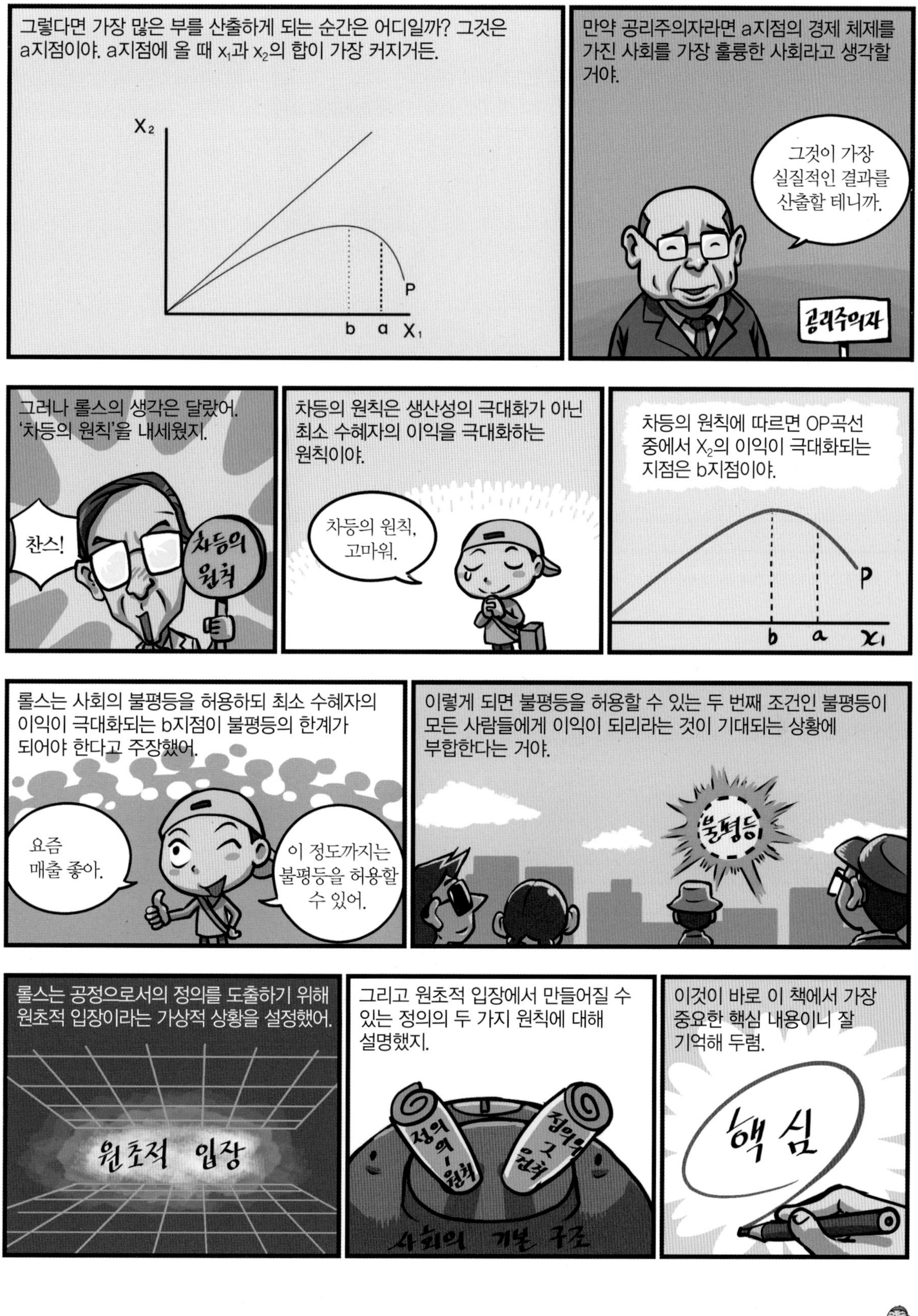
그렇다면 가장 많은 부를 산출하게 되는 순간은 어디일까? 그것은 a지점이야. a지점에 올 때 x_1과 x_2의 합이 가장 커지거든.
X_2
P
b
a
X_1
만약 공리주의자라면 a지점의 경제 체제를 가진 사회를 가장 훌륭한 사회라고 생각할 거야.
그것이 가장 실질적인 결과를 산출할 테니까.
공리주의자
그러나 롤스의 생각은 달랐어. '차등의 원칙'을 내세웠지.
찬스!
차등의 원칙
차등의 원칙은 생산성의 극대화가 아닌 최소 수혜자의 이익을 극대화하는 원칙이야.
차등의 원칙, 고마워.
차등의 원칙에 따르면 OP곡선 중에서 X_2의 이익이 극대화되는 지점은 b지점이야.
P
b
a
x_1
롤스는 사회의 불평등을 허용하되 최소 수혜자의 이익이 극대화되는 b지점이 불평등의 한계가 되어야 한다고 주장했어.
요즘 매출 좋아.
이 정도까지는 불평등을 허용할 수 있어.
이렇게 되면 불평등을 허용할 수 있는 두 번째 조건인 불평등이 모든 사람들에게 이익이 되리라는 것이 기대되는 상황에 부합한다는 거야.
불평등
롤스는 공정으로서의 정의를 도출하기 위해 원초적 입장이라는 가상적 상황을 설정했어.
원초적 입장
그리고 원초적 입장에서 만들어질 수 있는 정의의 두 가지 원칙에 대해 설명했지.
정의의 1원칙
정의의 2원칙
사회의 기본 구조
이것이 바로 이 책에서 가장 중요한 핵심 내용이니 잘 기억해 두렴.
핵심

6장 정의로운 제도들

이번 장에서는 정의의 원칙을 만족시키는 사회 제도에 관해 논의해 볼 거야.
정의의 원칙
정의의 원칙을 만족시키는 사회 제도

롤스는 독자들에게 구체적이고 실제적인 사회 제도를 직접 제시하지는 않았어.
제가 말하는 사회 제도란 이런 겁니다.
촤착-
봤어?
그게….

원초적 입장에 있는 합리적인 사람들을 통해 간접적으로 언급했을 뿐이지.
합리적 인간

그들은 합리적인 판단을 바탕으로 자신들이 선택한 정의의 원칙이 실제로 적용될 수 있는지 여부를 따져 볼 거야.
정의의 원칙
텅-

만약 정의의 원칙이 이론적으로는 성립하지만 실제로 적용되기 어렵다면 그들은 정의의 원칙을 거부할 수도 있어.
애고~. 손 아파.
데구르~

원초적 입장에 있는 사람들도 어떤 정책이나 제도를 선택할 때 합의하지 못할 수 있어.
어?
응?
무지의 베일에 가려져 자신이 처할 사회적 상황에 대해 잘 알 수 없기 때문이지.
화장실 가셨나?
무지의 베일
무지의 베일에 가려진 사람들이 정책이나 제도를 선택하는 최선의 방법은 그들이 처할 사회의 다양한 상황을 생각해 보고
다양한 상황을 생각해 보자.
정책
제도
자신들이 결정한 정의의 원칙이 각 상황에 어떻게 적용될지 깊이 생각해 보는 거야.
정의의 원칙
롤스는 이러한 생각의 과정을 4단계로 설명했어.
생각의 과정
이 과정은 실제적인 단계가 아니라 정의의 원칙을 적용해 보기 위한 가상의 단계야.
이 모든 것이 다 가상이라니….
첫 번째 단계는 원초적 입장 그 자체야.
원초적 입장
이 단계에서 사람들은 무지의 베일에 가려진 채 자신들이 처하게 될 사회에 적용할 정의의 원칙들을 선택해.
정의의 원칙
무지의 베일
그리고 두 번째 단계에서는 첫 번째 단계, 즉 원초적 입장에서 선택한 정의의 원칙들을 사용하지.
딱
그들은 여기서 통치 체계와 헌법을 설계하는 제헌 위원회에 참여하게 될 거야.
제헌 위원회
통치 체계와 헌법은 한 사회의 가장 기본적인 질서라고 할 수 있어.
통치 체계
헌법
사회의 기본 질서
롤스는 이 단계에서 정의의 제1원칙인 '자유 우선의 원칙'이 구현된다고 보았어.
자유 우선의 원칙

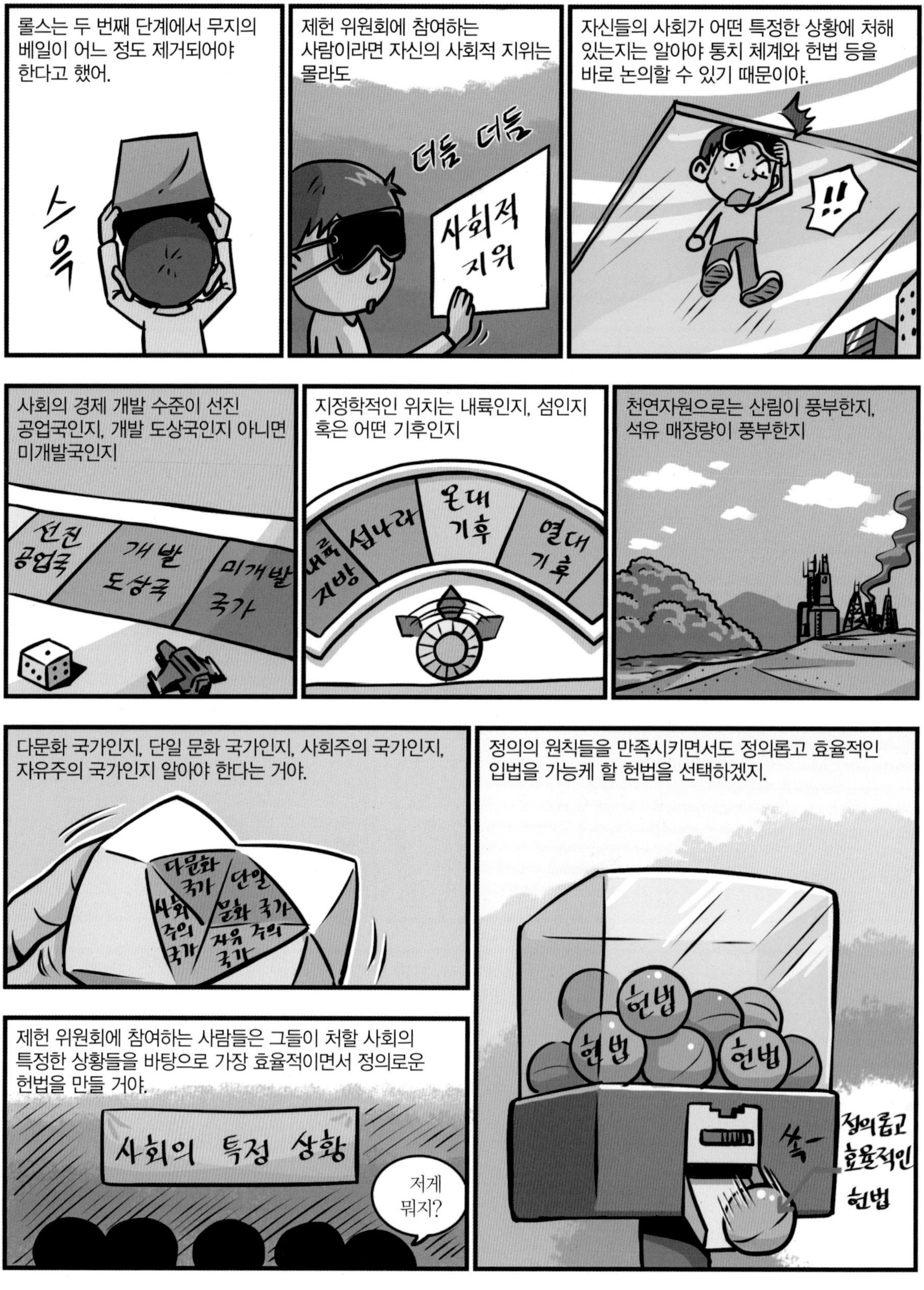
롤스는 두 번째 단계에서 무지의 베일이 어느 정도 제거되어야 한다고 했어.
스윽
제헌 위원회에 참여하는 사람이라면 자신의 사회적 지위는 몰라도
더듬 더듬
사회적 지위
자신들의 사회가 어떤 특정한 상황에 처해 있는지는 알아야 통치 체계와 헌법 등을 바로 논의할 수 있기 때문이야.
!!
사회의 경제 개발 수준이 선진 공업국인지, 개발 도상국인지 아니면 미개발국인지
선진 공업국
개발 도상국
미개발 국가
지정학적인 위치는 내륙인지, 섬인지 혹은 어떤 기후인지
내륙 지방
섬나라
온대 기후
열대 기후
천연자원으로는 산림이 풍부한지, 석유 매장량이 풍부한지
다문화 국가인지, 단일 문화 국가인지, 사회주의 국가인지, 자유주의 국가인지 알아야 한다는 거야.
다문화 국가
단일 문화 국가
사회 주의 국가
자유 주의 국가
제헌 위원회에 참여하는 사람들은 그들이 처할 사회의 특정한 상황들을 바탕으로 가장 효율적이면서 정의로운 헌법을 만들 거야.
사회의 특정 상황
저게 뭐지?
정의의 원칙들을 만족시키면서도 정의롭고 효율적인 입법을 가능케 할 헌법을 선택하겠지.
헌법
헌법
헌법
쏙—
정의롭고 효율적인 헌법

여기서 말하는 정의로운 헌법은 이상적으로 정의로운 결과를 보장하는 정의로운 절차를 뜻해.
정의로운
헌법
푸쉬~
헌법은 법을 만드는 정치적 과정을 규제하는 절차야.
법을 만드는 정치적 과정
헌법
정의로운 절차를 만드는 일은 매우 중요해. 이를 위해 시민에 대한 평등한 자유가 헌법에 명시되어야 하지.
평등한
시민 자유
헌법
정의로운 절차
롤스는 헌법에 명시되어야 할 자유로 양심과 사상 그리고 신체의 자유를 꼽으며 이와 함께 동등한 정치적 권리의 보장을 강조했어.
동등한 정치적 권리의 보장
양심의 자유
사상의 자유
신체의 자유
헌법이 시민의 자유와 정치적 권리를 보장해도 입법 과정을 거치며 정의롭지 못한 법이 만들어질 수도 있어.
시민의 자유
정치적 권리
입법 과정
정의롭지 못한 법
다수결의 원칙에 따라 어떤 법안이 만들어졌다고 생각해 보자.
법안 통과!
그 법안은 다수결의 원칙이라는 절차적 정의를 만족시켰으므로 정의의 제1원칙이 적용된 것으로 볼 수 있어.
정의의 제1원칙
법안
그러나 그 법안은 정의의 제2원칙을 충족시키지 못할 수도 있어.
정의의 제2원칙
법안
교육 정책을 입안하는 과정을 예로 들어 볼까?
교육 정책
대학 입학 전형에서 영어 성적의 비중을 높이는 제도가 다수결에 의해 결정되었다고 할 때, 이 절차적 과정은 정의의 제1원칙인 자유 우선의 원칙을 지키고 있어.
영어 성적 비중↑
찬성
찬성
반대
찬성
교육 정책
자유 우선의 원칙

그러나 이것은 영어 교육을 제대로 받을 수 없는 최소 수혜자의 미래 전망을 극대화해야 한다는 제2원칙에는 어긋날 수 있어.
쩍
제2원칙
이러한 이유로 롤스는 완전한 절차적 정의의 이념은 실현될 수 없다고 했지.
꽥.
완전한 절차적 정의의 이념
일단 통치 체계와 헌법이 정해지면 제3단계로 접어들게 돼. 제3단계는 공공 정책이나 사회적·경제적 규정을 설정하는 과정이야.
제3단계
공공정책 규정
사회적·경제적 규정
롤스는 이때 공정으로서의 정의의 제2원칙이 구현된다고 했어.
공정으로서의 정의의 제2원칙
제3단계
제3단계에서도 제2단계와 마찬가지로 논의에 참여하는 이들은 부분적으로 무지의 베일에 가려져 있어.
무지의 베일
무지의 베일맨이라 불러 줘.
자신의 개인적인 사회적 위치나 능력에 대해서는 알지 못하지.
너의 사회적 위치나 능력에 대해 알고 있나?
무지의 베일
몰라.
마지막 제4단계는 공공 기관이나 일반 시민들이 앞의 두 단계에서 만들어진 정책들을 실행하는 단계야.
공공 기관
쿵
쿵
일반 시민
정책 실행
제4단계
이 단계에서는 무지의 베일이 완전히 벗겨지며 모두가 자신이 누구인지 알게 돼.
이제 살겠네.
무지의 베일
꺅! 눈 마주치기 전에 피하자.
무지의 베일

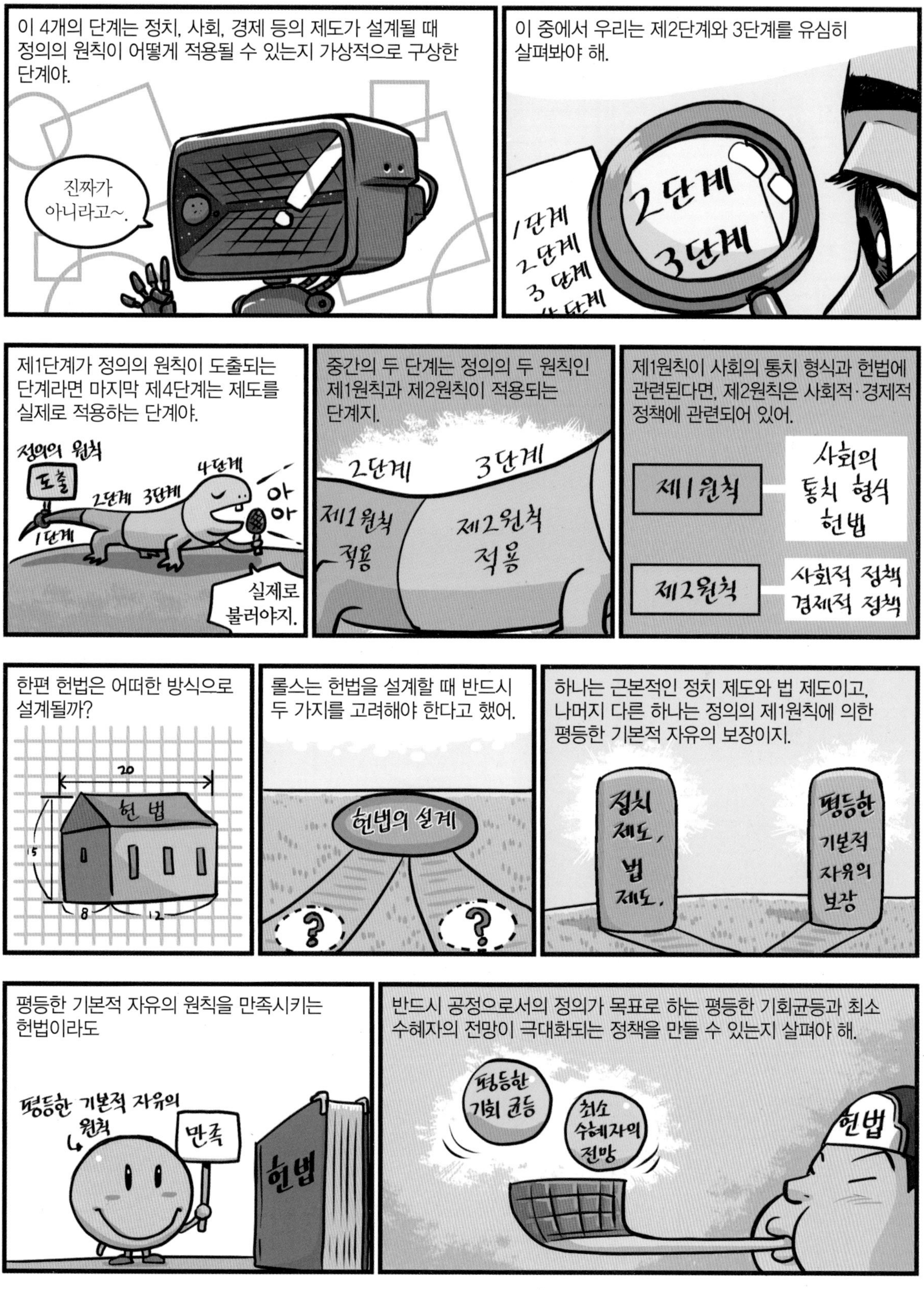
이 4개의 단계는 정치, 사회, 경제 등의 제도가 설계될 때 정의의 원칙이 어떻게 적용될 수 있는지 가상적으로 구상한 단계야.
진짜가 아니라고~.
이 중에서 우리는 제2단계와 3단계를 유심히 살펴봐야 해.
1단계
2단계
3단계
2단계
3단계
제1단계가 정의의 원칙이 도출되는 단계라면 마지막 제4단계는 제도를 실제로 적용하는 단계야.
정의의 원칙
도출
1단계
2단계 3단계
4단계
아아
실제로 불러야지.
중간의 두 단계는 정의의 두 원칙인 제1원칙과 제2원칙이 적용되는 단계지.
2단계
3단계
제1원칙 적용
제2원칙 적용
제1원칙이 사회의 통치 형식과 헌법에 관련된다면, 제2원칙은 사회적·경제적 정책에 관련되어 있어.
제1원칙
사회의 통치 형식 헌법
제2원칙
사회적 정책 경제적 정책
한편 헌법은 어떠한 방식으로 설계될까?
20
헌 법
5
8
12
롤스는 헌법을 설계할 때 반드시 두 가지를 고려해야 한다고 했어.
헌법의 설계
?
?
하나는 근본적인 정치 제도와 법 제도이고, 나머지 다른 하나는 정의의 제1원칙에 의한 평등한 기본적 자유의 보장이지.
정치 제도, 법 제도,
평등한 기본적 자유의 보장
평등한 기본적 자유의 원칙을 만족시키는 헌법이라도
평등한 기본적 자유의 원칙
만족
헌법
반드시 공정으로서의 정의가 목표로 하는 평등한 기회균등과 최소 수혜자의 전망이 극대화되는 정책을 만들 수 있는지 살펴야 해.
평등한 기회 균등
최소 수혜자의 전망
헌법

롤스는 자유를 그 어떤 것과도 비교할 수 없는 절대적 가치를 지닌 사회적 선(善)으로 보았어.
자유
군계일학.
그러나 각각의 기본적 자유는 다른 자유에 의해 한정될 수 있다는 점에서 절대적이지는 않아.
특정 자유를 무한정 보장하면 다른 자유가 침해될 수 있기 때문이지.
우헤헤..
이 호수 내가 전세 냈다.
철퍽
그러므로 각각의 자유를 적절하게 규제할 필요가 있어.
기본적 자유의 범위를 정함으로써 자유 전체가 하나의 정합적 체계를 이루도록 해야 하지.
롤스가 생각하는 정의로운 헌법은 바로 이러한 방식으로 조직된 자유의 체계를 담고 있는 것이었어.
정의로운 헌법
자유
자유
자유
자유
자유
자유
자유
제1원칙이 요구하는 것은 모든 사람들에게 평등하게 주어지는 자유야.
자유
롤스는 이를 사상과 양심의 자유 및 종교의 자유, 정치적 자유, 법체계 설계의 문제로 구분했어.
쌩~
사상·양심의 자유
종교의 자유
정치적 자유
법체계 설계
그러고는 제1원칙이 어떻게 적용될 수 있는지를 살폈지.
어디 탈 만한 구름이 있나?
먼저 사상과 양심 그리고 종교의 자유가 헌법에 어떻게 구현되는지 살펴보자.
사상과 양심의 자유
헌법
롤스는 제헌 위원회에 참여하는 사람들이 사상과 양심 그리고 종교의 자유와 같은 기본적인 자유를 반드시 헌법에 적용해야 한다고 했어.
사상과 양심의 자유
종교의 자유
헌법
그러나 이러한 자유들도 공공질서와 사회의 안녕 같은 공익적인 이유로 규제될 수 있다는 점을 인정했지.
조심해. 깨지겠어.
사상과 양심의 자유
종교의 자유
공공 질서
공공 안녕

국가는 특정한 종교를 선호해서는 안 돼. 또한 어떤 종교를 믿는다는 이유로 벌금이나 처벌을 내려서도 안 되지.
깜딱
종교
국 가
어허!
사람들은 자유롭게 종교 공동체를 구성할 수 있고, 그 자체의 내부 생활과 규율을 가질 수 있어야 해.
간식 더 주는 곳으로….
롤스는 공공질서와 사회의 안녕이라는 공공의 이익을 위해서라면 이러한 자유도 제한할 수 있다고 보았어.
훠이~.
공공 질서와 사회의 안녕
종교, 공동체의 자유
그러나 공공의 이익을 위해 자유를 제한할 때라도 정부는 정의의 원칙에 입각해 행동해야만 한다고 주장했지.
공공의 이익을 위해서야.
정부
← 자유
이는 모순처럼 보이기도 해.
뿡~
모 순
뭐가 이상해?
자유 우선의 원칙을 제한하고 있기 때문이야.
모
바둥 바둥
자유 우선의 원칙
공공의 이익은 모든 사람들이 자신의 양심과 종교적 목적을 추구하는 데 전제되는 조건이야.
양심
종교적 목적
공공의 이익
만약 특정한 사람의 자유가 공공의 이익을 파괴한다면 이로 인해 모든 이들의 자유가 위협받을 수 있어.
특정인의 자유
공공의 이익
그렇다면 사상과 양심 그리고 종교의 자유는 어느 정도까지 인정해야 할까?
사상과 양심, 종교의 자유

중세 시대의 신학자이자 철학자인 토마스 아퀴나스는 영혼의 생명인 신앙을 더럽히는 일은 육체의 생명을 유지하기 위해 위조 화폐를 만드는 것보다 훨씬 더 중대한 문제라고 주장했어.
청소 깨끗이 했나, 안 했나?
신앙의 방
당연히 했지 말입니다.
그러면서 종교적 이단자에 대한 사형 제도를 정당화했지.
으아아아….
이단은 죽어 마땅한 죄!
토마스 아퀴나스는 위조범이나 살인범을 사형시키는 것이 정당하다면 이단자를 사형시키는 일 역시 정당하다고 했어.
위조범
살인범
이단자
롤스는 영혼의 안전을 위해 이단을 허용하지 않겠다는 논리가 일종의 독단이라며 비판했어.
독단!
뭐야? 어디다 대고!
또한 프랑스의 사상가 루소는 신에게 저주를 받았다고 인정된 자들에게 관용을 베푸는 것은 그들을 처벌한 신을 증오하는 것이라고 했어.
신을 증오할 수 없기에….
따라서 이단에 대한 관용은 불가능하다고 주장했지.
관용은 있을 수 없어.
화륵~
짝~.
루소는 사람들이 이단자들을 박해하거나 개종시키려 할 때 공동체의 평화가 깨진다고 생각했어.
이단자
박해, 개종
이러한 이유로도 이단자들을 관용으로 대해서는 안 된다고 했어.

루소는 아퀴나스와 달리 공공질서와 공익을 위해 관용에 제한선을 설정했어. 롤스는 이 점에 대해서는 어느 정도 긍정적으로 평가했어.
관용의 제한선
이만큼만….
그러나 불관용에 대해서는 비판했단다.
불관용
루소가 특정한 종교의 자유를 인정하는 것이 공공질서와 공익을 침해하는가에 대한 구체적인 경험 자료 없이 관용의 제한선을 설정했기 때문이야.
경험 자료는?
없는데….
여기서 아퀴나스와 루소는 큰 차이를 보여.
왜 비교하고 그래!
내 얼굴이 더 커 보이나?
아퀴나스는 자유의 제한이 공공질서와 공익에 피해를 주었는지 여부는 경험을 통해 알 수 있다고 했거든.
경험이 해답을 주지.
자유
게다가 관용을 제한하는 기준은 언제나 수정할 수 있다고 했지.
관용 제한 기준
수정 가능~.
신앙의 문제는 인간의 경험을 초월하는 것인데 말이야.
신앙
아퀴나스는 정의의 원칙에 따라 관용의 기준을 설정하지 않고
관용의 기준
정의의 원칙
신앙을 우선으로 두었다는 점에서 문제가 있어.
문제 있다, 문제 있어.
신앙
불관용
롤스는 정의로운 제도의 안정성을 위협하는 경우에만 관용을 제한해야 한다고 주장했어.
삑~. 잔디밭에서 나와!
정의로운 제도
정의로운 제도의 안정성에 비추어 관용이 위협받는 정도는 실제적으로 크지 않다고 보았기 때문이야.
꾸욱-
끄떡없음.
정의로운 제도의 안정성
여기서 안정성이란 정의롭지 않은 상황이 발생했을 때 정의를 보존하기 위해 작용하는 힘을 말해.
안정성
부정의 경향
정의

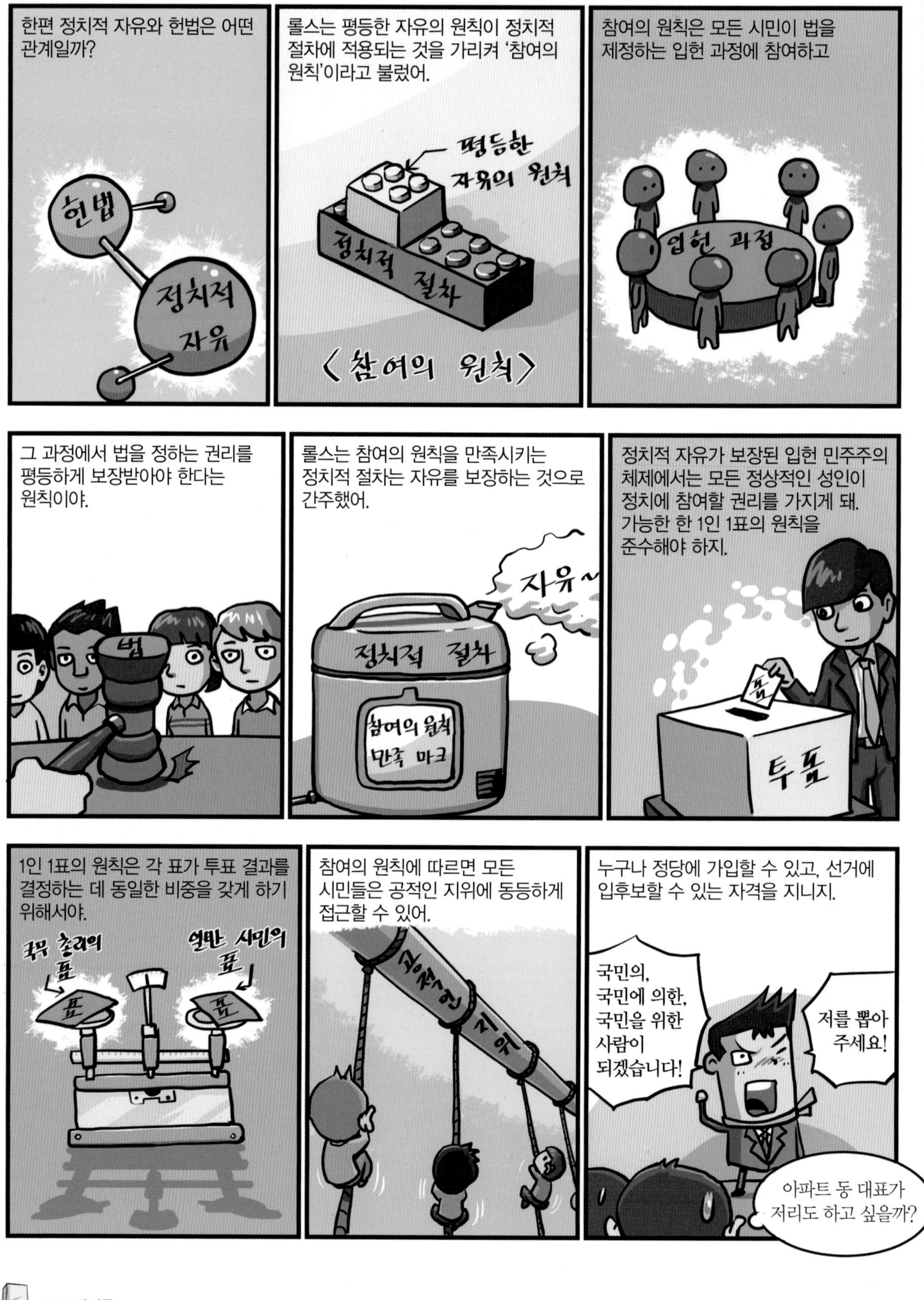

한편 정치적 자유와 헌법은 어떤 관계일까?
헌법
정치적 자유
롤스는 평등한 자유의 원칙이 정치적 절차에 적용되는 것을 가리켜 '참여의 원칙'이라고 불렀어.
평등한 자유의 원칙
정치적 절차
〈참여의 원칙〉
참여의 원칙은 모든 시민이 법을 제정하는 입헌 과정에 참여하고
입헌 과정
그 과정에서 법을 정하는 권리를 평등하게 보장받아야 한다는 원칙이야.
법
롤스는 참여의 원칙을 만족시키는 정치적 절차는 자유를 보장하는 것으로 간주했어.
자유~
정치적 절차
참여의 원칙 만족 마크
정치적 자유가 보장된 입헌 민주주의 체제에서는 모든 정상적인 성인이 정치에 참여할 권리를 가지게 돼. 가능한 한 1인 1표의 원칙을 준수해야 하지.
표
투표
1인 1표의 원칙은 각 표가 투표 결과를 결정하는 데 동일한 비중을 갖게 하기 위해서야.
국무 총리의 표
일반 시민의 표
표
표
참여의 원칙에 따르면 모든 시민들은 공적인 지위에 동등하게 접근할 수 있어.
공적인 지위
누구나 정당에 가입할 수 있고, 선거에 입후보할 수 있는 자격을 지니지.
국민의, 국민에 의한, 국민을 위한 사람이 되겠습니다!
저를 뽑아 주세요!
아파트 동 대표가 저리도 하고 싶을까?

그렇다면 참여의 원칙에서 정치적 자유가 제한되는 경우는 없을까?
정치적 자유
참여의 원칙
롤스는 밀의 주장을 바탕으로 정치적 자유가 제한되는 경우를 검토했어.
앞에서 라면과 코스 요리 중 뭐가 더 고급이냐고 물었었죠?
밀은 지능이 높은 사람이나 교육 수준이 높은 사람이 그렇지 않은 사람보다 더 많은 투표권을 가져야 한다고 주장했어.
더 아는 자가 더 많은 권리를 가질 때 세상은 더욱 좋아질 거예요.
정부는 공동의 선을 위해 모든 사람들이 비슷한 이득을 얻도록 보호해야 해.
공동
정부
善
공평한 이득
이때 우월한 지혜와 판단력을 지닌 사람들의 견해를 반영하는 것이 모두의 이익을 위해 더 나을 수 있다는 거야.
얘들아, 오늘 미세 먼지 농도가 '나쁨'이래.
실내에서 노는 게 좋겠다.
네에~
승객들이 선장에게 기꺼이 키를 내맡기는 이유는
선장이 자신들보다 바다와 배의 운항에 대한 많은 지식을 가지고 있고, 그것을 바탕으로 안전하게 운항할 것이라고 믿기 때문이야. 정치도 마찬가지라는 것이지.
잠시 후 목적지에 도착하오니 승객 여러분은 질서를 지켜 내려 주시기 바랍니다.
롤스는 밀의 생각이 때때로 정치적 평등이 양심이나 신체의 자유보다 덜 중요하게 여겨진 까닭을 설명해 준다고 했어.
신체의 자유
정치적 평등
양심
승객의 안전을 위해 선장에게 더 많은 권한을 주듯이 국가도 국민의 안전을 위해 다른 자유를 규제할 수 있다는 거야.
민방위 훈련이라고 해서 꼭 이러고 있어야 해?
우리 모두를 위해서야.
그래서 롤스는 일부 사람들에게 더 많은 정치적 권리를 주는 복수 투표제도 정의로운 방법 중 하나라고 했지.
난 의사니까 2표.
투표
난 장군이니까 3표.

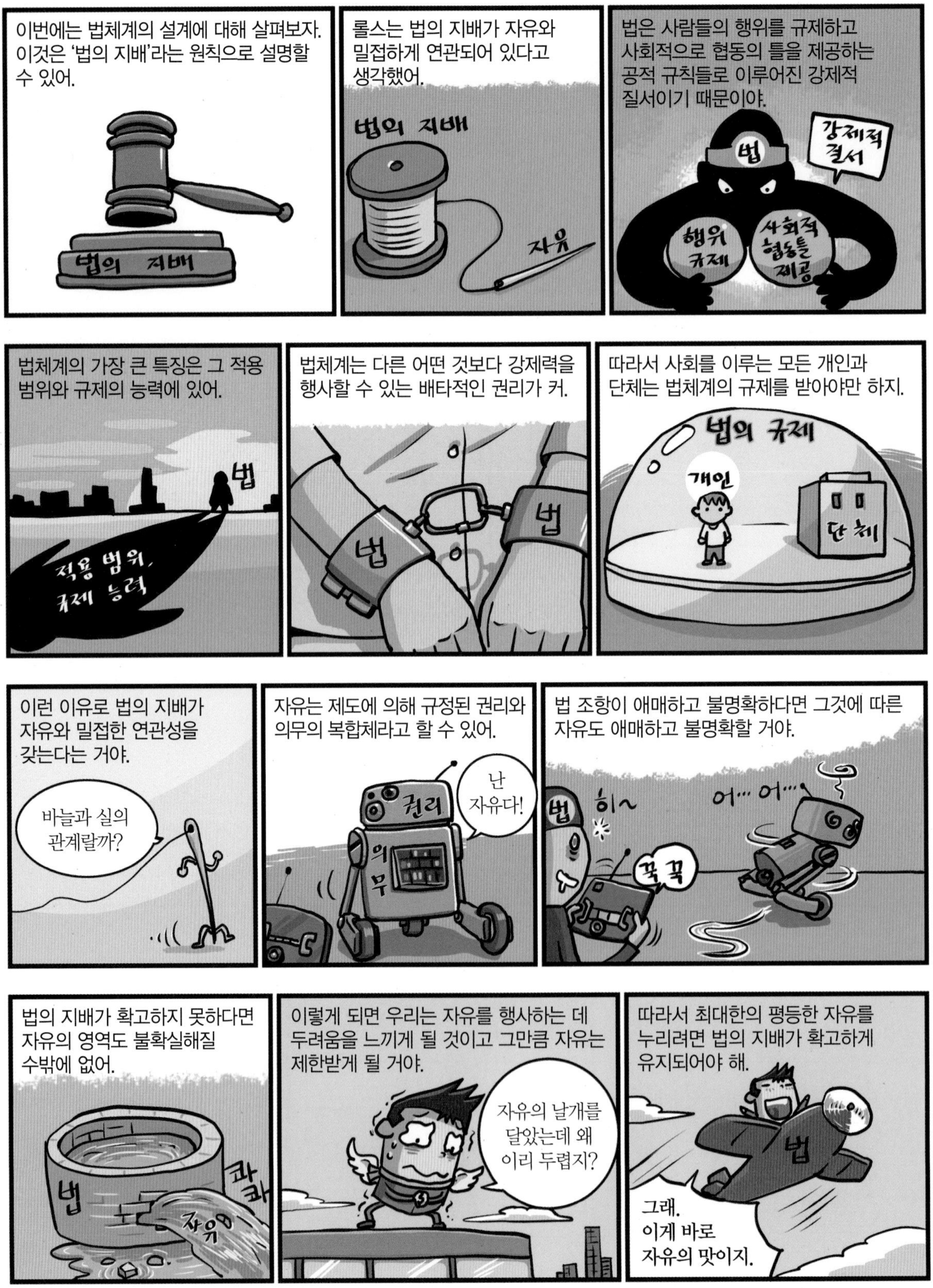
이번에는 법체계의 설계에 대해 살펴보자. 이것은 '법의 지배'라는 원칙으로 설명할 수 있어.
법의 지배
롤스는 법의 지배가 자유와 밀접하게 연관되어 있다고 생각했어.
법의 지배
자유
법은 사람들의 행위를 규제하고 사회적으로 협동의 틀을 제공하는 공적 규칙들로 이루어진 강제적 질서이기 때문이야.
법
강제적 질서
행위 규제
사회적 협동틀 제공
법체계의 가장 큰 특징은 그 적용 범위와 규제의 능력에 있어.
법
적용 범위, 규제 능력
법체계는 다른 어떤 것보다 강제력을 행사할 수 있는 배타적인 권리가 커.
법
법
따라서 사회를 이루는 모든 개인과 단체는 법체계의 규제를 받아야만 하지.
법의 규제
개인
단체
이런 이유로 법의 지배가 자유와 밀접한 연관성을 갖는다는 거야.
바늘과 실의 관계랄까?
자유는 제도에 의해 규정된 권리와 의무의 복합체라고 할 수 있어.
난 자유다!
권리
의무
법 조항이 애매하고 불명확하다면 그것에 따른 자유도 애매하고 불명확할 거야.
법
히~
꾹꾹
어… 어…
법의 지배가 확고하지 못하다면 자유의 영역도 불확실해질 수밖에 없어.
법
콸콸
자유
이렇게 되면 우리는 자유를 행사하는 데 두려움을 느끼게 될 것이고 그만큼 자유는 제한받게 될 거야.
자유의 날개를 달았는데 왜 이리 두렵지?
따라서 최대한의 평등한 자유를 누리려면 법의 지배가 확고하게 유지되어야 해.
법
그래. 이게 바로 자유의 맛이지.

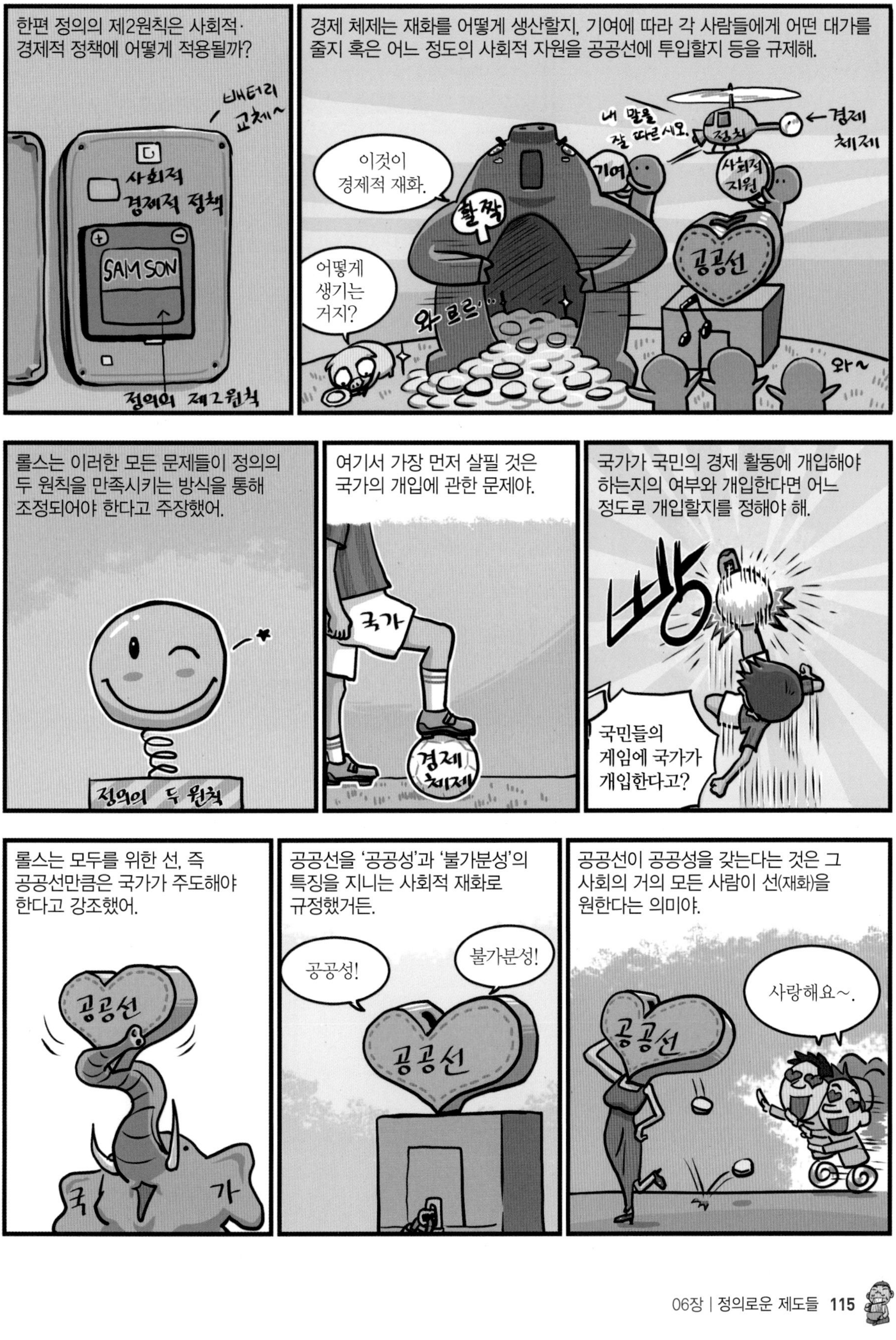

한편 정의의 제2원칙은 사회적·
경제적 정책에 어떻게 적용될까?
배터리
교체~
사회적
경제적 정책
SAM SON
정의의 제2원칙
경제 체제는 재화를 어떻게 생산할지, 기여에 따라 각 사람들에게 어떤 대가를 줄지 혹은 어느 정도의 사회적 자원을 공공선에 투입할지 등을 규제해.
이것이
경제적 재화.
어떻게
생기는
거지?
활짝
와르르…
내 말을
잘 따르세요.
정치
←경제
체제
기여
사회적
자원
공공선
와~
롤스는 이러한 모든 문제들이 정의의
두 원칙을 만족시키는 방식을 통해
조정되어야 한다고 주장했어.
정의의 두 원칙
여기서 가장 먼저 살필 것은
국가의 개입에 관한 문제야.
국가
경제
체제
국가가 국민의 경제 활동에 개입해야
하는지의 여부와 개입한다면 어느
정도로 개입할지를 정해야 해.
빵
국민들의
게임에 국가가
개입한다고?
롤스는 모두를 위한 선, 즉
공공선만큼은 국가가 주도해야
한다고 강조했어.
공공선
국
가
공공선을 '공공성'과 '불가분성'의
특징을 지니는 사회적 재화로
규정했거든.
공공성!
불가분성!
공공선
공공선이 공공성을 갖는다는 것은 그
사회의 거의 모든 사람이 선(재화)을
원한다는 의미야.
사랑해요~.
공공선

또 공공선이 불가분성을 갖는다는 것은 어떤 특정한 사람이 아닌 모두가 동일하게 선을 향유해야 한다는 것이지.
똑같이 나눴는지 확인하고 있으니 기다려.
공공선은 개인이 원하는 만큼 구매할 수 있는 성질의 것이 아니기 때문이야.
천 원어치만 주세요.
공공선
공공선
공공선
그냥 가.
국가의 방위를 예로 들어 좀 더 자세히 설명해 줄게.
따캉
국가
국가의 방위는 국민의 안전한 삶을 보장하기 때문에 사회의 모든 이가 원하는 선이라고 할 수 있어.
善
내 뒤에 국민 있다.
재
화
국가가 온전히 방위될 때 사회는 안전해질 것이고, 이로 인한 혜택은 모든 사람이 동일하게 누릴 거야.
밥 줘.
사랑해.
제발 잠 좀 잡시다!
드라마한다. 빨리 와.
반대의 경우라면 그 폐해가 모든 사람에게 동일하게 돌아가겠지.
콰광
학교는?
짐 안 싸고 뭐해? 피난 갈 준비해!
그러나 공공선의 이러한 특징들은 '무임승차자'라는 문제점을 발생시켜.
누구야? 무임승차한 놈들이!
공공성
불가분성
기여한 것도 없으면서 다른 사람들의 노력으로 생긴 이익을 분배받는 사람들이 생겨난다는 거야.
군 면제자
메롱~.
왜 저런 녀석까지 국가 방위의 혜택을 받는 거야?
특히 사회의 규모가 크고 구성원의 수가 많을수록 더욱 그러한 경향을 보이지.
전쟁이 발발했습니다! 모든 예비군들은 모이세요!
살금
살금
나 같은 인재는 나라를 위해 꼭 살아남아야 하니까.

징병제를 운영하는 나라에서 편법을 이용해 군대에 가지 않으려는 사람들을 한번 생각해 봐.
병무청
저 녀석이….
중국집이죠? 여긴 안드로메다 성좌, 깐토니아 별.
그들은 군대에 가지 않고도 다른 사람들이 이룩한 국가의 방위라는 공공선을 함께 향유해.
저 녀석, 바보짓 하던 그 녀석 아냐?
오늘 용돈 두둑한데 춤이나 출까?
좋지.
만약 이러한 무임승차자가 많아진다면 사람들은 점차 자신이 해야 할 일조차 하지 않으려고 할 거야.
잠깐. 나만 낼 순 없지.
무임승차자
무임승차자
무임승차자
그러므로 공공선은 반드시 국가가 맡아서 관리하며 사람들이 본분을 행하도록 강제력을 가해야 해.
국가
공공선
공공선은 외부성이라는 특징도 가지고 있어.
외부성
공공선
전염병 예방 접종은 접종 당사자뿐만 아니라 다른 사람도 돕는 결과를 가져와.
전염병 예방 접종 = 인류애
전염병이 퍼져 여러 사람이 피해를 볼 수 있는 상황을 미리 차단하는 셈이니까 말이야.
전염병 예방 접종
전염병
그렇다면 예방 접종의 비용을 접종 당사자에게만 부과하는 것이 어딘지 불합리해 보일 거야.
약
나만 비용을 내는 것은 불합리해.
한편 산업화로 인해 환경 오염이 발생하면 이로 인한 피해는 이 일에 책임이 없는 사람들까지 모두가 나누어 지게 돼.
콰쾅
환경 오염 피해
그러나 기업은 자신들로 인해 발생하는 피해 비용을 모두에게 지불하지는 않아.
기업 피해 비용
기업
국가는 이러한 외부성으로 인한 문제들을 조정하고 필요한 조치를 취해야만 한단다.
국가
외부성으로 인한 문제들

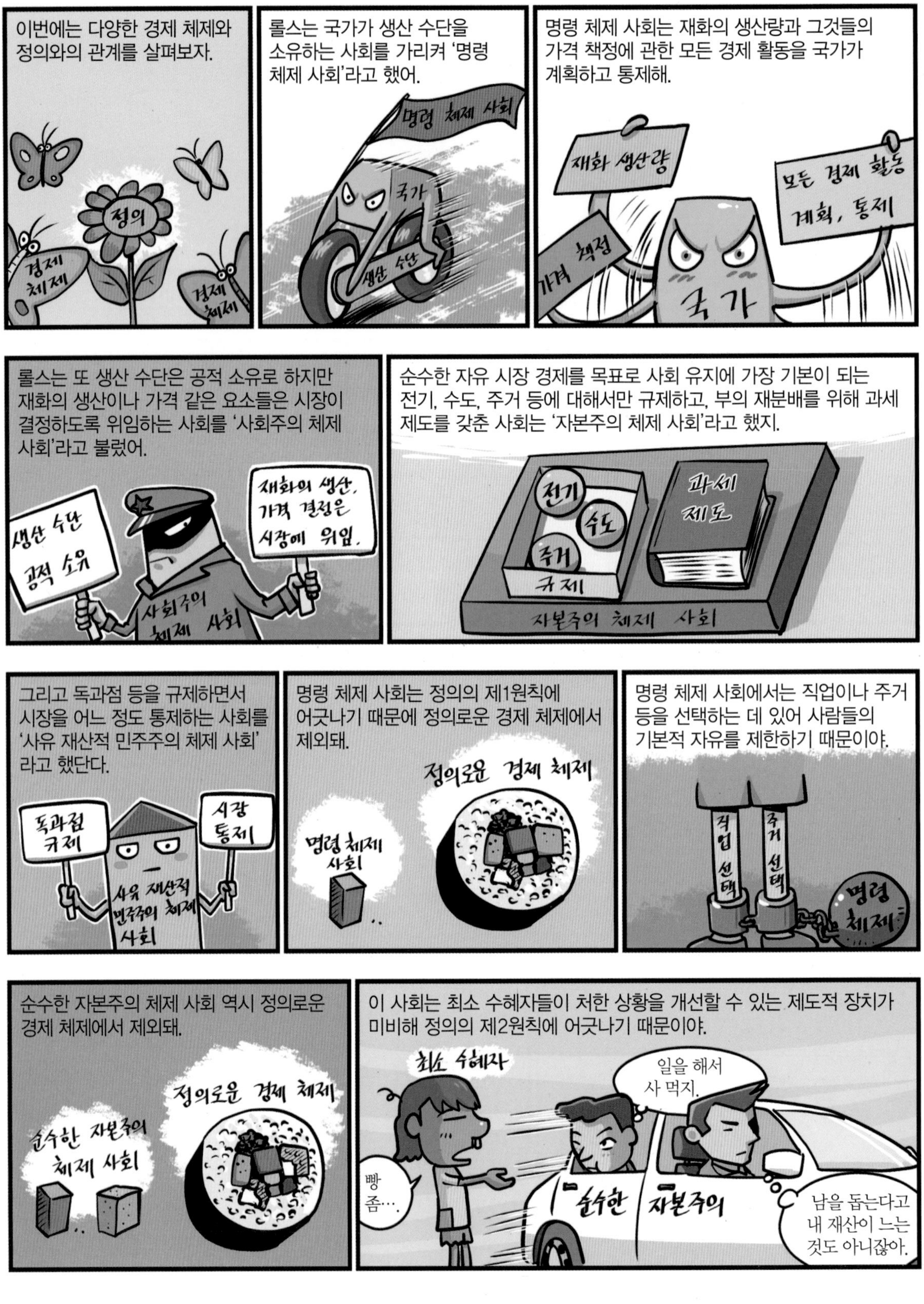

이번에는 다양한 경제 체제와 정의와의 관계를 살펴보자.
정의
경제 체제
경제 체제
롤스는 국가가 생산 수단을 소유하는 사회를 가리켜 '명령 체제 사회'라고 했어.
명령 체제 사회
국가
생산 수단
명령 체제 사회는 재화의 생산량과 그것들의 가격 책정에 관한 모든 경제 활동을 국가가 계획하고 통제해.
재화 생산량
가격 책정
모든 경제 활동 계획, 통제
국가
롤스는 또 생산 수단은 공적 소유로 하지만 재화의 생산이나 가격 같은 요소들은 시장이 결정하도록 위임하는 사회를 '사회주의 체제 사회'라고 불렀어.
생산 수단 공적 소유
재화의 생산, 가격 결정은 시장에 위임.
사회주의 체제 사회
순수한 자유 시장 경제를 목표로 사회 유지에 가장 기본이 되는 전기, 수도, 주거 등에 대해서만 규제하고, 부의 재분배를 위해 과세 제도를 갖춘 사회는 '자본주의 체제 사회'라고 했지.
전기
수도
주거
규제
과세 제도
자본주의 체제 사회
그리고 독과점 등을 규제하면서 시장을 어느 정도 통제하는 사회를 '사유 재산적 민주주의 체제 사회' 라고 했단다.
독과점 규제
시장 통제
사유 재산적 민주주의 체제 사회
명령 체제 사회는 정의의 제1원칙에 어긋나기 때문에 정의로운 경제 체제에서 제외돼.
정의로운 경제 체제
명령 체제 사회
명령 체제 사회에서는 직업이나 주거 등을 선택하는 데 있어 사람들의 기본적 자유를 제한하기 때문이야.
직업 선택
주거 선택
명령 체제
순수한 자본주의 체제 사회 역시 정의로운 경제 체제에서 제외돼.
정의로운 경제 체제
순수한 자본주의 체제 사회
이 사회는 최소 수혜자들이 처한 상황을 개선할 수 있는 제도적 장치가 미비해 정의의 제2원칙에 어긋나기 때문이야.
최소 수혜자
일을 해서 사 먹지.
빵 좀….
순수한 자본주의
남을 돕는다고 내 재산이 느는 것도 아니잖아.

롤스는 시장의 논리를 어느 정도 받아들인 자유 민주주의적 사회주의 체제 사회와 시장을 어느 정도 통제하는 사유 재산적 민주주의 체제 사회에서 공정으로서의 정의가 실현될 수 있을 것으로 보았어.

자유 민주주의적 사회주의 체제 사회
사유 재산적 민주주의 체제 사회
시장의 논리
정의
정의
시장의 통제

그러나 이 두 가지 경제 체제 중 어떤 것이 최소 수혜자의 미래 전망을 극대화할 것인가에 대해서는 롤스도 명확한 답을 내놓지 않았어.

최소 수혜자의 미래 전망
자유 민주주의적 사회주의 체제
사유 재산적 민주주의 체제

그러한 문제는 전문적인 경제학자들이 해결해야 할 문제라고 말했지.

자유 민주주의적 사회주의 체제
사유 재산적 민주주의 체제

우리는 지금까지 가상의 4단계 과정을 통해 정의의 원칙이 어떻게 사회에 적용될 수 있는지 검토해 보았어.

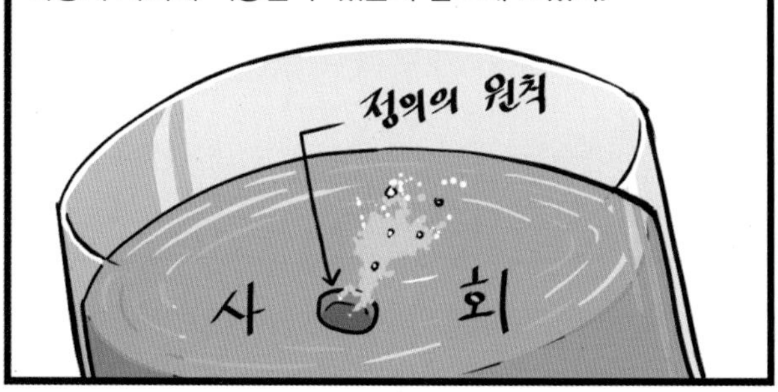
정의의 원칙
사 회

이러한 가상의 상황을 검토함으로써 공정으로서의 정의와 정의의 두 원칙을 살펴볼 수 있었지.

공정으로서의 정의
정의의 두 원칙

다음 장에서는 롤스의 이론과 공리주의를 비교해 볼 거야.

정의론
공리주의

롤스가 《정의론》을 쓰면서 가장 비판하고자 했던 철학적 입장이 바로 공리주의였거든.

아자!
공리주의
뿍

롤스가 공리주의를 어떻게 비판하는지 살피면서 그가 세우고자 했던 공정으로서의 정의가 무엇인지 좀 더 자세히 알아보자.

공정으로서의 정의
삐걱 삐걱
정의론

7장

정의론과 공리주의

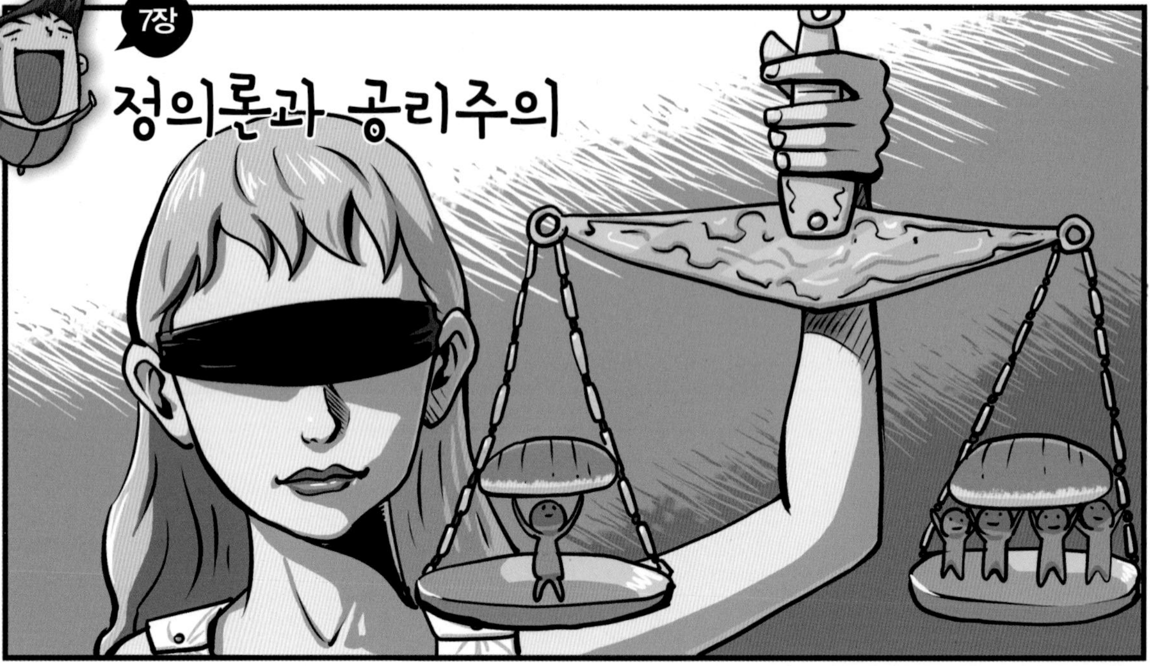

공리주의는 한때 영국이나 미국 같은 영어 문화권에서 가장 큰 영향력을 행사했던 이론이었어.
공리주의
최대 다수의 최대 행복

현대인의 행동과 삶의 양식을 보면 의외로 공리주의적인 것들이 참 많아.
공리주의

자본주의 체제 속에서 살아가는 현대인들을 예로 들어 보자.
어.. 넘어진다.
돈

자본주의는 기업을 통해 재화를 생산하고 시장을 통해 재화를 교환하는 경제 시스템을 가지고 있어.
재화 생산
재화 교환
기업
시장
제품
자본주의

자본주의 사회에서는 모든 사람들이 이익을 극대화하고 손실을 최소화하려고 하는데 이러한 특징을 '경제적 합리성'이라고 해.
이익
손실
쿵~
경제적 합리성

경제적 합리성을 뒷받침해 주는 가장 강력한 사상이 바로 공리주의야.
경제적 합리성
공리주의
공리주의는 철학 사조로는 비교적 근래에 등장했지만 공리주의적 사고는 대단히 오랜 역사를 가지고 있어.
공리주의 철학 사조
공리주의적 사고
고대 그리스의 시인인 소포클레스가 쓴 《안티고네》라는 작품을 보면 이를 잘 알 수 있지.
안티고네
안티고네는 그녀의 오빠인 폴리네이케스의 장례를 치러 주려 했어.
그러나 폴리네이케스의 장례를 치르는 것은 법을 어기는 행위였어.
법을 어기더라도 해야만 해.
폴리네이케스는 테베의 왕이자 안티고네의 삼촌인 크레온 왕에 의해 반역자로 선포되었기 때문이지.
장례 치르지 마!
크레온 왕은 폴리네이케스의 시체를 들에다 내버려 짐승의 밥이 되도록 명령했어.
그러나 안티고네는 폴리네이케스의 장례를 치렀고, 이로써 국가의 법을 위반하고 말았지.
콰콱!
국가법 위반자
그러자 크레온 왕은 사회 전체의 질서를 어지럽히는 것보다 안티고네를 희생시키는 것이 더 낫다고 생각했어.
그가 누구건 나는 조국의 선(善)보다 친구를 우선시하는 사람을 싫어한다.
공공의 이익을 앞세워 개인의 희생을 정당화하는 크레온 왕의 사고는 공리주의적 사고의 대표적인 예로 볼 수 있어.
공리주의적 사고

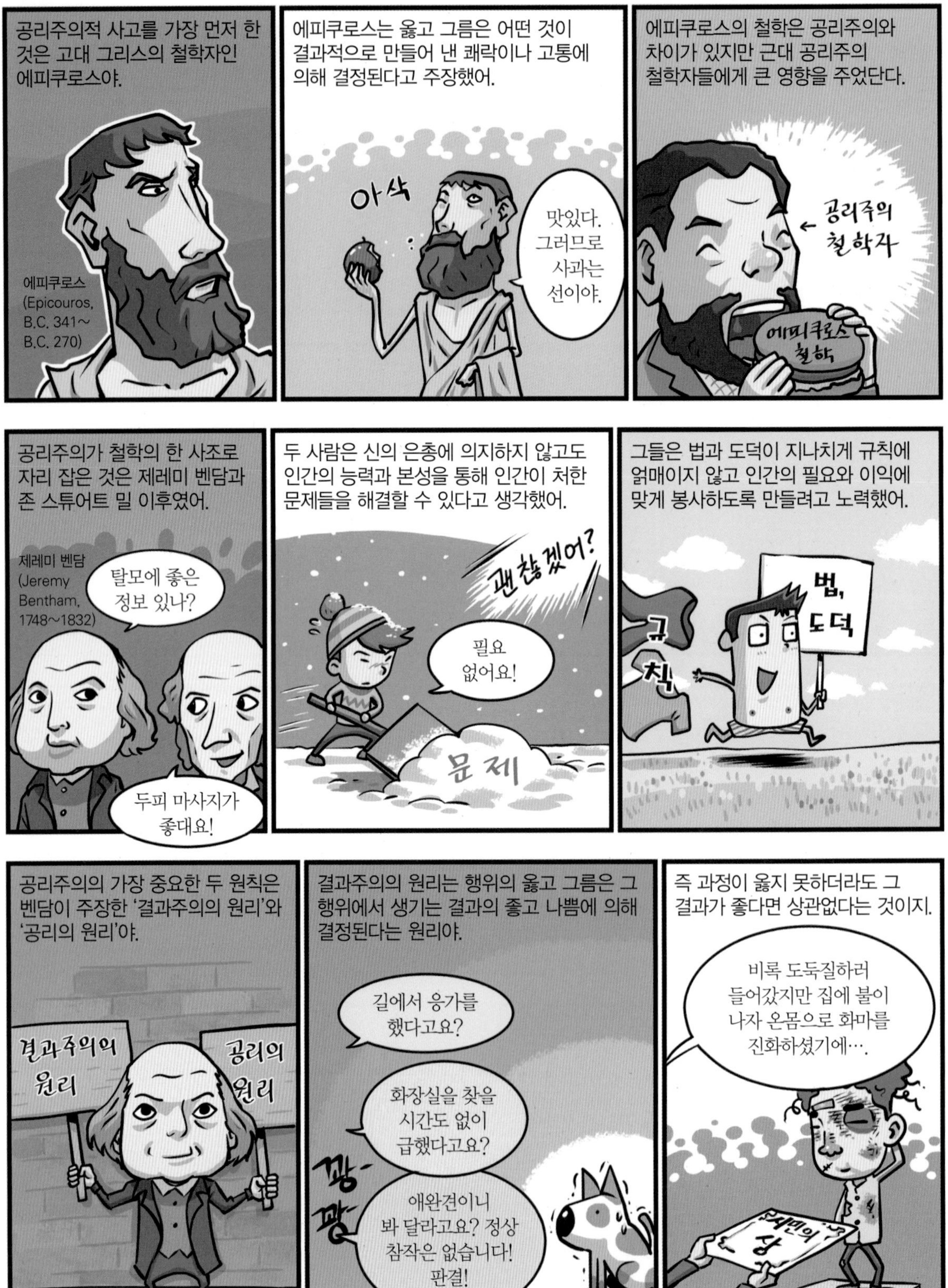
공리주의적 사고를 가장 먼저 한 것은 고대 그리스의 철학자인 에피쿠로스야.
에피쿠로스 (Epicouros, B.C. 341~B.C. 270)
에피쿠로스는 옳고 그름은 어떤 것이 결과적으로 만들어 낸 쾌락이나 고통에 의해 결정된다고 주장했어.
아삭
맛있다. 그러므로 사과는 선이야.
에피쿠로스의 철학은 공리주의와 차이가 있지만 근대 공리주의의 철학자들에게 큰 영향을 주었단다.
공리주의 철학자
에피쿠로스 철학
공리주의가 철학의 한 사조로 자리 잡은 것은 제레미 벤담과 존 스튜어트 밀 이후였어.
제레미 벤담 (Jeremy Bentham, 1748~1832)
탈모에 좋은 정보 있나?
두피 마사지가 좋대요!
두 사람은 신의 은총에 의지하지 않고도 인간의 능력과 본성을 통해 인간이 처한 문제들을 해결할 수 있다고 생각했어.
괜찮겠어?
필요 없어요!
문제
그들은 법과 도덕이 지나치게 규칙에 얽매이지 않고 인간의 필요와 이익에 맞게 봉사하도록 만들려고 노력했어.
규칙
법, 도덕
공리주의의 가장 중요한 두 원칙은 벤담이 주장한 '결과주의의 원리'와 '공리의 원리'야.
결과주의의 원리
공리의 원리
결과주의의 원리는 행위의 옳고 그름은 그 행위에서 생기는 결과의 좋고 나쁨에 의해 결정된다는 원리야.
길에서 응가를 했다고요?
화장실을 찾을 시간도 없이 급했다고요?
애완견이니 봐 달라고요? 정상 참작은 없습니다! 판결!
꽝-
꽝
즉 과정이 옳지 못하더라도 그 결과가 좋다면 상관없다는 것이지.
비록 도둑질하러 들어갔지만 집에 불이 나자 온몸으로 화마를 진화하셨기에….
시민의 상

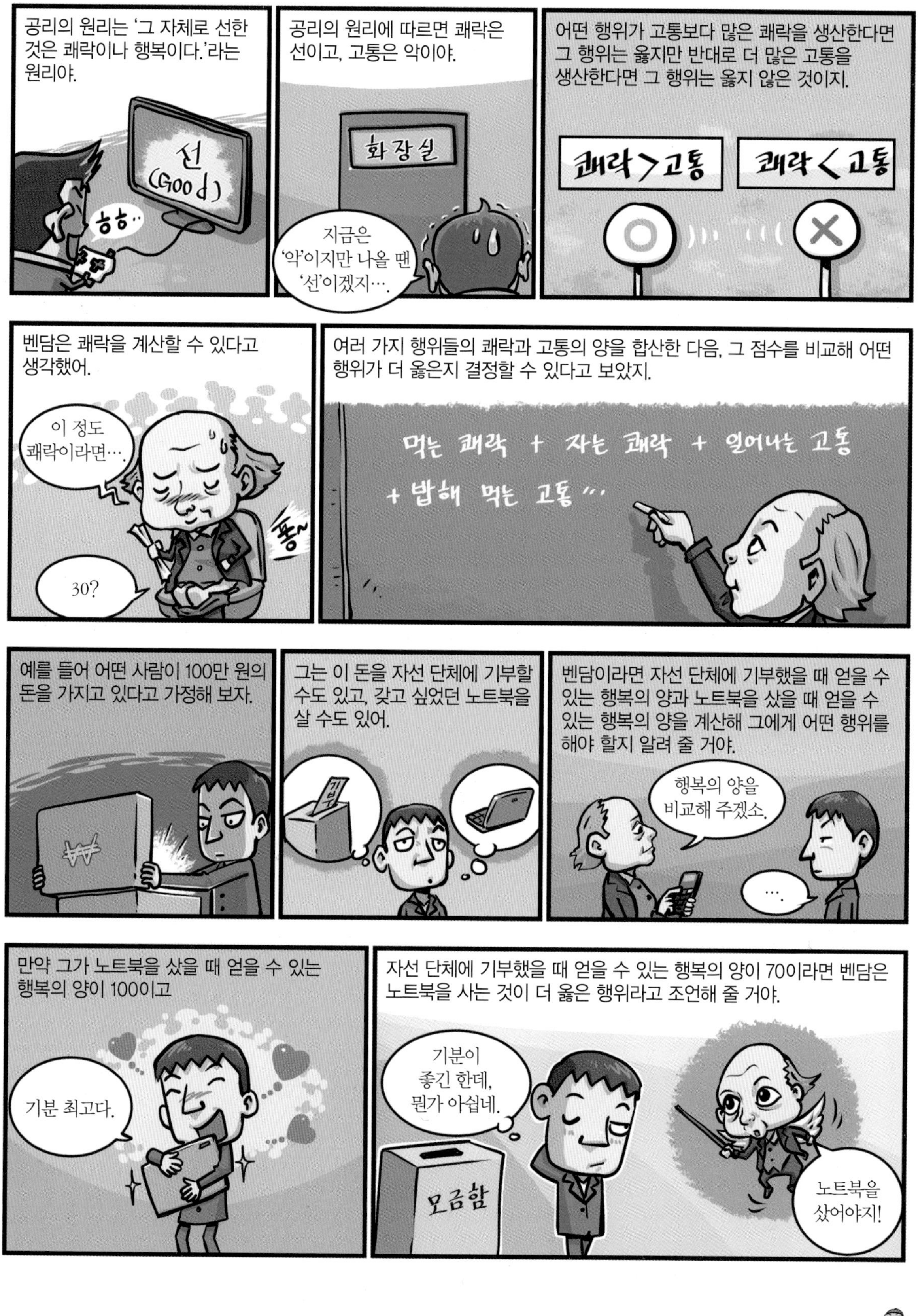
공리의 원리는 '그 자체로 선한 것은 쾌락이나 행복이다.'라는 원리야.
선 (Good)
흐흐…
공리의 원리에 따르면 쾌락은 선이고, 고통은 악이야.
화장실
지금은 '악'이지만 나올 땐 '선'이겠지….
어떤 행위가 고통보다 많은 쾌락을 생산한다면 그 행위는 옳지만 반대로 더 많은 고통을 생산한다면 그 행위는 옳지 않은 것이지.
쾌락 > 고통
쾌락 < 고통
벤담은 쾌락을 계산할 수 있다고 생각했어.
이 정도 쾌락이라면….
30?
여러 가지 행위들의 쾌락과 고통의 양을 합산한 다음, 그 점수를 비교해 어떤 행위가 더 옳은지 결정할 수 있다고 보았지.
먹는 쾌락 + 자는 쾌락 + 일어나는 고통 + 밥해 먹는 고통…
예를 들어 어떤 사람이 100만 원의 돈을 가지고 있다고 가정해 보자.
₩
그는 이 돈을 자선 단체에 기부할 수도 있고, 갖고 싶었던 노트북을 살 수도 있어.
벤담이라면 자선 단체에 기부했을 때 얻을 수 있는 행복의 양과 노트북을 샀을 때 얻을 수 있는 행복의 양을 계산해 그에게 어떤 행위를 해야 할지 알려 줄 거야.
행복의 양을 비교해 주겠소.
….
만약 그가 노트북을 샀을 때 얻을 수 있는 행복의 양이 100이고
기분 최고다.
자선 단체에 기부했을 때 얻을 수 있는 행복의 양이 70이라면 벤담은 노트북을 사는 것이 더 옳은 행위라고 조언해 줄 거야.
기분이 좋긴 한데, 뭔가 아쉽네.
모금함
노트북을 샀어야지!

벤담의 철학은 쾌락의 극대화와 고통의 최소화라는 단 하나의 원리만 적용하면 된다는 점에서 아주 단순해.
쾌락
고통
또한 행복을 양적으로 측정해 숫자로 보여 줄 수 있다는 장점도 있지.
82
행복 지수
그러나 쾌락을 계산할 수 있다는 벤담의 믿음은 너무 순진한 생각일 수도 있어.
헤~
우선 행복을 어떻게 비교할 것인가에 대한 문제가 있어.
행복
행복
어린아이가 사탕을 먹을 때 느끼는 행복과 노인이 손자의 재롱을 보면서 느끼는 행복 중 어느 것이 더 클까?
두 사람이 느끼는 행복의 양을 정확히 측정하고 비교할 수 있을까?
쾌락이 무조건 선이라고 한다면 마약을 통해 얻는 행복 역시 선한 것이라고 할 수 있을 거야.
그렇다면 마약을 복용하는 행위를 인정해야 하는 걸까?
Ah~
이러한 이유로 벤담의 공리주의는 '돼지의 철학'이라는 조롱을 받았어.
꿀
벤담의 공리주의
벤담의 공리주의에 의하면 배고픈 소크라테스보다 배부른 돼지가 더 도덕적으로 옳다는 결론이 나올 수밖에 없거든.
〈도덕 점수〉
꺼억
꼬르륵

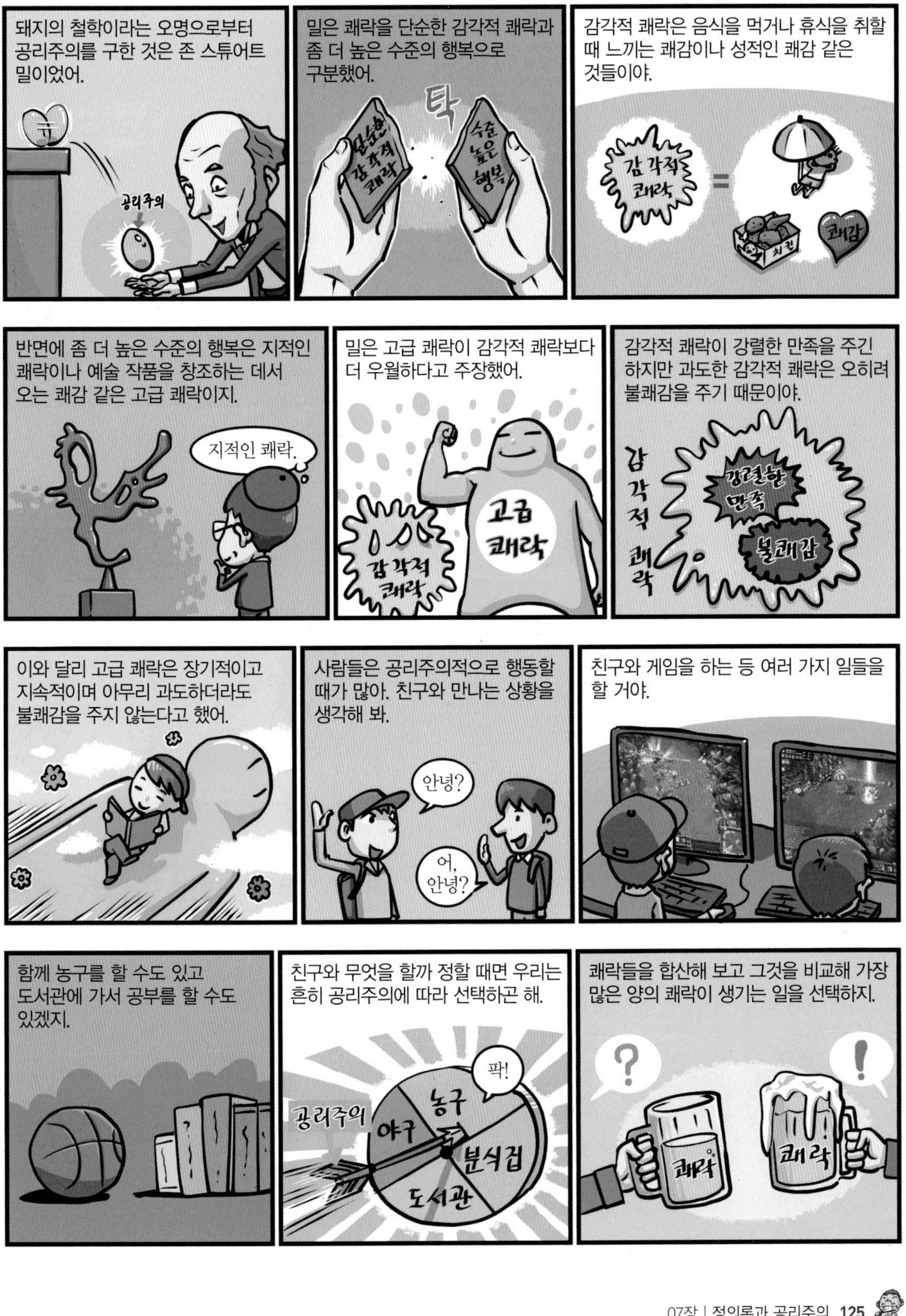
돼지의 철학이라는 오명으로부터 공리주의를 구한 것은 존 스튜어트 밀이었어.
공리주의
밀은 쾌락을 단순한 감각적 쾌락과 좀 더 높은 수준의 행복으로 구분했어.
탁
단순한 감각적 쾌락
수준 높은 행복
감각적 쾌락은 음식을 먹거나 휴식을 취할 때 느끼는 쾌감이나 성적인 쾌감 같은 것들이야.
감각적 쾌락
=
치킨
쾌감
반면에 좀 더 높은 수준의 행복은 지적인 쾌락이나 예술 작품을 창조하는 데서 오는 쾌감 같은 고급 쾌락이지.
지적인 쾌락.
밀은 고급 쾌락이 감각적 쾌락보다 더 우월하다고 주장했어.
감각적 쾌락
고급 쾌락
감각적 쾌락이 강렬한 만족을 주긴 하지만 과도한 감각적 쾌락은 오히려 불쾌감을 주기 때문이야.
감각적 쾌락
강렬한 만족
불쾌감
이와 달리 고급 쾌락은 장기적이고 지속적이며 아무리 과도하더라도 불쾌감을 주지 않는다고 했어.
사람들은 공리주의적으로 행동할 때가 많아. 친구와 만나는 상황을 생각해 봐.
안녕?
어, 안녕?
친구와 게임을 하는 등 여러 가지 일들을 할 거야.
함께 농구를 할 수도 있고 도서관에 가서 공부를 할 수도 있겠지.
친구와 무엇을 할까 정할 때면 우리는 흔히 공리주의에 따라 선택하곤 해.
팍!
공리주의
야구
농구
분식집
도서관
쾌락들을 합산해 보고 그것을 비교해 가장 많은 양의 쾌락이 생기는 일을 선택하지.
?
!
쾌락
쾌락

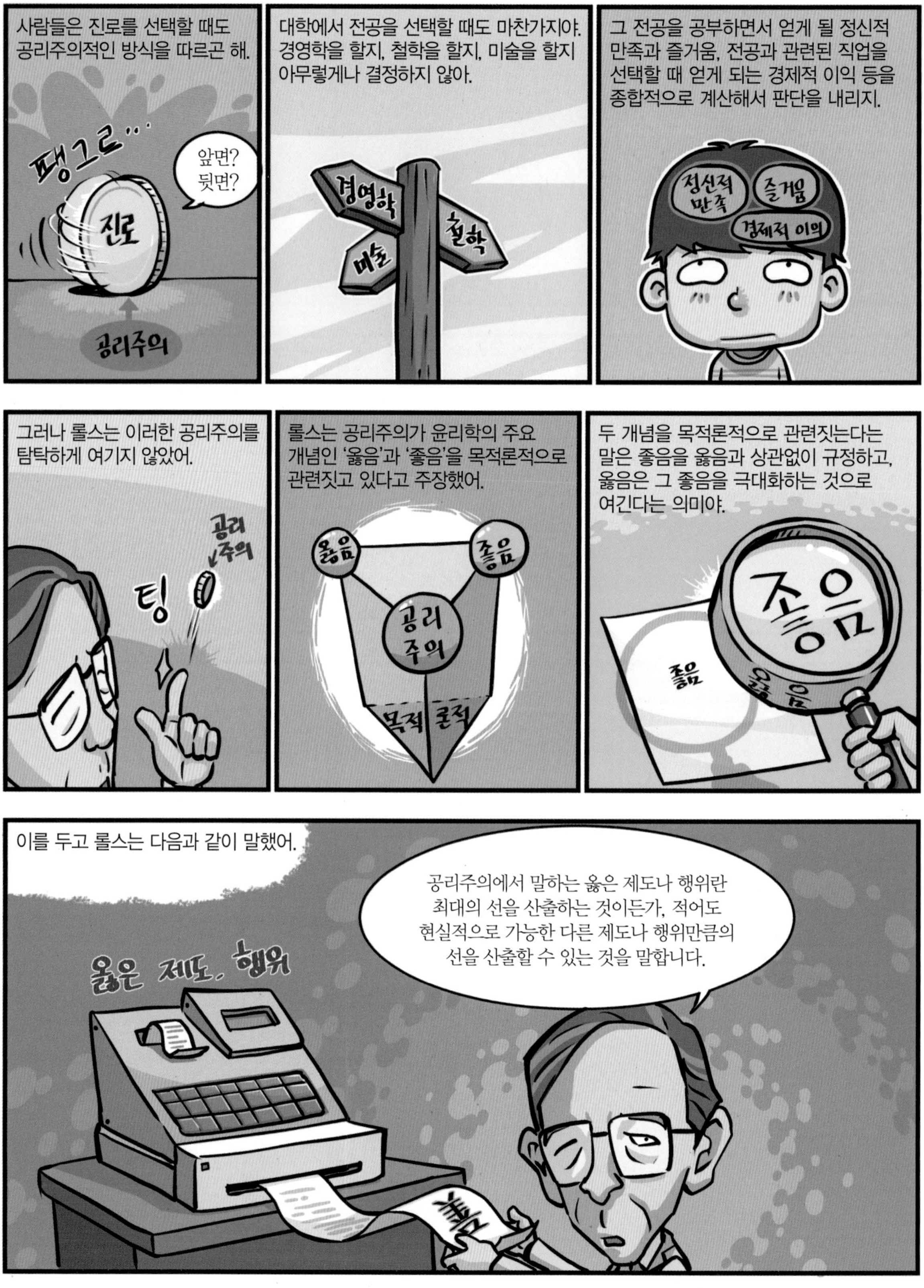
사람들은 진로를 선택할 때도 공리주의적인 방식을 따르곤 해.
팽그르…
앞면? 뒷면?
진로
공리주의
대학에서 전공을 선택할 때도 마찬가지야. 경영학을 할지, 철학을 할지, 미술을 할지 아무렇게나 결정하지 않아.
경영학
철학
미술
그 전공을 공부하면서 얻게 될 정신적 만족과 즐거움, 전공과 관련된 직업을 선택할 때 얻게 되는 경제적 이익 등을 종합적으로 계산해서 판단을 내리지.
정신적 만족
즐거움
경제적 이익
그러나 롤스는 이러한 공리주의를 탐탁하게 여기지 않았어.
공리주의
팅
롤스는 공리주의가 윤리학의 주요 개념인 '옳음'과 '좋음'을 목적론적으로 관련짓고 있다고 주장했어.
옳음
좋음
공리주의
목적론적
두 개념을 목적론적으로 관련짓는다는 말은 좋음을 옳음과 상관없이 규정하고, 옳음은 그 좋음을 극대화하는 것으로 여긴다는 의미야.
좋음
좋음
옳음
이를 두고 롤스는 다음과 같이 말했어.
공리주의에서 말하는 옳은 제도나 행위란 최대의 선을 산출하는 것이든가, 적어도 현실적으로 가능한 다른 제도나 행위만큼의 선을 산출할 수 있는 것을 말합니다.
옳은 제도, 행위
善

공리주의의 목적론적 성격은 사람들로 하여금 옳음이 무엇인지와 상관없이 좋고 나쁨을 판단하도록 강요해.
옳은 건 중요하지 않아.
사물의 좋음 여부가 판단의 잣대지.
쾌락은 옳음의 기준이 존재하지 않아도 느낄 수 있는 것이야.
내가 옳아?
나도 옳지는 않지.
술
따라서 공리주의에 따르면 옳음의 기준 없이도 어떤 것의 가치를 평가할 수 있어.
옳음의 잣대
공리주의
가치 평가.
롤스는 공리주의의 이러한 목적론적 성격을 비판했어.
목적
공리주의
떽!
옳음을 위반하는 좋음이란 무가치하다고 주장했지.
신호 위반입니다.
롤스는 옳음의 원칙이 선행되어야 그에 따라 가치 있는 선의 한계가 설정된다고 보았어.
옳음의 원칙
딸깍
팟!
善
예를 들어 어떤 학생이 공부를 잘하는 학생을 협박해 시험지를 바꿨어.
알지?
….
그 학생은 이러한 행동을 통해 좋은 시험 성적을 얻었고, 부모님으로부터 칭찬을 받았어.
놀기만 하는 줄 알았더니….
또한 좋은 내신 성적으로 입시에서도 유리해졌지.
입시 합격
이는 분명 결과적으로는 매우 좋지만 남의 점수를 훔쳤다는 점에서 결코 옳은 행위라고 할 수 없어.
100
롤스는 이처럼 옳음이 전제되지 않은 좋음의 극대화는 도덕적으로 정당화될 수 없다고 보았어.
쾅
도덕적 해이
좋음의 극대화
옳음

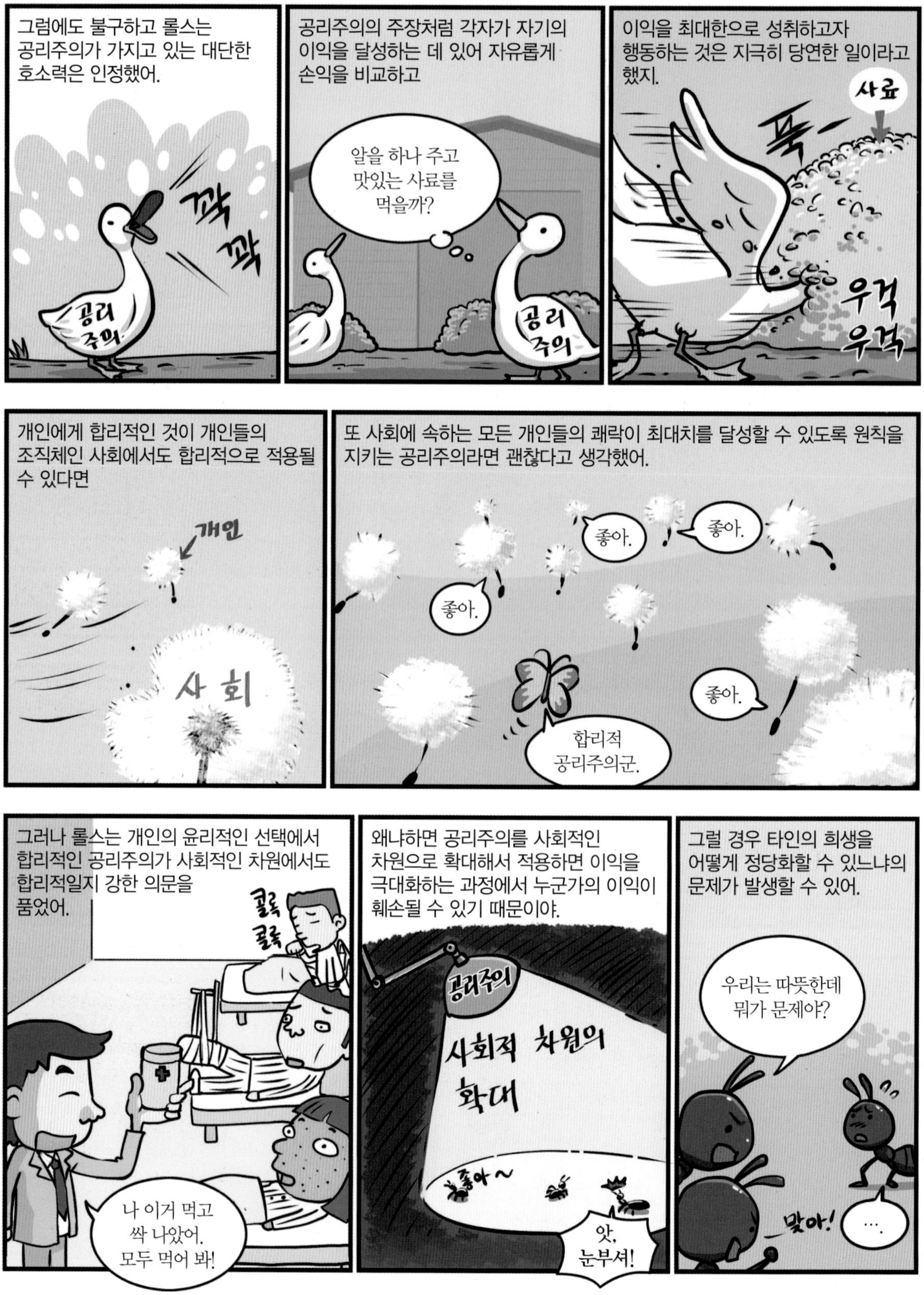
그럼에도 불구하고 롤스는 공리주의가 가지고 있는 대단한 호소력은 인정했어.
꽥 꽥
공리주의
공리주의의 주장처럼 각자가 자기의 이익을 달성하는 데 있어 자유롭게 손익을 비교하고
알을 하나 주고 맛있는 사료를 먹을까?
공리주의
이익을 최대한으로 성취하고자 행동하는 것은 지극히 당연한 일이라고 했지.
사료
푹
우걱 우걱
개인에게 합리적인 것이 개인들의 조직체인 사회에서도 합리적으로 적용될 수 있다면
개인
사회
또 사회에 속하는 모든 개인들의 쾌락이 최대치를 달성할 수 있도록 원칙을 지키는 공리주의라면 괜찮다고 생각했어.
좋아.
좋아.
좋아.
좋아.
합리적 공리주의군.
그러나 롤스는 개인의 윤리적인 선택에서 합리적인 공리주의가 사회적인 차원에서도 합리적일지 강한 의문을 품었어.
콜록 콜록
나 이거 먹고 싹 나았어. 모두 먹어 봐!
왜냐하면 공리주의를 사회적인 차원으로 확대해서 적용하면 이익을 극대화하는 과정에서 누군가의 이익이 훼손될 수 있기 때문이야.
공리주의
사회적 차원의 확대
좋아~
앗, 눈부셔!
그럴 경우 타인의 희생을 어떻게 정당화할 수 있느냐의 문제가 발생할 수 있어.
우리는 따뜻한데 뭐가 문제야?
맞아!
…

공리주의는 만족의 총량이 각 개인에게 어떻게 분배되느냐에 대해서는 답을 주지 않아.
만족의 총량
분배의 문제는 사회 정의에서 가장 핵심적인 요소야.
?
사회는 각 개인이 상호 이익을 위해 협동하는 조직체이기 때문이지.
사 회
협동으로 얻은 결과물인 사회적 부를 어떻게 분배할 것이냐 하는 문제 앞에서는 언제나 갈등이 발생해.
결과물
넣어? 말어?
분 배
윙―
사회 정의는 바로 이러한 분배 문제에 대한 해결책을 제시해 주어야 해.
사회 정의
공리주의는 만족이나 쾌락의 총량이 최대치에 이르면 그것이 곧 공정한 분배로 이루어진다고 생각해.
쓱―
쓱
그럼!
최대치의 만족, 쾌락
똑같이 나누는 거죠?
이렇게 분배의 문제를 등한시하다 보면 자연스럽게 성장 지상주의를 추구하게 돼.
그만 넣어.
공리 주의
우리가 살고 있는 현대는 성장 지상주의적인 성격이 매우 강해.
냠― 냠―
부럽다.
성장 지상주의에 따르면 개인이 자신의 능력을 발휘해 성과를 높이면 사회의 전체적인 이득도 증가해.
각자 열심히!
쩌억
그리고 이 사회적 이득은 다시 개인의 이득으로 환원되지.
사회적 이득
개인적 이득
개인적 이득

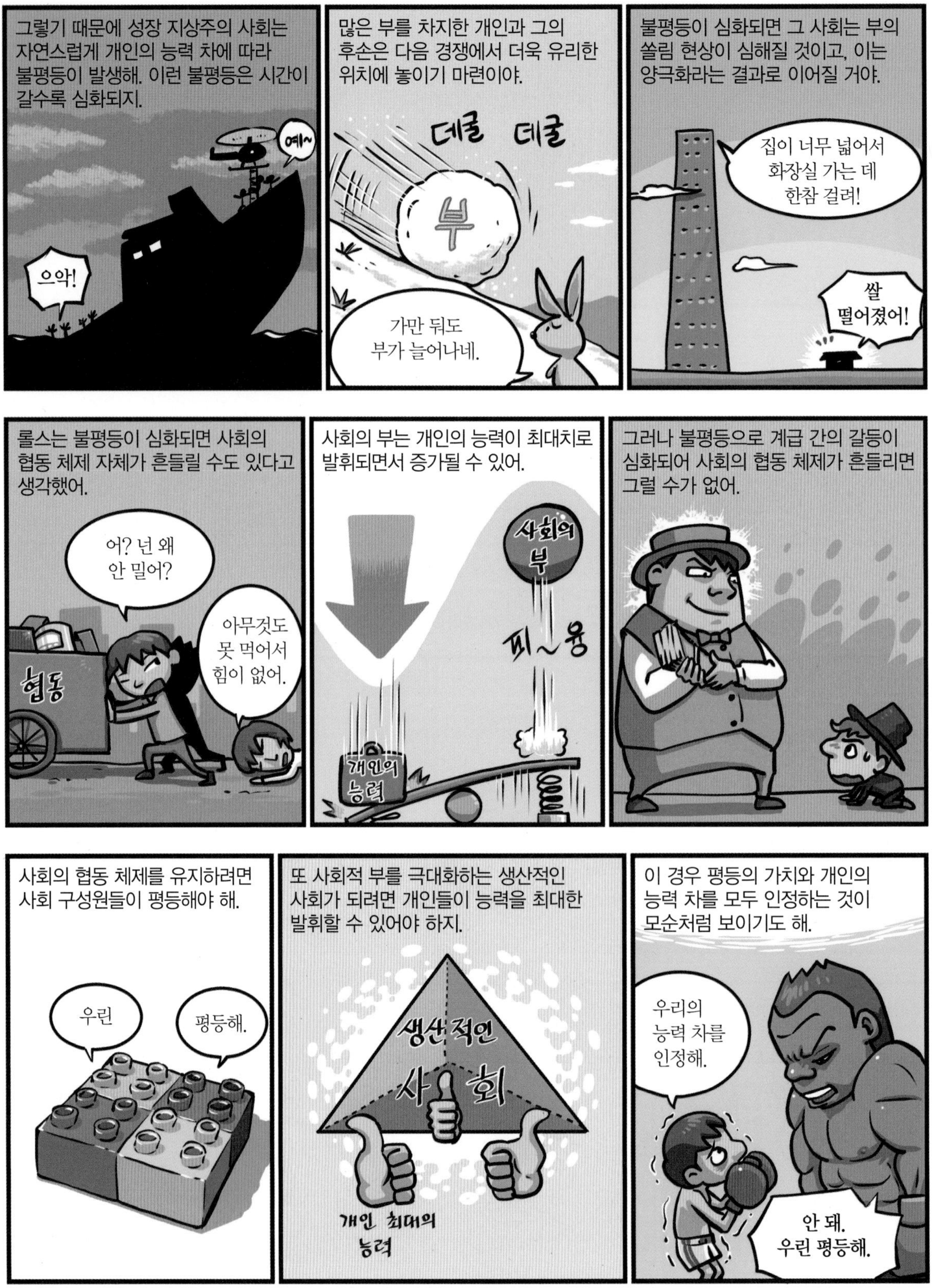
그렇기 때문에 성장 지상주의 사회는 자연스럽게 개인의 능력 차에 따라 불평등이 발생해. 이런 불평등은 시간이 갈수록 심화되지.
예~
으악!
많은 부를 차지한 개인과 그의 후손은 다음 경쟁에서 더욱 유리한 위치에 놓이기 마련이야.
데굴 데굴
부
가만 둬도 부가 늘어나네.
불평등이 심화되면 그 사회는 부의 쏠림 현상이 심해질 것이고, 이는 양극화라는 결과로 이어질 거야.
집이 너무 넓어서 화장실 가는 데 한참 걸려!
쌀 떨어졌어!
롤스는 불평등이 심화되면 사회의 협동 체제 자체가 흔들릴 수도 있다고 생각했어.
어? 넌 왜 안 밀어?
아무것도 못 먹어서 힘이 없어.
협동
사회의 부는 개인의 능력이 최대치로 발휘되면서 증가될 수 있어.
사회의 부
피~융
개인의 능력
그러나 불평등으로 계급 간의 갈등이 심화되어 사회의 협동 체제가 흔들리면 그럴 수가 없어.
사회의 협동 체제를 유지하려면 사회 구성원들이 평등해야 해.
우린
평등해.
또 사회적 부를 극대화하는 생산적인 사회가 되려면 개인들이 능력을 최대한 발휘할 수 있어야 하지.
생산적인
사회
개인 최대의 능력
이 경우 평등의 가치와 개인의 능력 차를 모두 인정하는 것이 모순처럼 보이기도 해.
우리의 능력 차를 인정해.
안 돼. 우린 평등해.

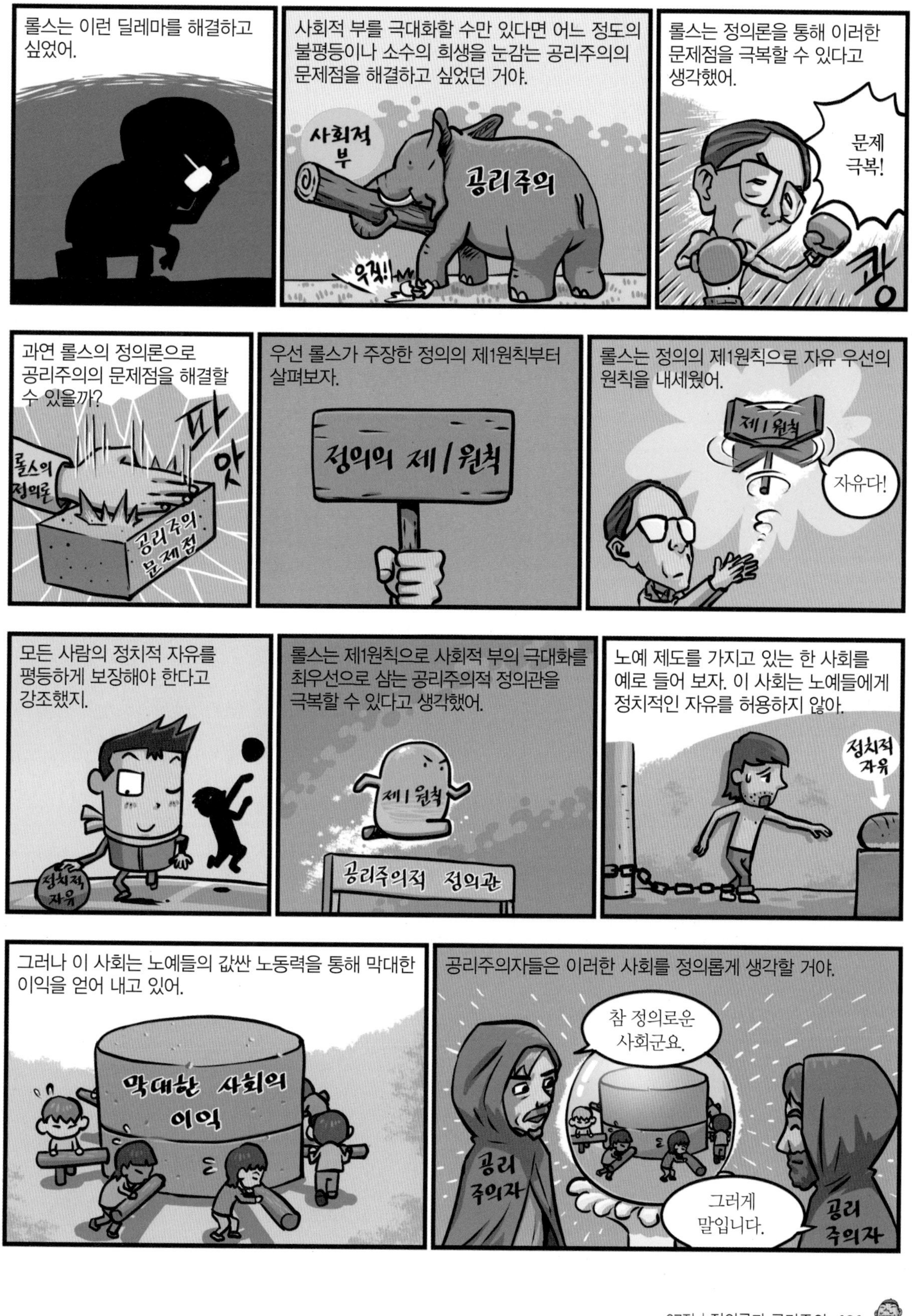
롤스는 이런 딜레마를 해결하고 싶었어.
사회적 부를 극대화할 수만 있다면 어느 정도의 불평등이나 소수의 희생을 눈감는 공리주의의 문제점을 해결하고 싶었던 거야.
사회적 부
공리주의
우적!
롤스는 정의론을 통해 이러한 문제점을 극복할 수 있다고 생각했어.
문제 극복!
쾅
과연 롤스의 정의론으로 공리주의의 문제점을 해결할 수 있을까?
파앗
롤스의 정의론
공리주의 문제점
우선 롤스가 주장한 정의의 제1원칙부터 살펴보자.
정의의 제1원칙
롤스는 정의의 제1원칙으로 자유 우선의 원칙을 내세웠어.
제1원칙
자유다!
모든 사람의 정치적 자유를 평등하게 보장해야 한다고 강조했지.
정치적 자유
롤스는 제1원칙으로 사회적 부의 극대화를 최우선으로 삼는 공리주의적 정의관을 극복할 수 있다고 생각했어.
제1원칙
공리주의적 정의관
노예 제도를 가지고 있는 한 사회를 예로 들어 보자. 이 사회는 노예들에게 정치적인 자유를 허용하지 않아.
정치적 자유
그러나 이 사회는 노예들의 값싼 노동력을 통해 막대한 이익을 얻어 내고 있어.
막대한 사회의 이익
공리주의자들은 이러한 사회를 정의롭게 생각할 거야.
참 정의로운 사회군요.
공리주의자
그러게 말입니다.
공리주의자

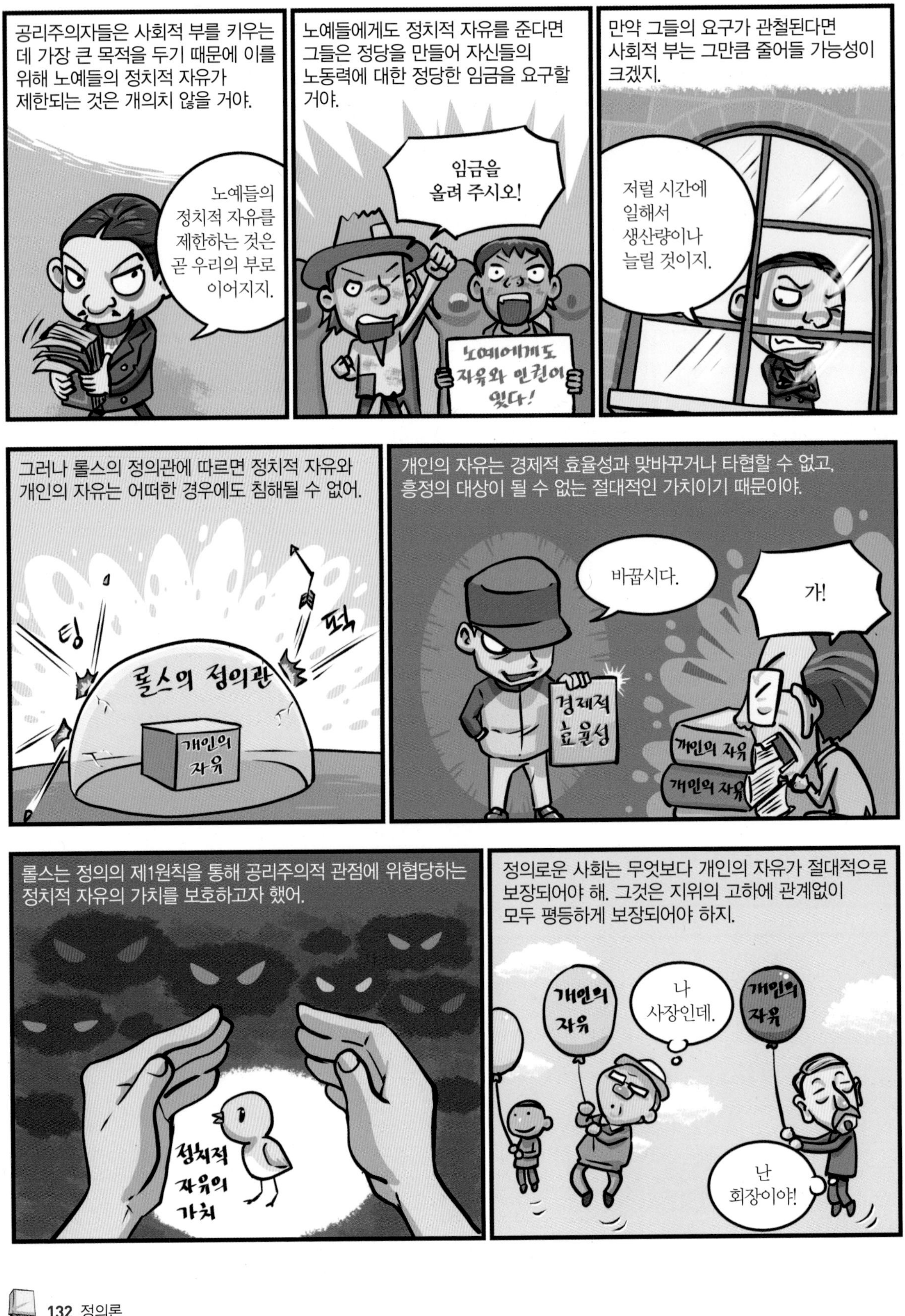
공리주의자들은 사회적 부를 키우는 데 가장 큰 목적을 두기 때문에 이를 위해 노예들의 정치적 자유가 제한되는 것은 개의치 않을 거야.
노예들의 정치적 자유를 제한하는 것은 곧 우리의 부로 이어지지.
노예들에게도 정치적 자유를 준다면 그들은 정당을 만들어 자신들의 노동력에 대한 정당한 임금을 요구할 거야.
임금을 올려 주시오!
노예에게도 자유와 인권이 있다!
만약 그들의 요구가 관철된다면 사회적 부는 그만큼 줄어들 가능성이 크겠지.
저럴 시간에 일해서 생산량이나 늘릴 것이지.
그러나 롤스의 정의관에 따르면 정치적 자유와 개인의 자유는 어떠한 경우에도 침해될 수 없어.
팅
퍽
롤스의 정의관
개인의 자유
개인의 자유는 경제적 효율성과 맞바꾸거나 타협할 수 없고, 흥정의 대상이 될 수 없는 절대적인 가치이기 때문이야.
바꿉시다.
경제적 효율성
가!
개인의 자유
개인의 자유
롤스는 정의의 제1원칙을 통해 공리주의적 관점에 위협당하는 정치적 자유의 가치를 보호하고자 했어.
정치적 자유의 가치
정의로운 사회는 무엇보다 개인의 자유가 절대적으로 보장되어야 해. 그것은 지위의 고하에 관계없이 모두 평등하게 보장되어야 하지.
개인의 자유
나 사장인데.
개인의 자유
난 회장이야!

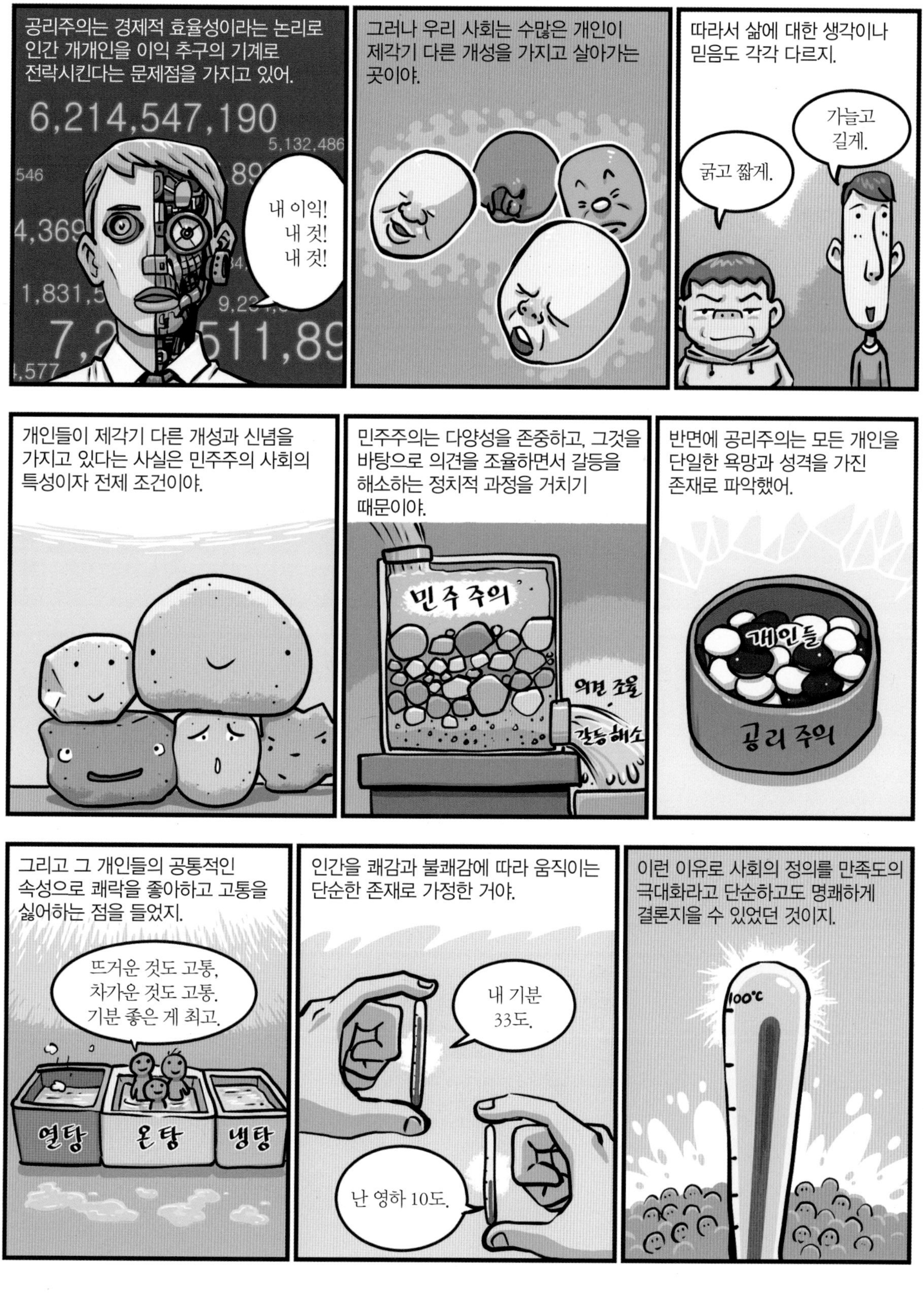

공리주의는 경제적 효율성이라는 논리로 인간 개개인을 이익 추구의 기계로 전락시킨다는 문제점을 가지고 있어.
6,214,547,190
5,132,486
내 이익! 내 것! 내 것!
그러나 우리 사회는 수많은 개인이 제각기 다른 개성을 가지고 살아가는 곳이야.
따라서 삶에 대한 생각이나 믿음도 각각 다르지.
굵고 짧게.
가늘고 길게.
개인들이 제각기 다른 개성과 신념을 가지고 있다는 사실은 민주주의 사회의 특성이자 전제 조건이야.
민주주의는 다양성을 존중하고, 그것을 바탕으로 의견을 조율하면서 갈등을 해소하는 정치적 과정을 거치기 때문이야.
민주주의
의견 조율
갈등 해소
반면에 공리주의는 모든 개인을 단일한 욕망과 성격을 가진 존재로 파악했어.
개인들
공리주의
그리고 그 개인들의 공통적인 속성으로 쾌락을 좋아하고 고통을 싫어하는 점을 들었지.
뜨거운 것도 고통, 차가운 것도 고통. 기분 좋은 게 최고.
열탕
온탕
냉탕
인간을 쾌감과 불쾌감에 따라 움직이는 단순한 존재로 가정한 거야.
내 기분 33도.
난 영하 10도.
이런 이유로 사회의 정의를 만족도의 극대화라고 단순하고도 명쾌하게 결론지을 수 있었던 것이지.
100℃

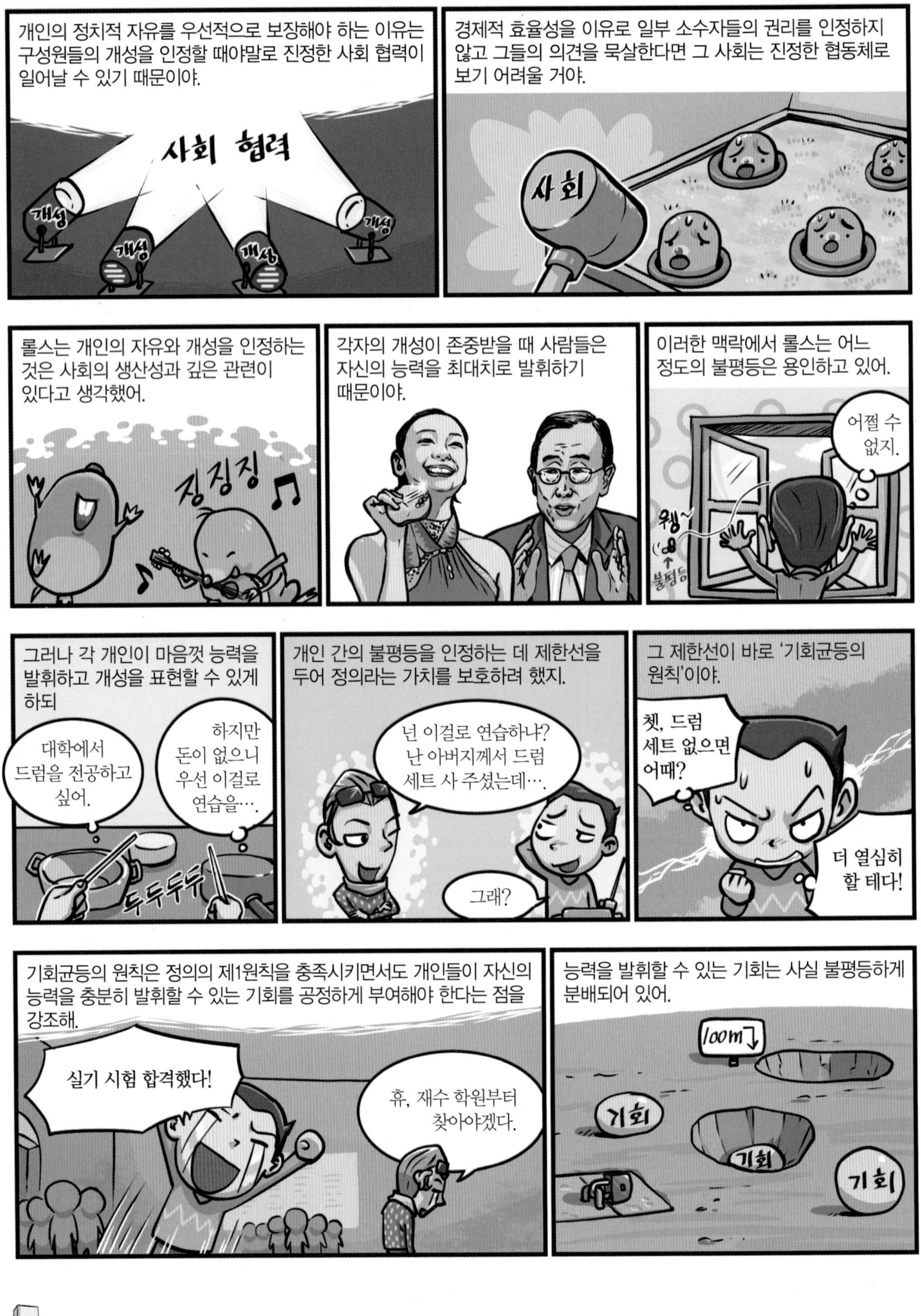
개인의 정치적 자유를 우선적으로 보장해야 하는 이유는 구성원들의 개성을 인정할 때야말로 진정한 사회 협력이 일어날 수 있기 때문이야.
사회 협력
개성
개성
개성
개성
경제적 효율성을 이유로 일부 소수자들의 권리를 인정하지 않고 그들의 의견을 묵살한다면 그 사회는 진정한 협동체로 보기 어려울 거야.
사회
롤스는 개인의 자유와 개성을 인정하는 것은 사회의 생산성과 깊은 관련이 있다고 생각했어.
징징징
각자의 개성이 존중받을 때 사람들은 자신의 능력을 최대치로 발휘하기 때문이야.
이러한 맥락에서 롤스는 어느 정도의 불평등은 용인하고 있어.
어쩔 수 없지.
우웽~
불평등
그러나 각 개인이 마음껏 능력을 발휘하고 개성을 표현할 수 있게 하되
대학에서 드럼을 전공하고 싶어.
하지만 돈이 없으니 우선 이걸로 연습을….
두두두둥
개인 간의 불평등을 인정하는 데 제한선을 두어 정의라는 가치를 보호하려 했지.
넌 이걸로 연습하나? 난 아버지께서 드럼 세트 사 주셨는데….
그래?
그 제한선이 바로 '기회균등의 원칙'이야.
쳇, 드럼 세트 없으면 어때?
더 열심히 할 테다!
기회균등의 원칙은 정의의 제1원칙을 충족시키면서도 개인들이 자신의 능력을 충분히 발휘할 수 있는 기회를 공정하게 부여해야 한다는 점을 강조해.
실기 시험 합격했다!
휴, 재수 학원부터 찾아야겠다.
능력을 발휘할 수 있는 기회는 사실 불평등하게 분배되어 있어.
100m
기회
기회
기회

중산층 이상의 부모를 둔 아이들은 자신의 잠재적 능력과 개성을 발휘할 수 있는 여건을 보장받아.
음악 학원
바둑
무용 학원
태권도
반면에 가난한 부모를 둔 아이들은 뛰어난 능력과 뚜렷한 개성에도 불구하고 이를 발현시킬 수 있는 교육의 기회를 제공받지 못하는 경우가 많지.
넌 학원 안 가?
어. 난 할 일이 많아서….
신문
이러한 상황이라면 공리주의는 사회적 부를 극대화하기 위해 중산층 이상의 부모를 둔 아이들에게 더 많은 기회를 부여할 거야.
중산층 자녀
하층민 자녀
기회
기회
공리주의
그리고 이들이 더 많은 사회적 부를 창출하도록 시스템을 만들어 가겠지.
미안. 열심히 뛰어!
학.. 학
중산층 자녀
공정한 기회를 보장하지 않는 사회에서 사람들은 미래의 안정된 지위와 생활 수준에 대해 별 기대를 하지 않을 거야.
가진 자만 알아주는 불공평한 이 세상!
크~
이러한 이유로 롤스는 사회적 약자들에게 더 많은 기회를 주어야 한다고 생각했어.
사회적 약자
기회
예를 들어 미국의 '소수자 우대 정책'은 기회균등의 원칙이 잘 발현된 제도라고 할 수 있어.
소수자 우대 정책
기회균등의 원칙
이 제도는 소수 민족의 자녀들이 미국에서 대학 입시를 치를 때 특혜를 주는 교육 정책이야.
소수자 우대 정책
대학 특혜 입시
사실 이 정책은 특정한 사람들에게만 특혜를 주는 것이기 때문에 평등의 원칙에 위배돼.
특혜
왜 소수 민족 자녀에게만 특혜를 주는 거야?

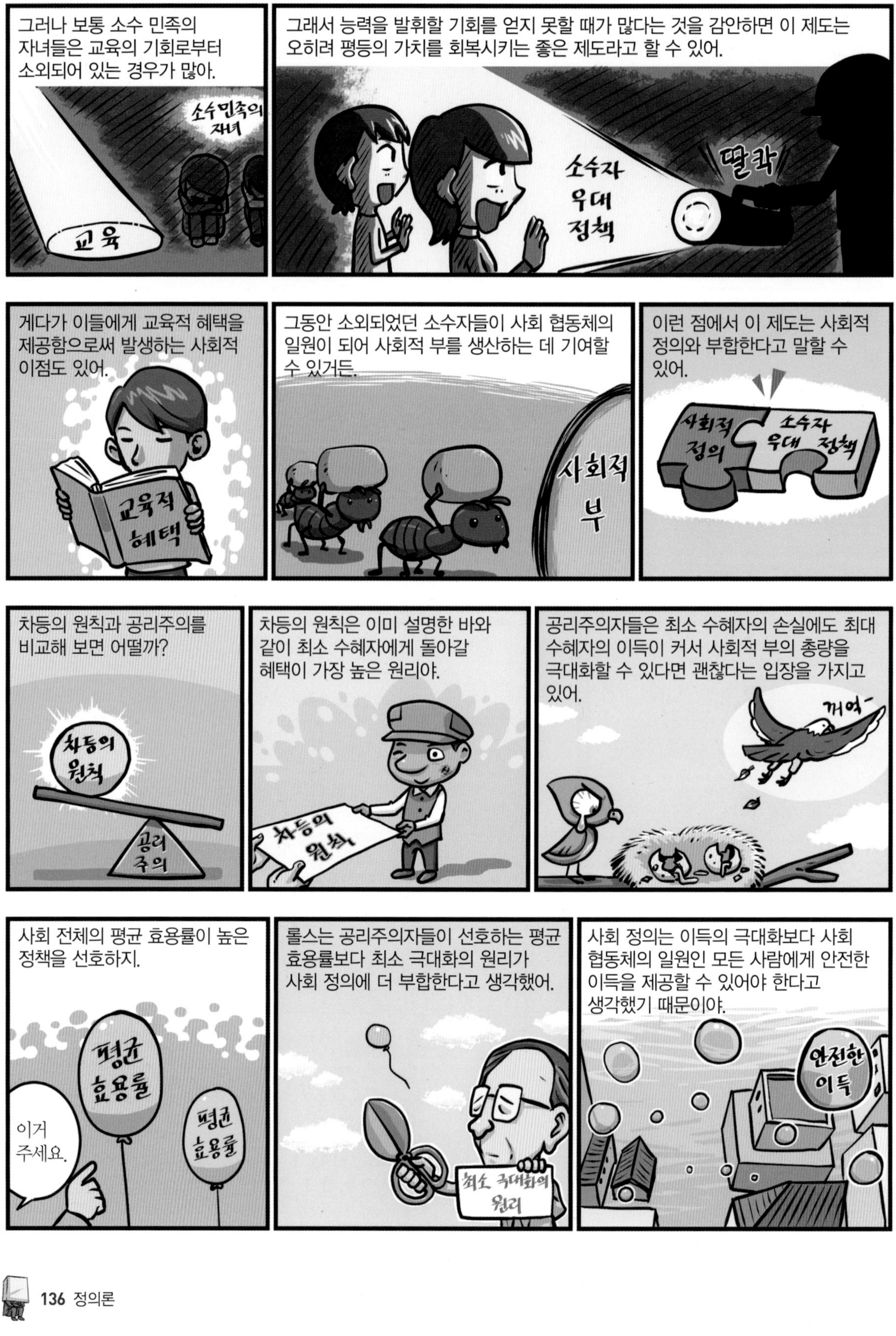
그러나 보통 소수 민족의 자녀들은 교육의 기회로부터 소외되어 있는 경우가 많아.
소수 민족의 자녀
교육
그래서 능력을 발휘할 기회를 얻지 못할 때가 많다는 것을 감안하면 이 제도는 오히려 평등의 가치를 회복시키는 좋은 제도라고 할 수 있어.
딸칵
소수자 우대 정책
게다가 이들에게 교육적 혜택을 제공함으로써 발생하는 사회적 이점도 있어.
교육적 혜택
그동안 소외되었던 소수자들이 사회 협동체의 일원이 되어 사회적 부를 생산하는 데 기여할 수 있거든.
사회적 부
이런 점에서 이 제도는 사회적 정의와 부합한다고 말할 수 있어.
사회적 정의
소수자 우대 정책
차등의 원칙과 공리주의를 비교해 보면 어떨까?
차등의 원칙
공리주의
차등의 원칙은 이미 설명한 바와 같이 최소 수혜자에게 돌아갈 혜택이 가장 높은 원리야.
차등의 원칙
공리주의자들은 최소 수혜자의 손실에도 최대 수혜자의 이득이 커서 사회적 부의 총량을 극대화할 수 있다면 괜찮다는 입장을 가지고 있어.
꺼억~
사회 전체의 평균 효용률이 높은 정책을 선호하지.
평균 효용률
평균 효용률
이거 주세요.
롤스는 공리주의자들이 선호하는 평균 효용률보다 최소 극대화의 원리가 사회 정의에 더 부합한다고 생각했어.
최소 극대화의 원리
사회 정의는 이득의 극대화보다 사회 협동체의 일원인 모든 사람에게 안전한 이득을 제공할 수 있어야 한다고 생각했기 때문이야.
안전한 이득

이처럼 롤스는 모험을 감수하면서 이득을 극대화하는 쪽보다는 기대되는 이득이 적더라도 사회 구성원 모두에게 안정적인, 즉 손해를 최소화하는 쪽을 선택했어.
손해
정의의 원칙은 고수익을 보장하지만 위험성이 높은 쪽보다는 수익률은 낮지만 손해에 대한 확률이 낮은 보수적인 성격을 띠어야 한다고 본 거야.
주식이나 펀드는 위험해.
재테크는 역시 저축이야.
롤스는 한 번에 많은 수익을 올리는 것보다 더디지만 조금씩 사회를 발전시켜 나가는 것이 더 합리적이라고 생각했어.
땡그랑 한 푼 땡그랑 두 푼
벙어리 저금통이
아유 무거워~
최소 수혜자의 이익을 극대화하는 차등의 원칙은 보수적이지만 안전해.
차등의 원칙
안전 제일~!
또한 최소 수혜자와 같은 사회적 약자들이 협동에 참여할 수 있는 기회를 보다 많이 부여하지.
이러한 점에서 차등의 원칙은 공리주의자들이 주장하는 평균 효용의 원칙보다 우위에 있다고 할 수 있어.
차등의 원칙
평균 효용 원칙
신용 불량자가 된 사람을 예로 들어 보자.
신용 불량자는 개인의 발전은 물론 사회에 기여할 수 있는 어떠한 일도 할 수 없어.
개인 발전
사회 기여
그러나 사회가 그에게 신용을 회복할 수 있는 기회를 제공한다면 그는 사회의 구성원으로서 다시 자리를 잡을 수 있을 거야.
그렇게 되면 다른 사람들과의 협력을 통해 사회적 부를 생산하는 데 기여할 수 있겠지.

이처럼 차등의 원칙은 사회적 연대를 굳건하게 만들 수 있어.
차등의 원칙
모두가 조화롭게 어울리며 살아가는 사회를 모색할 수 있게 한다는 점에서 차등의 원칙은 정의롭다고 볼 수 있어.
정의
정의의 원칙은 사회 체제의 기본 구조를 결정하고 사람들의 인생 전망을 결정한다는 점에서 매우 중요해.
정의의 원칙
사람들의 인생 전망 결정
사회 체제의 기본 구조 결정
그러나 공리주의적 정의는 사회 전체의 이익을 위해 개인의 인생 계획과 꿈을 희생하도록 강요하지.
꿈
사회의 이익
타인과 사회의 이익을 위해 누군가 비루한 삶을 살아야 한다면 이것은 결코 정의로운 일이 아닐 거야.
어쩌다 이렇게…?
사회를 위해서죠.
역설적이게도 공리주의자들은 도덕 교육에서 동정심이나 이타심을 강조해.
〈교훈〉
다른 사람에 대한 동정심과 이타심을 갖자.
– 공리주의 도덕 선생님
그것은 공리주의적 세계에 동정심이나 이타심마저 없다면 그 사회의 불안정성이 커지면서 사회가 붕괴될 수도 있다는 것을 알기 때문이야.
공리주의적 사회
쩍
동정심
이타심
그렇게 된다면 공리주의적 정의관은 매우 위험하고 사회의 이익을 위협하는 요소가 될 거야.
공리주의적 정의관
공리주의는 '최대 다수의 최대 행복' 같은 명분을 내세우며 소수의 희생을 강요해.
쿠아아
공리주의
또한 효율성을 강조하며 사람들 사이의 경쟁을 심화시키지.
승
이러한 사회 체제 속에서 사람들은 서로를 불신하고, 타인을 자신의 이익 수단으로 바라보게 돼.
불신
불신

롤스는 원초적 입장에서 사람들이 합의할 정의의 두 원칙은 사람들의 자존감을 높여 주고, 이는 다시 사회적 협동의 효율성을 높여 줄 것이라고 주장했어.
-정의의 두 원칙-
1. 사람들의 자존감을 높여 준다.
2. 사회적 협동의 효율성을 높여 준다.
바람직한 정의관은 인간의 상호 존중을 공적으로 나타내야 합니다. 이를 통해 사람들은 자신들의 가치감을 확보하게 되지요.
이처럼 정의의 두 원칙은 사람들이 가치감을 확보할 수 있게 해 줍니다.
사회가 이 원칙들을 따를 경우 모든 이의 선이 상호 이익의 체계 속에 포함되고, 그러한 체계 내에서 각자의 노력에 대한 공적인 인정이 사람들의 자존감을 떠받쳐 주기 때문입니다.
1 2
평등한 자유가 확립되고 차등의 원칙이 적용되면 이러한 결과가 나타날 것입니다.
자존감, 사회 협동의 효율성
으라차-
평등한 자유 확립
차등의 원칙 적용
롤스는 정의의 두 원칙이 모든 사람들의 평등한 자유를 보장하면서
정의의 두 원칙
평등한 자유 보장.
타고난 능력의 혜택을 입은 사람들이 사회적 약자의 이익도 도모하게 만들어 이기적인 이익 추구를 막아 줄 것이라고 생각했어.
노블레스 오블리주! 사회 지도층은 명예만큼 의무를 다해야 한다는 뜻이지!
또한 정의의 두 원칙이 적용되는 사회 구조 속에서는 사람들이 서로를 존중할 것으로 보았지.
네가 제일 멋져!
이러한 상호 존중 속에서 사람들은 자신들의 자존감을 확보할 수 있어.
자존감
무조건적인 이익의 극대화가 아니라 상호 존중 속에서 쌓이는 안정적인 이익 추구가 바로 롤스가 제시한 정의론의 목표인 거야.
안정적인
사회적 이익
상호 존중

8장 정의론과 공동체주의

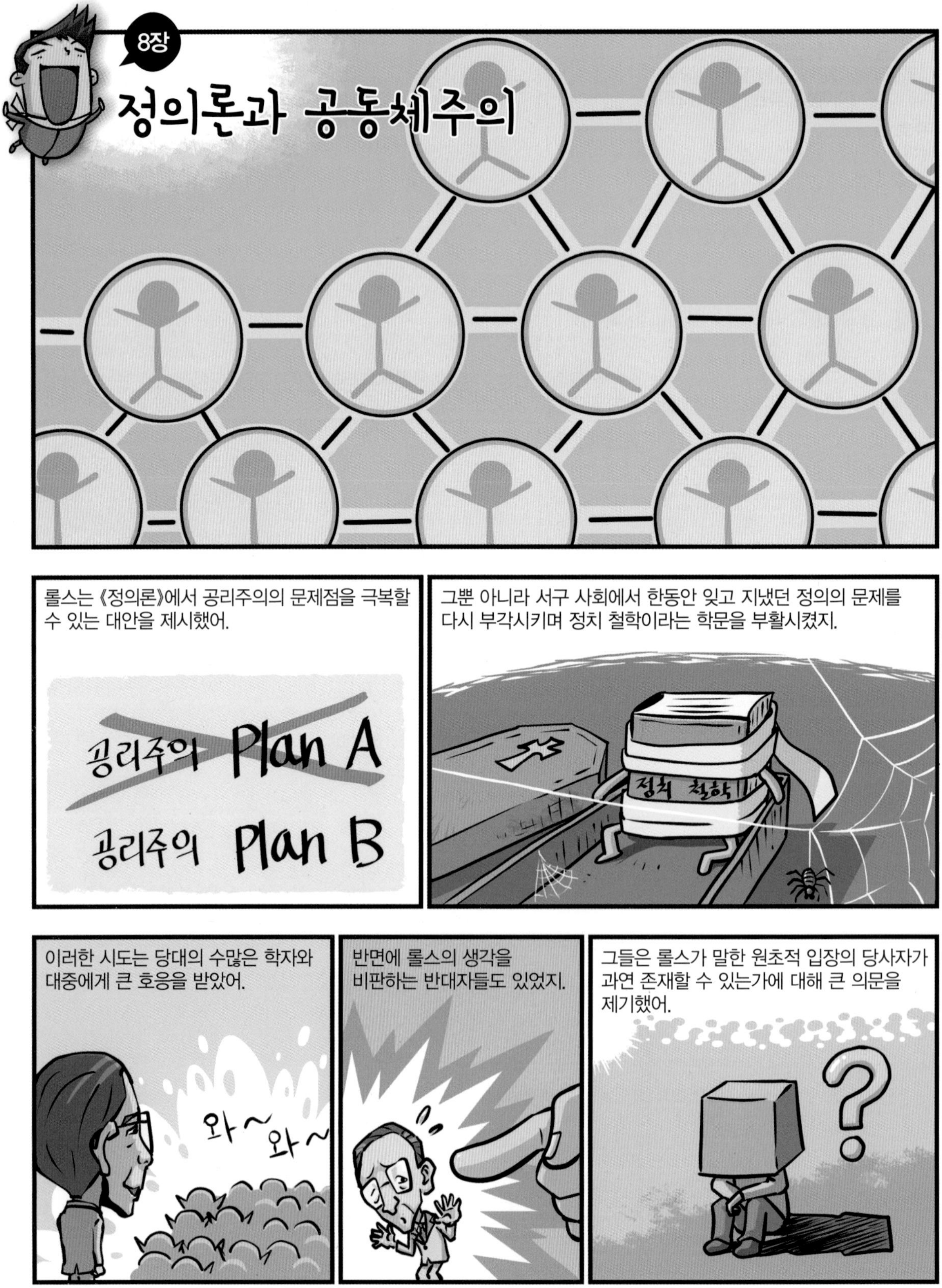

롤스는 《정의론》에서 공리주의의 문제점을 극복할 수 있는 대안을 제시했어.
공리주의 Plan A
공리주의 Plan B
그뿐 아니라 서구 사회에서 한동안 잊고 지냈던 정의의 문제를 다시 부각시키며 정치 철학이라는 학문을 부활시켰지.
정치 철학
이러한 시도는 당대의 수많은 학자와 대중에게 큰 호응을 받았어.
와~
와~
반면에 롤스의 생각을 비판하는 반대자들도 있었지.
그들은 롤스가 말한 원초적 입장의 당사자가 과연 존재할 수 있는가에 대해 큰 의문을 제기했어.
?

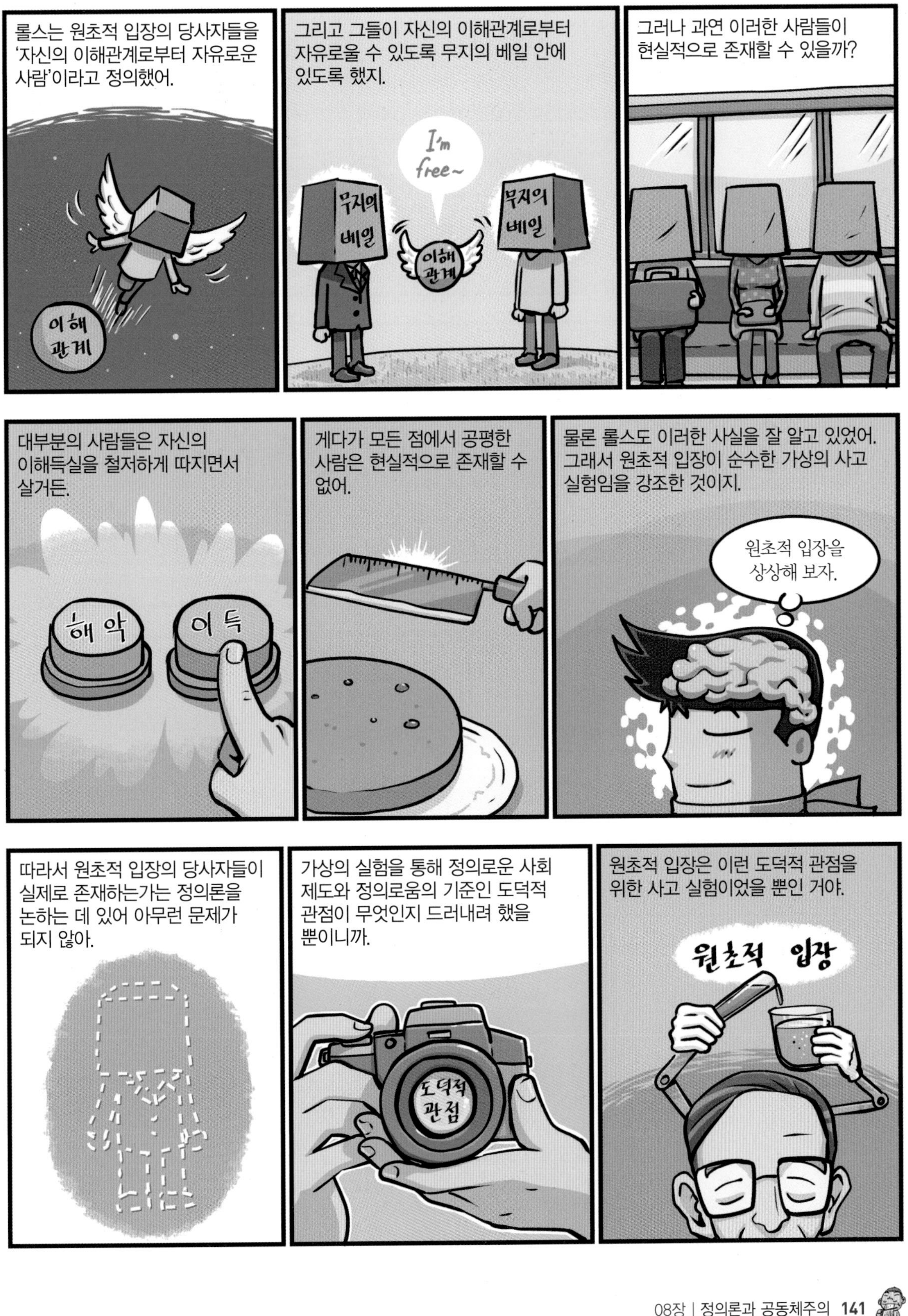
롤스는 원초적 입장의 당사자들을 '자신의 이해관계로부터 자유로운 사람'이라고 정의했어.
이해 관계
그리고 그들이 자신의 이해관계로부터 자유로울 수 있도록 무지의 베일 안에 있도록 했지.
무지의 베일
I'm free~
이해 관계
무지의 베일
그러나 과연 이러한 사람들이 현실적으로 존재할 수 있을까?
대부분의 사람들은 자신의 이해득실을 철저하게 따지면서 살거든.
해악
이득
게다가 모든 점에서 공평한 사람은 현실적으로 존재할 수 없어.
물론 롤스도 이러한 사실을 잘 알고 있었어. 그래서 원초적 입장이 순수한 가상의 사고 실험임을 강조한 것이지.
원초적 입장을 상상해 보자.
따라서 원초적 입장의 당사자들이 실제로 존재하는가는 정의론을 논하는 데 있어 아무런 문제가 되지 않아.
가상의 실험을 통해 정의로운 사회 제도와 정의로움의 기준인 도덕적 관점이 무엇인지 드러내려 했을 뿐이니까.
도덕적 관점
원초적 입장은 이런 도덕적 관점을 위한 사고 실험이었을 뿐인 거야.
원초적 입장

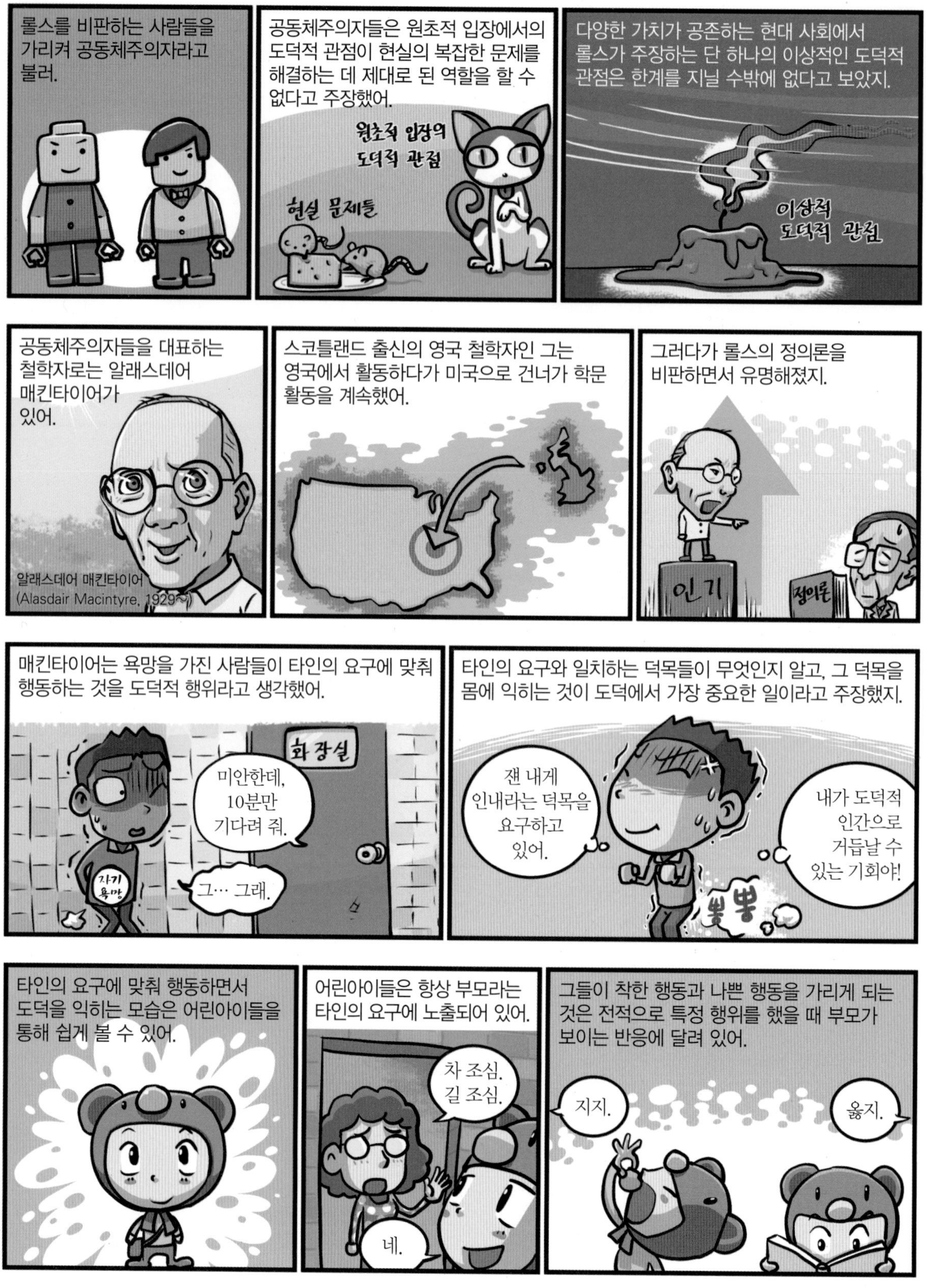

롤스를 비판하는 사람들을 가리켜 공동체주의자라고 불러.
공동체주의자들은 원초적 입장에서의 도덕적 관점이 현실의 복잡한 문제를 해결하는 데 제대로 된 역할을 할 수 없다고 주장했어.
원초적 입장의 도덕적 관점
현실 문제들
다양한 가치가 공존하는 현대 사회에서 롤스가 주장하는 단 하나의 이상적인 도덕적 관점은 한계를 지닐 수밖에 없다고 보았지.
이상적 도덕적 관점
공동체주의자들을 대표하는 철학자로는 알래스데어 매킨타이어가 있어.
알래스데어 매킨타이어 (Alasdair Macintyre, 1929~)
스코틀랜드 출신의 영국 철학자인 그는 영국에서 활동하다가 미국으로 건너가 학문 활동을 계속했어.
그러다가 롤스의 정의론을 비판하면서 유명해졌지.
인기
정의론
매킨타이어는 욕망을 가진 사람들이 타인의 요구에 맞춰 행동하는 것을 도덕적 행위라고 생각했어.
화장실
미안한데, 10분만 기다려 줘.
자기 욕망
그… 그래.
타인의 요구와 일치하는 덕목들이 무엇인지 알고, 그 덕목을 몸에 익히는 것이 도덕에서 가장 중요한 일이라고 주장했지.
걘 내게 인내라는 덕목을 요구하고 있어.
내가 도덕적 인간으로 거듭날 수 있는 기회야!
뿌뿌
타인의 요구에 맞춰 행동하면서 도덕을 익히는 모습은 어린아이들을 통해 쉽게 볼 수 있어.
어린아이들은 항상 부모라는 타인의 요구에 노출되어 있어.
차 조심. 길 조심.
네.
그들이 착한 행동과 나쁜 행동을 가리게 되는 것은 전적으로 특정 행위를 했을 때 부모가 보이는 반응에 달려 있어.
지지.
옳지.

예를 들어 아이가 꽃을 꺾자 부모가 그렇게 하면 꽃이 아프다고 말하며 엄한 표정으로 꾸짖었어.
뚝
안 돼!
그러면 아이는 꽃을 꺾는 행위는 나쁜 행위라는 도덕관을 가지게 될 거야.
미안해….
이러한 이유로 매킨타이어는 공동체를 중시했어.
사람은 같이 생활하면서 옳고 그름을 배울 수 있습니다.
타인들의 존재, 즉 공동체가 도덕의 핵심이라고 주장했지.
도덕
공동체
개인이 도덕적 덕목을 익히고 수행하는 과정에서 공동체가 아주 중요한 역할을 하기 때문이야.
빨간불에 건너면 모두에게 위험해.
네.
롤스는 《정의론》에서 원초적 입장의 당사자들이 자신의 이성적 능력을 통해 정의의 원칙을 이끌어 낸다고 했어.
원초적 입장
그러나 매킨타이어는 원초적 입장의 당사자들을 서양의 근대적 이성 중심주의의 철학에서 이상적으로 생각하는 인격체로 보았어.
그러고는 롤스가 서양의 근대적 이성 중심주의의 연장선상에 서 있다고 주장했지.
서양의 근대적 이성 중심주의
롤스
매킨타이어는 롤스가 지나치게 인간의 이성을 신뢰하는 이론을 만들었다고 비판했어.
정의론
매킨타이어가 보기에 사람들은 고립된 상태에서는 자신의 순수한 이성 작용을 통해 도덕을 발견하지 않았어.
누가 좀 살려 주세요~.
도덕
대신에 자신이 속한 공동체의 가치를 받아들이고 그 공동체의 가치를 비판적으로 수정하면서 도덕적인 인격을 갖추고 그에 맞는 행위를 수행했지.
공동체의 가치 받아들이기
공동체의 가치 비판적 수정
도덕적 인격
도덕적 행위

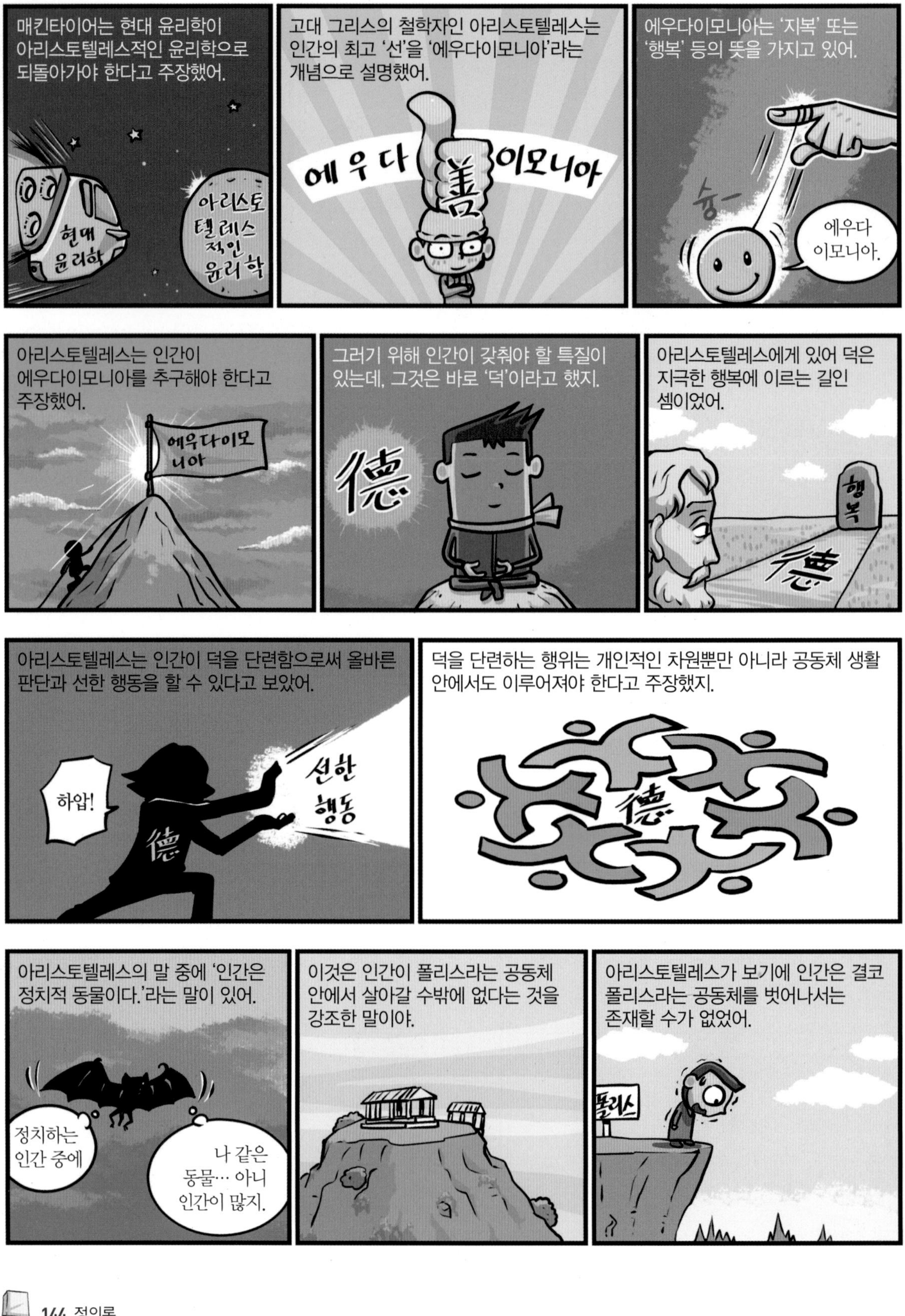
매킨타이어는 현대 윤리학이 아리스토텔레스적인 윤리학으로 되돌아가야 한다고 주장했어.
현대 윤리학
아리스토텔레스적인 윤리학
고대 그리스의 철학자인 아리스토텔레스는 인간의 최고 '선'을 '에우다이모니아'라는 개념으로 설명했어.
에우다 善 이모니아
에우다이모니아는 '지복' 또는 '행복' 등의 뜻을 가지고 있어.
슝ㅡ
에우다 이모니아.
아리스토텔레스는 인간이 에우다이모니아를 추구해야 한다고 주장했어.
에우다이모니아
그러기 위해 인간이 갖춰야 할 특질이 있는데, 그것은 바로 '덕'이라고 했지.
德
아리스토텔레스에게 있어 덕은 지극한 행복에 이르는 길인 셈이었어.
행복
德
아리스토텔레스는 인간이 덕을 단련함으로써 올바른 판단과 선한 행동을 할 수 있다고 보았어.
하압!
德
선한 행동
덕을 단련하는 행위는 개인적인 차원뿐만 아니라 공동체 생활 안에서도 이루어져야 한다고 주장했지.
德
아리스토텔레스의 말 중에 '인간은 정치적 동물이다.'라는 말이 있어.
정치하는 인간 중에
나 같은 동물… 아니 인간이 많지.
이것은 인간이 폴리스라는 공동체 안에서 살아갈 수밖에 없다는 것을 강조한 말이야.
아리스토텔레스가 보기에 인간은 결코 폴리스라는 공동체를 벗어나서는 존재할 수가 없었어.
폴리스

이러한 관점에서 보면 공동체는 인간이 갖는 가장 기본적인 조건이야.
나도 인간의 기본 조건인데.
또한 인간이 도덕적인 인격을 갖추기 위한 가장 기본적인 조건이기도 하지.
공동체
왜냐하면 공동체는 사회에 이익을 주고 사회를 정상적으로 유지하게 해 주는 '공동선'을 달성하기 위해 만든 조직이기 때문이야.
공동체
그러므로 각 개인은 사회의 공동선을 이루기 위해 노력해야 해.
공동선
고대 그리스의 폴리스에서 이루어졌던 종교 제의나 경제 활동 또는 전쟁 등의 모든 공공사업들은 공동체의 공동선을 위한 일이었어.
보글 보글
공동선
종교 제의
경제 활동
전쟁
아리스토텔레스는 공공사업을 통해 공동체에 속한 개인들이 덕을 기르는 과정을 거치게 되며 이로써 공동체의 정의가 실현된다고 믿었어.
정의
덕
공공 사업
매킨타이어는 폴리스뿐만 아니라 중세 시대와 르네상스 시대에도 공동체의 공공사업으로 공동선을 추구하는 전통이 있었다고 주장했어.
공동선
고대 그리스
중세 시대
르네상스 시대
그러나 근대에 들어와 자유주의와 개인주의의 경향이 강해지면서 그 맥이 끊겼다고 했지.
공동선
자유주의
개인주의
매킨타이어는 롤스의 정의론도 근대적인 자유주의와 개인주의의 경향을 따른다고 비판했어.
자유주의
개인주의
롤스 정의론

롤스가 말하는 원초적 입장의 당사자들은 근대 서구인들이 꿈꾸었던 이상적인 사람들이라고 할 수 있어.
그들은 자유롭고 자신의 행동을 책임질 수 있는 개인이야.
근대적인 자유주의와 개인주의는 개인의 합리성을 바탕으로 사회 정의를 모색하고자 했어.
사회 정의
근대적 자유주의
근대적 개인주의
이성을 진리의 기준으로 생각했던 근대의 철학은 사회 정의 역시 각 개인이 가진 합리성을 통해 설명하고자 했거든.
진리의 기준
이성
사회 정의
개인의 합리성
로크나 루소가 주장한 사회 계약론이 바로 개인의 합리성을 통해 사회의 성립을 설명하고자 했던 대표적인 이론이란다.
사회의 성립
개인의 합리성
사회 계약론
계약을 맺는 사람이라면 누구나 자신에게 돌아올 이익과 손해를 따져 꼼꼼하게 계약서를 작성할 거야.
이익? 손해?
계약서
사회 계약론은 사회의 성립을 개인의 계산적인 이성이 최대로 발휘된 결과로 보는 사상이야.
꼼꼼하게 계산해 보세요!
사회의 성립
사회 계약론
때문에 사회 계약론은 각 개인의 자유와 같은 권리를 매우 중요하게 여겨.
사회 계약론
자유..
이러한 특성은 지금껏 살펴보았던 롤스의 정의론에서도 잘 나타나.
롤스의 정의론
자유롭게….

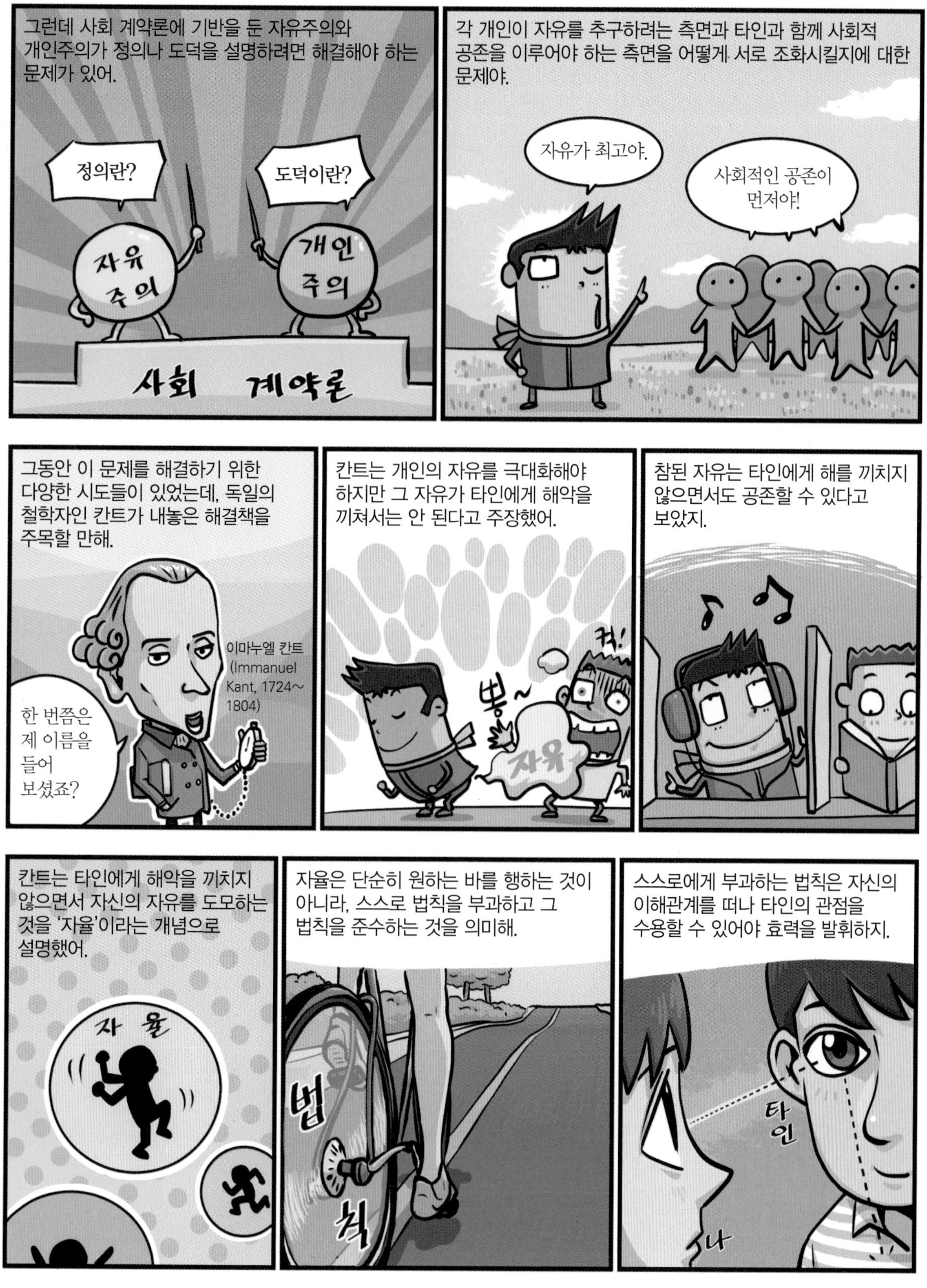
그런데 사회 계약론에 기반을 둔 자유주의와 개인주의가 정의나 도덕을 설명하려면 해결해야 하는 문제가 있어.
정의란?
도덕이란?
자유주의
개인주의
사회 계약론
각 개인이 자유를 추구하려는 측면과 타인과 함께 사회적 공존을 이루어야 하는 측면을 어떻게 서로 조화시킬지에 대한 문제야.
자유가 최고야.
사회적인 공존이 먼저야!
그동안 이 문제를 해결하기 위한 다양한 시도들이 있었는데, 독일의 철학자인 칸트가 내놓은 해결책을 주목할 만해.
이마누엘 칸트 (Immanuel Kant, 1724~1804)
한 번쯤은 제 이름을 들어 보셨죠?
칸트는 개인의 자유를 극대화해야 하지만 그 자유가 타인에게 해악을 끼쳐서는 안 된다고 주장했어.
뽕~
자유
컥!
참된 자유는 타인에게 해를 끼치지 않으면서도 공존할 수 있다고 보았지.
칸트는 타인에게 해악을 끼치지 않으면서 자신의 자유를 도모하는 것을 '자율'이라는 개념으로 설명했어.
자율
자율은 단순히 원하는 바를 행하는 것이 아니라, 스스로 법칙을 부과하고 그 법칙을 준수하는 것을 의미해.
법칙
스스로에게 부과하는 법칙은 자신의 이해관계를 떠나 타인의 관점을 수용할 수 있어야 효력을 발휘하지.
타인
나

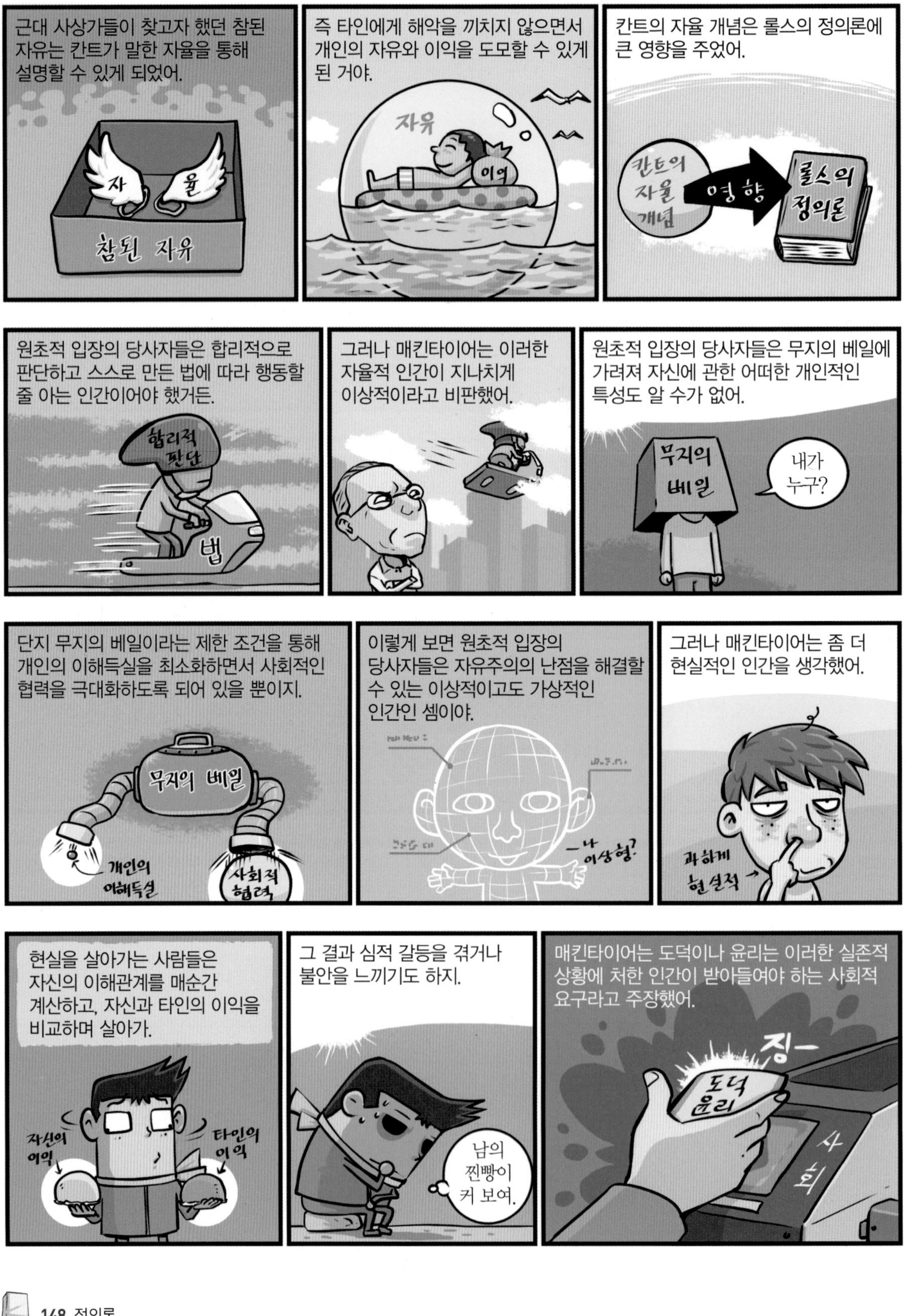
근대 사상가들이 찾고자 했던 참된 자유는 칸트가 말한 자율을 통해 설명할 수 있게 되었어.
자 율
참된 자유
즉 타인에게 해악을 끼치지 않으면서 개인의 자유와 이익을 도모할 수 있게 된 거야.
자유
이익
칸트의 자율 개념은 롤스의 정의론에 큰 영향을 주었어.
칸트의 자율 개념
영향
롤스의 정의론
원초적 입장의 당사자들은 합리적으로 판단하고 스스로 만든 법에 따라 행동할 줄 아는 인간이어야 했거든.
합리적 판단
법
그러나 매킨타이어는 이러한 자율적 인간이 지나치게 이상적이라고 비판했어.
원초적 입장의 당사자들은 무지의 베일에 가려져 자신에 관한 어떠한 개인적인 특성도 알 수가 없어.
무지의 베일
내가 누구?
단지 무지의 베일이라는 제한 조건을 통해 개인의 이해득실을 최소화하면서 사회적인 협력을 극대화하도록 되어 있을 뿐이지.
무지의 베일
개인의 이해득실
사회적 협력
이렇게 보면 원초적 입장의 당사자들은 자유주의의 난점을 해결할 수 있는 이상적이고도 가상적인 인간인 셈이야.
나 이상형?
그러나 매킨타이어는 좀 더 현실적인 인간을 생각했어.
과하게 현실적
현실을 살아가는 사람들은 자신의 이해관계를 매순간 계산하고, 자신과 타인의 이익을 비교하며 살아가.
자신의 이익
타인의 이익
그 결과 심적 갈등을 겪거나 불안을 느끼기도 하지.
남의 찐빵이 커 보여.
매킨타이어는 도덕이나 윤리는 이러한 실존적 상황에 처한 인간이 받아들여야 하는 사회적 요구라고 주장했어.
징-
도덕 윤리
사회

그러면서 이성 중심주의는 다양한 도덕적 이념의 전통들을 철저하게 무시한다고 비판했지.
이성 중심주의
도덕적 이념의 전통들
깡
특히 인격의 수양과 같은 도덕 행위들은 심하게 홀대한다고 했어.
꽈꽉 꽈꽉
이성 중심 주의
인격의 수양
인격이나 도덕적 능력을 키우고 완성하는 인격의 수양은 이성만으로 이루어질 수 있는 것이 아니야.
이성
이성
인정
인격 수양
도덕적 인격은 타인과 더불어 살아가는 삶을 통해서만 완성될 수 있지.
도와줄까?
엄마를 잃어버렸어요.
앙
그래서 매킨타이어가 공동체 없이는 어떠한 윤리적 삶도 가능하지 않다고 주장한 거야.
물도 나눠 먹어야지.
캬~
캬~
공동체
공동체보다 개인의 이성을 근거로 도덕과 윤리를 세우려 했던 롤스의 정의론이 현실적이지 않다고 비판한 것도 이러한 이유에서였지.
도덕, 윤리
쩌억
쩌억
개인의 이성
매킨타이어는 이성을 통해 도덕적 기초를 정당화하려고 했던 자유주의의 기획은 결국 실패했다고 했어.
이성
도덕적 기초의 정당화
자유주의의 기획
실패!
이 실패는 도덕의 통일된 기준을 무너뜨렸어. 매킨타이어는 도덕의 통일된 기준이 무너진 현대 사회는 혼란에 빠질 수밖에 없다고 경고했어.
자유주의의 실패
쩌억
도덕의 통일된 기준 붕괴
쩌억
혼란에 빠진 현대 사회
쩌억
롤스는 정의를 개인과 사회 제도를 연결시키는 핵심 개념으로 생각했어.
개인
정의
사회 제도
합리적인 개인들이 사회라는 협동체를 구성할 때, 정의가 그들 사이를 효율적이면서도 안전하게 결합시켜 줄 것이라고 믿었지.
개인
개인
개인
정의
사회
개인
개인
개인

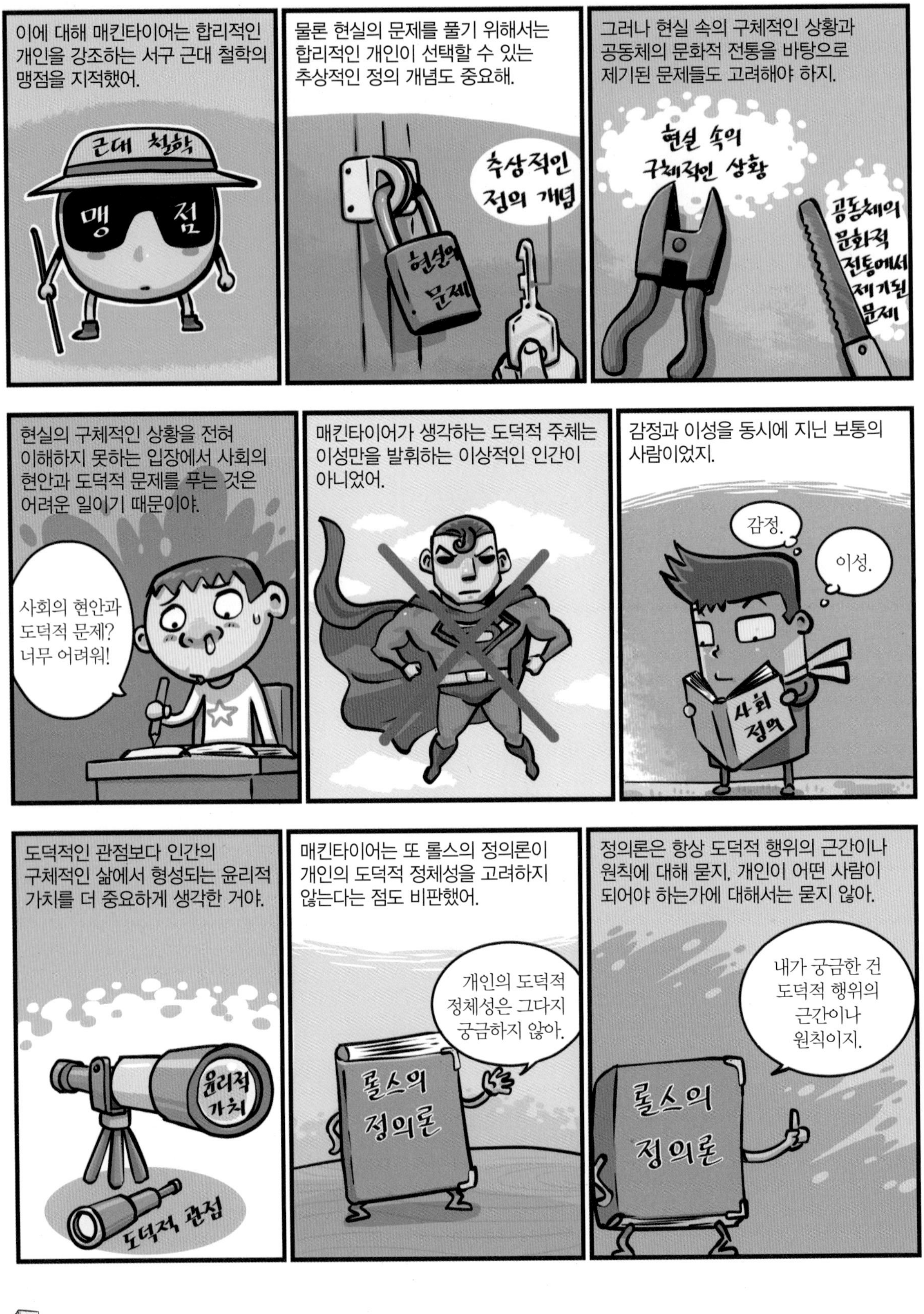

이에 대해 매킨타이어는 합리적인 개인을 강조하는 서구 근대 철학의 맹점을 지적했어.
근대 철학
맹 점
물론 현실의 문제를 풀기 위해서는 합리적인 개인이 선택할 수 있는 추상적인 정의 개념도 중요해.
추상적인 정의 개념
현실의 문제
그러나 현실 속의 구체적인 상황과 공동체의 문화적 전통을 바탕으로 제기된 문제들도 고려해야 하지.
현실 속의 구체적인 상황
공동체의 문화적 전통에서 제기된 문제
현실의 구체적인 상황을 전혀 이해하지 못하는 입장에서 사회의 현안과 도덕적 문제를 푸는 것은 어려운 일이기 때문이야.
사회의 현안과 도덕적 문제? 너무 어려워!
매킨타이어가 생각하는 도덕적 주체는 이성만을 발휘하는 이상적인 인간이 아니었어.
감정과 이성을 동시에 지닌 보통의 사람이었지.
감정.
이성.
사회 정의
도덕적인 관점보다 인간의 구체적인 삶에서 형성되는 윤리적 가치를 더 중요하게 생각한 거야.
윤리적 가치
도덕적 관점
매킨타이어는 또 롤스의 정의론이 개인의 도덕적 정체성을 고려하지 않는다는 점도 비판했어.
개인의 도덕적 정체성은 그다지 궁금하지 않아.
롤스의 정의론
정의론은 항상 도덕적 행위의 근간이나 원칙에 대해 묻지, 개인이 어떤 사람이 되어야 하는가에 대해서는 묻지 않아.
내가 궁금한 건 도덕적 행위의 근간이나 원칙이지.
롤스의 정의론

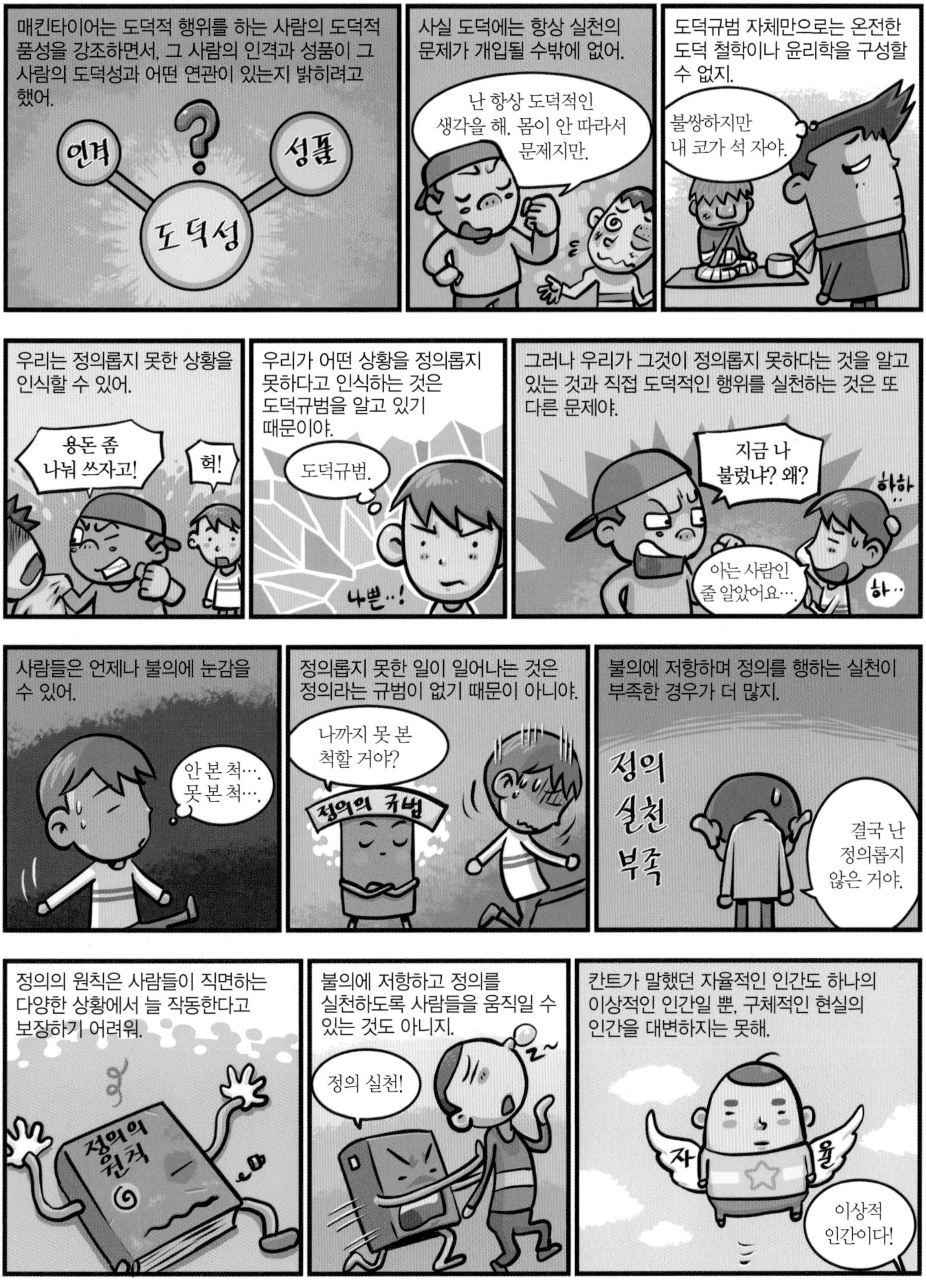
매킨타이어는 도덕적 행위를 하는 사람의 도덕적 품성을 강조하면서, 그 사람의 인격과 성품이 그 사람의 도덕성과 어떤 연관이 있는지 밝히려고 했어.
인격
?
성품
도덕성
사실 도덕에는 항상 실천의 문제가 개입될 수밖에 없어.
난 항상 도덕적인 생각을 해. 몸이 안 따라서 문제지만.
도덕규범 자체만으로는 온전한 도덕 철학이나 윤리학을 구성할 수 없지.
불쌍하지만 내 코가 석 자야.
우리는 정의롭지 못한 상황을 인식할 수 있어.
용돈 좀 나눠 쓰자고!
헉!
우리가 어떤 상황을 정의롭지 못하다고 인식하는 것은 도덕규범을 알고 있기 때문이야.
도덕규범.
나쁜..!
그러나 우리가 그것이 정의롭지 못하다는 것을 알고 있는 것과 직접 도덕적인 행위를 실천하는 것은 또 다른 문제야.
지금 나 불렀냐? 왜?
하하
아는 사람인 줄 알았어요…
하…
사람들은 언제나 불의에 눈감을 수 있어.
안 본 척….
못 본 척….
정의롭지 못한 일이 일어나는 것은 정의라는 규범이 없기 때문이 아니야.
나까지 못 본 척할 거야?
정의의 규범
불의에 저항하며 정의를 행하는 실천이 부족한 경우가 더 많지.
정의 실천 부족
결국 난 정의롭지 않은 거야.
정의의 원칙은 사람들이 직면하는 다양한 상황에서 늘 작동한다고 보장하기 어려워.
정의의 원칙
불의에 저항하고 정의를 실천하도록 사람들을 움직일 수 있는 것도 아니지.
정의 실천!
z~
칸트가 말했던 자율적인 인간도 하나의 이상적인 인간일 뿐, 구체적인 현실의 인간을 대변하지는 못해.
자
율
이상적 인간이다!

대부분의 사람들은 무엇이 도덕적인지 잘 알고 있어. 다만 이를 실천할 용기와 이기심을 이겨 내는 능력이 부족할 뿐이지.
퍽
이기심
실천 용기
퍽
이처럼 의지가 없는 사람들을 지속적으로 이끌어 주는 것이야말로 진정한 도덕적 과업이라고 할 수 있어.
도덕적 과업
도덕적 의지 박약자
매킨타이어는 우리에게 필요한 도덕적 논의는 이상적인 도덕규범을 찾는 것이 아니라, 도덕적인 품성을 길러 사회의 가치를 바꾸어 가는 인간을 만드는 것이라고 주장했어.
사회의 가치 바꾸기
도덕적 품성
한편 공동체주의자이자 하버드 대학의 교수인 마이클 샌델도 《자유주의와 정의의 한계》라는 책에서 롤스의 정의론을 비판했어.
롤스의 《정의론》은 문제가 있습니다.
자유주의와 정의의 한계
샌델은 원초적 입장에 있는 사람들의 자아와 그 성격을 문제 삼았어.
아야.
샌델
롤스는 무지의 베일에 싸인 사회 구성원들이 상호 관계에 대한 정보를 차단당한 채 공동선의 실현을 위해 정의의 원칙에 합의한다고 주장했어.
공동선의 실현을 위해!
무지의 베일
무지의 베일
정의의 원칙에 합의!
여기서 샌델은 무지의 베일에 싸인 자아가 과연 도덕적인 자아일 수 있는지 의문을 제기했어.
무지의 베일
?
도덕적 자아
또 롤스가 말한 '선하게 질서 잡힌 사회'를 지향하게 하려면 각 인격이 자기 완결적인 자아가 되어서는 안 된다고 했지.
선하게 질서 잡힌 사회
개인이 속한 공동체와의 관계에서 파악되는 공동체주의적인 관점이 반드시 필요하다고 주장했어.
공동체주의적 관점

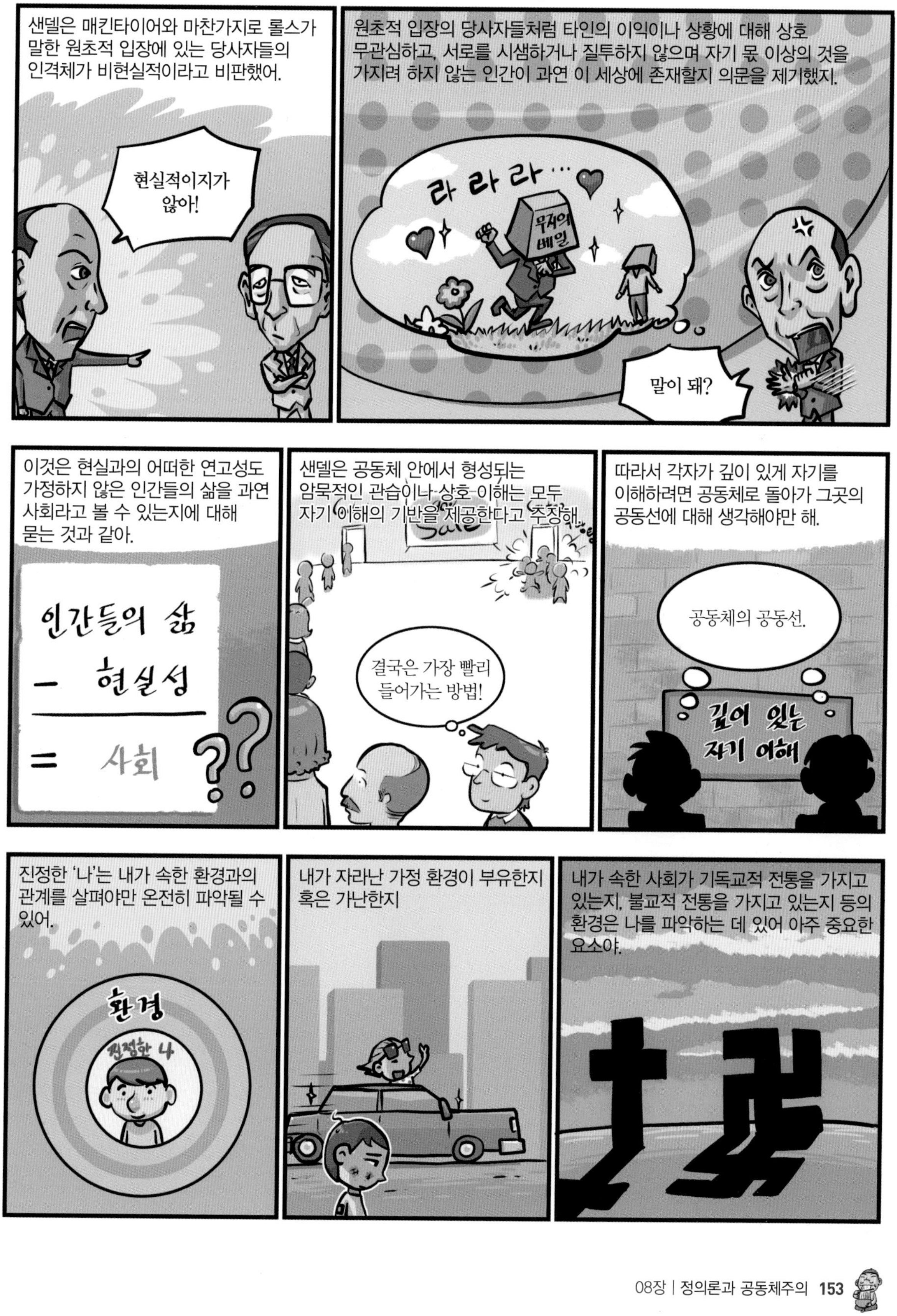
샌델은 매킨타이어와 마찬가지로 롤스가 말한 원초적 입장에 있는 당사자들의 인격체가 비현실적이라고 비판했어.
현실적이지가 않아!
원초적 입장의 당사자들처럼 타인의 이익이나 상황에 대해 상호 무관심하고, 서로를 시샘하거나 질투하지 않으며 자기 몫 이상의 것을 가지려 하지 않는 인간이 과연 이 세상에 존재할지 의문을 제기했지.
라 라 라…
무지의 베일
말이 돼?
이것은 현실과의 어떠한 연고성도 가정하지 않은 인간들의 삶을 과연 사회라고 볼 수 있는지에 대해 묻는 것과 같아.
인간들의 삶
− 현실성
= 사회
??
샌델은 공동체 안에서 형성되는 암묵적인 관습이나 상호 이해는 모두 자기 이해의 기반을 제공한다고 주장해.
Sale
결국은 가장 빨리 들어가는 방법!
따라서 각자가 깊이 있게 자기를 이해하려면 공동체로 돌아가 그곳의 공동선에 대해 생각해야만 해.
공동체의 공동선.
깊이 있는 자기 이해
진정한 '나'는 내가 속한 환경과의 관계를 살펴야만 온전히 파악될 수 있어.
환경
진정한 나
내가 자라난 가정 환경이 부유한지 혹은 가난한지
내가 속한 사회가 기독교적 전통을 가지고 있는지, 불교적 전통을 가지고 있는지 등의 환경은 나를 파악하는 데 있어 아주 중요한 요소야.
卍

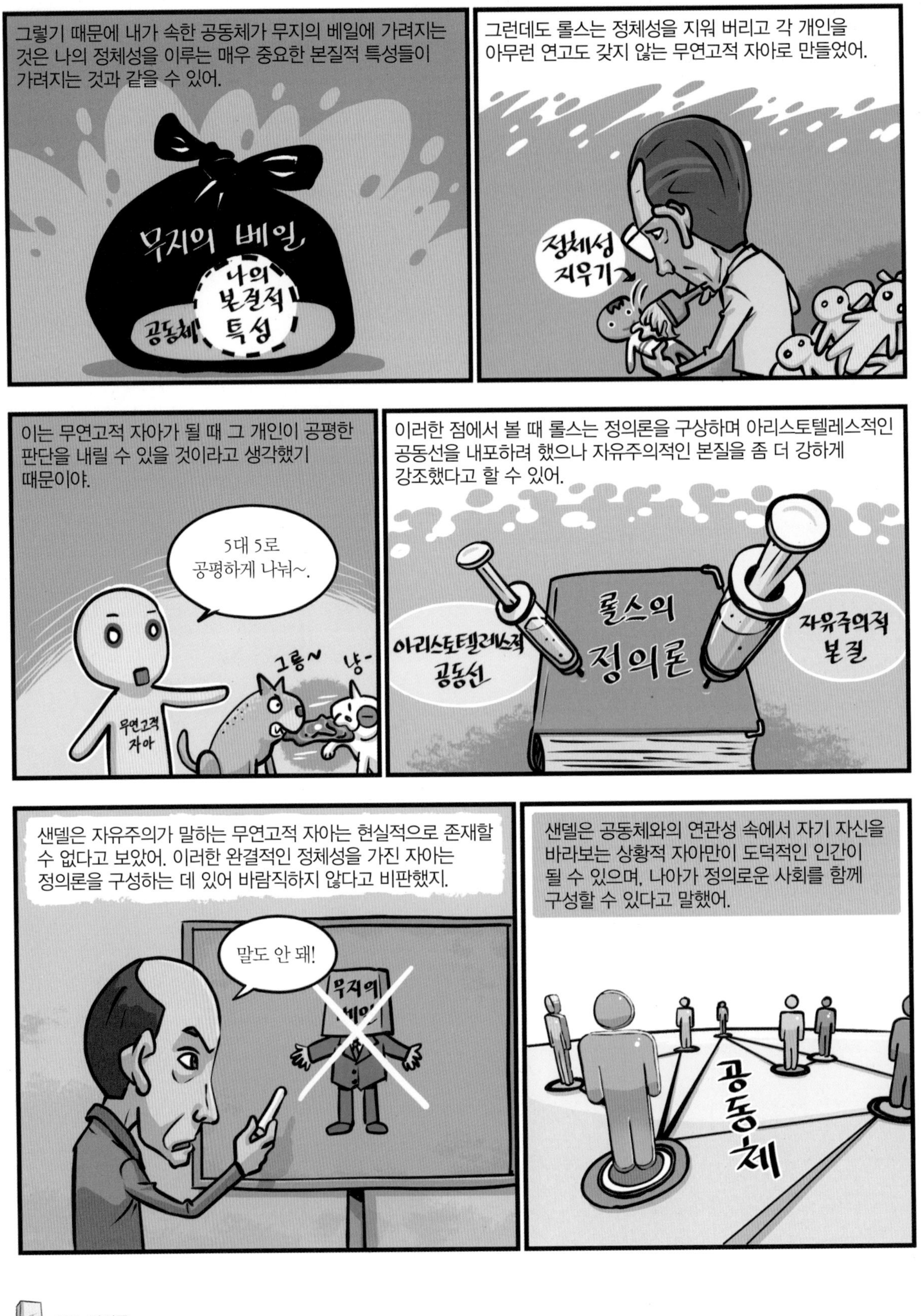
그렇기 때문에 내가 속한 공동체가 무지의 베일에 가려지는 것은 나의 정체성을 이루는 매우 중요한 본질적 특성들이 가려지는 것과 같을 수 있어.
무지의 베일
나의 본결적 특성
공동체
그런데도 롤스는 정체성을 지워 버리고 각 개인을 아무런 연고도 갖지 않는 무연고적 자아로 만들었어.
정체성 지우기
이는 무연고적 자아가 될 때 그 개인이 공평한 판단을 내릴 수 있을 것이라고 생각했기 때문이야.
5대 5로 공평하게 나눠~.
무연고적 자아
그릉~
냥-
이러한 점에서 볼 때 롤스는 정의론을 구상하며 아리스토텔레스적인 공동선을 내포하려 했으나 자유주의적인 본질을 좀 더 강하게 강조했다고 할 수 있어.
롤스의 정의론
아리스토텔레스적 공동선
자유주의적 본결
샌델은 자유주의가 말하는 무연고적 자아는 현실적으로 존재할 수 없다고 보았어. 이러한 완결적인 정체성을 가진 자아는 정의론을 구성하는 데 있어 바람직하지 않다고 비판했지.
말도 안 돼!
무지의 베일
샌델은 공동체와의 연관성 속에서 자기 자신을 바라보는 상황적 자아만이 도덕적인 인간이 될 수 있으며, 나아가 정의로운 사회를 함께 구성할 수 있다고 말했어.
공동체

공동체주의자들은 말 그대로 다양한 차원의 문화적인 공동체 안에서 크는 개인의 가치관을 중시 여기는 사람들이야.
이들은 공동체별로 크는 가치관을 도외시하고 보편적인 정의의 원칙을 탐구할 수 있다고 믿는 롤스 같은 자유주의자들을 비판해.
탱
자유주의
탱
인간이란 자유주의자들이 생각하는 것처럼 자유로운 존재가 아니라 개인이 속해 있는 공동체의 가치관에 구속되는 존재라고 생각하지.
인간
공동체적 가치관
이는 롤스의 정의론이 대답하지 못한 질문임에는 틀림없어.
정의론
공동체적 가치관
무엇보다 정의론은 정치적 과정의 복잡성을 고려하지 않았거든.
정
의
론
정치적 과정의 복잡성
롤스가 도출해 낸 정의의 원칙은 매우 합당해 보여.
정의의 원칙
이는 롤스가 정의의 원칙이 도출되는 절차를 매우 치밀하게 구성했기 때문이야.
드륵
드륵
정성스럽게….
우리가 그대로만 따라 했더라면 이미 정의로운 사회가 구현되었을지도 모를 정도지.
정의로운 사회
그러나 현실은 그렇지 않아. 끊임없이 사람들의 욕망이 부딪치고 갈등이 일어나.
돈
권력
아무리 이상적인 기준이 있다 하더라도 현실의 복잡한 문제 앞에서 그 기준은 무력하기 마련이야.
기
준

우리 사회는 진보와 보수 간의 갈등, 세대 간의 갈등 등 사회적으로 많은 갈등이 일어나고 있어.
사회
갈
등
롤스가 말한 대로 원초적 입장에서 모두가 합의할 수밖에 없는 정의의 원칙이 있는데 왜 갈등은 끝나지 않는 걸까?
정의의 원칙
정의의 원칙이 어떠한 역할을 하고 있기는 한 걸까?
순찰 중~. 치익~ 칙.
정의의 원칙
정치란 끊임없이 생겨나는 사회적 갈등을 해소하는 기술이라고 할 수 있어.
싸우지 말아요.
정치
그러므로 정치는 항상 당면하고 있는 현실에 말을 걸어야 하고, 정의도 그러한 과정에서 끊임없이 현실과 대화하며 규정되어야 해.
말 좀 해요, 우리.
현실
시원하게 대화 한 번….
정치
정의
정의의 원칙이 가장 합리적이고 이성적일 수밖에 없는 상황에서 도출되는 것이라 하더라도
정의의 원칙
빵
매킨타이어나 샌델과 같은 공동체주의자들이 보기에는 여전히 추상적이고 현실성 없는 원칙에 불과해.
추상적이야.
슈우우-
현실성이 없어.
공동체주의자들은 현실적인 문제에 관심을 기울이며 그것을 공동체의 가치로 극복하려 하기 때문이야.
현실적 문제
롤스는 자기 합리성을 추구하는 특정한 인간을 통해 정의를 실현하려 했어.
내가 왜 그럴 수밖에 없었냐면….
딱이야!
그러나 공동체주의자들은 도덕적으로는 불완전하지만 현실에서 볼 수 있는 보통 사람들에게서 도덕성과 정의를 찾으려 시도했지.
도덕성
정의
보통 사람들
공동체주의자들은 보통 사람들이 가진 불완전한 도덕성이 오히려 도덕적 품성을 형성하고 단련하는 데 적합한 조건이라고 생각했어.
왜 이 물건을 훔쳤니?
죄송해요. 다신 안 그럴게요.
그럼 안 돼.

공동체주의자들은 사람들에게 중요한 것은 항상 변화하는 현실 속에서 굳건하게 자기 정체성을 지켜 내는 일이라고 말해.
콰 콰 콰…
변화하는
현실
자기 정체성
여기서 말하는 자기 정체성은 도덕적인 주체로서의 정체성을 의미해.
뇌물
도둑질
변화하는 현실 속에서 무엇이 옳고 그른지 판단하고, 옳은 일을 계속 하겠다고 다짐하면서 자신의 행위에 책임을 지는 정체성이 바로 공동체주의자들이 강조하는 자기 정체성이지.
화끈—
도덕적 판단과 행동
자기 정체성
이러한 자기 정체성은 항상 타인의 존재가 전제되어 있어.
타인
자기 정체성
왜냐하면 우리의 도덕적 실천은 타인과의 관계 속에서만 가능하기 때문이야.
도덕적 실천
아무리 훌륭한 성인군자라 하더라도 누군가가 생산한 밥을 먹고 옷을 입으며 또 누군가가 설계하고 만들어 낸 집에서 살 수밖에 없거든.
노동자
옷
농부
밥
건설 노동자
집
건축가
공동체주의자들의 말처럼 인간은 공동체를 떠나서는 삶을 지탱할 수 없어. 그렇기 때문에 그 안에서 정의나 도덕의 원칙 그리고 실천이 생겨나는 것 아닐까?
공 동 체
정의
도덕의 원칙
실천
그렇다면 롤스는 왜 원초적 입장을 정의론의 필수적인 단계로 내걸었을까?
정의론
원초적 입장
우리는 원초적 입장에 대한 공동체주의자들의 반론을 그대로 받아들일 수밖에 없는 것일까?
공동체주의자들
반론
원초적 입장
분명한 것은 롤스가 원초적 입장을 현실이 아닌 하나의 사유 실험으로 보았다는 사실이야.
원초적 입장
현실이 아니라니까.
그렇다면 우리는 왜 롤스가 현실로 존재할 수 없는 실험을 구상했는지 생각해 봐야 해.
롤스가 원초적 입장이라는 개념을 설정한 것은 원초적 입장의 당사자들이 그와 같은 조건에서 도덕적인 판단을 더 잘 내릴 수 있을 것이라고 생각했기 때문이야.
무지의 베일
도덕적 판단
원초적 입장

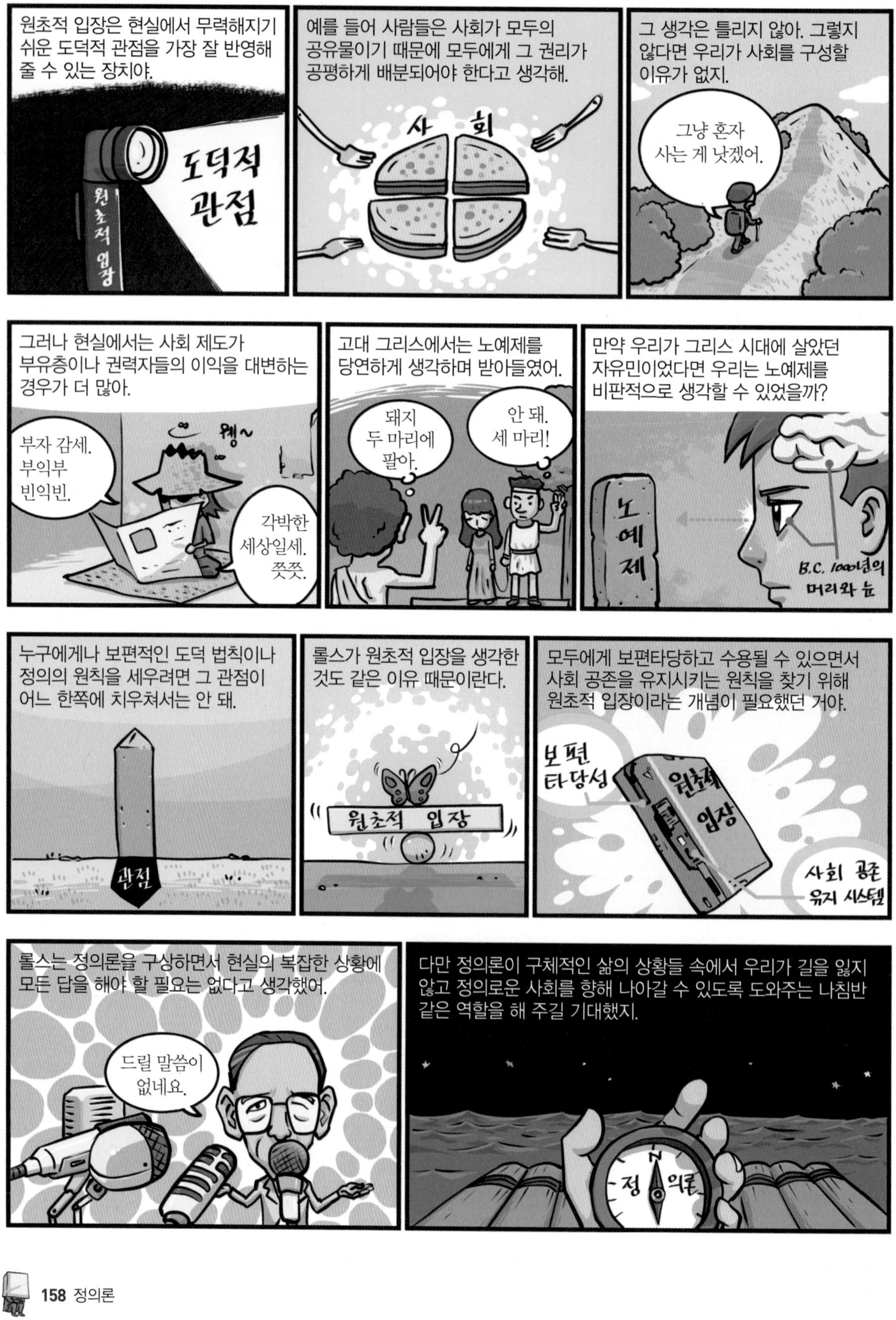
원초적 입장은 현실에서 무력해지기 쉬운 도덕적 관점을 가장 잘 반영해 줄 수 있는 장치야.
도덕적 관점
원초적 입장
예를 들어 사람들은 사회가 모두의 공유물이기 때문에 모두에게 그 권리가 공평하게 배분되어야 한다고 생각해.
사 회
그 생각은 틀리지 않아. 그렇지 않다면 우리가 사회를 구성할 이유가 없지.
그냥 혼자 사는 게 낫겠어.
그러나 현실에서는 사회 제도가 부유층이나 권력자들의 이익을 대변하는 경우가 더 많아.
부자 감세. 부익부 빈익빈.
휑~
각박한 세상일세. 쯧쯧.
고대 그리스에서는 노예제를 당연하게 생각하며 받아들였어.
돼지 두 마리에 팔아.
안 돼. 세 마리!
만약 우리가 그리스 시대에 살았던 자유민이었다면 우리는 노예제를 비판적으로 생각할 수 있었을까?
노예제
B.C. 1000년의 머리와 눈
누구에게나 보편적인 도덕 법칙이나 정의의 원칙을 세우려면 그 관점이 어느 한쪽에 치우쳐서는 안 돼.
관점
롤스가 원초적 입장을 생각한 것도 같은 이유 때문이란다.
원초적 입장
모두에게 보편타당하고 수용될 수 있으면서 사회 공존을 유지시키는 원칙을 찾기 위해 원초적 입장이라는 개념이 필요했던 거야.
보편 타당성
원초적 입장
사회 공존 유지 시스템
롤스는 정의론을 구상하면서 현실의 복잡한 상황에 모든 답을 해야 할 필요는 없다고 생각했어.
드릴 말씀이 없네요.
다만 정의론이 구체적인 삶의 상황들 속에서 우리가 길을 잃지 않고 정의로운 사회를 향해 나아갈 수 있도록 도와주는 나침반 같은 역할을 해 주길 기대했지.
N
정 의론

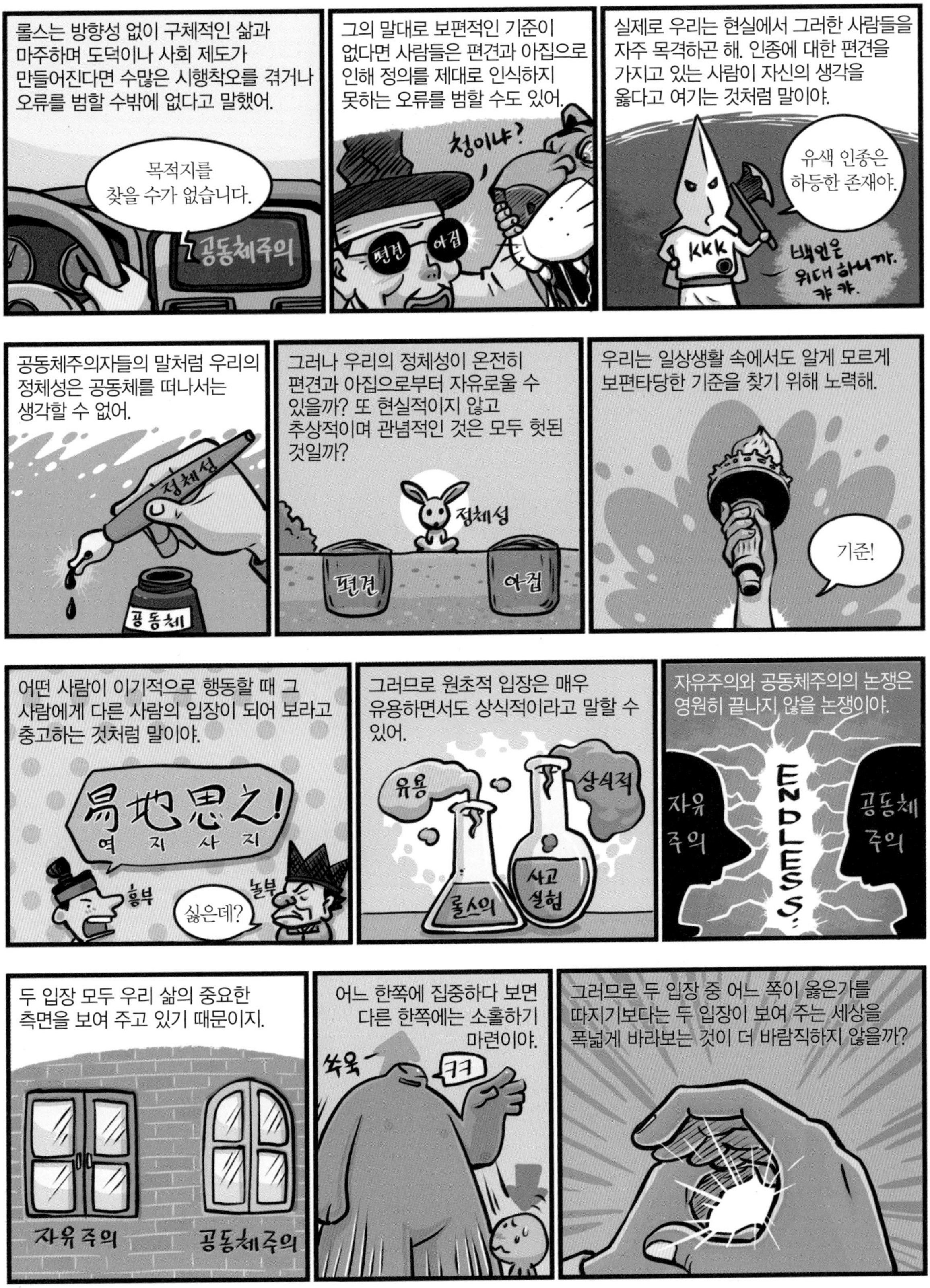

롤스는 방향성 없이 구체적인 삶과 마주하며 도덕이나 사회 제도가 만들어진다면 수많은 시행착오를 겪거나 오류를 범할 수밖에 없다고 말했어.
목적지를 찾을 수가 없습니다.
공동체주의
그의 말대로 보편적인 기준이 없다면 사람들은 편견과 아집으로 인해 정의를 제대로 인식하지 못하는 오류를 범할 수도 있어.
청이냐?
편견
아집
실제로 우리는 현실에서 그러한 사람들을 자주 목격하곤 해. 인종에 대한 편견을 가지고 있는 사람이 자신의 생각을 옳다고 여기는 것처럼 말이야.
유색 인종은 하등한 존재야.
KKK
백인은 위대하니까. 캬 캬.
공동체주의자들의 말처럼 우리의 정체성은 공동체를 떠나서는 생각할 수 없어.
정체성
공동체
그러나 우리의 정체성이 온전히 편견과 아집으로부터 자유로울 수 있을까? 또 현실적이지 않고 추상적이며 관념적인 것은 모두 헛된 것일까?
정체성
편견
아집
우리는 일상생활 속에서도 알게 모르게 보편타당한 기준을 찾기 위해 노력해.
기준!
어떤 사람이 이기적으로 행동할 때 그 사람에게 다른 사람의 입장이 되어 보라고 충고하는 것처럼 말이야.
易地思之!
역 지 사 지
흥부
놀부
싫은데?
그러므로 원초적 입장은 매우 유용하면서도 상식적이라고 말할 수 있어.
유용
상식적
롤스의
사고 실험
자유주의와 공동체주의의 논쟁은 영원히 끝나지 않을 논쟁이야.
자유주의
ENDLESS!
공동체주의
두 입장 모두 우리 삶의 중요한 측면을 보여 주고 있기 때문이지.
자유주의
공동체주의
어느 한쪽에 집중하다 보면 다른 한쪽에는 소홀하기 마련이야.
쑥욱-
ㅋㅋ
그러므로 두 입장 중 어느 쪽이 옳은가를 따지기보다는 두 입장이 보여 주는 세상을 폭넓게 바라보는 것이 더 바람직하지 않을까?

9장 정의론과 자유지상주의

정의론

매킨타이어나 샌델과 같은
공동체주의자들 외에도 롤스의
정의론을 비판한 사람들이 더 있어.
콱
정의론

바로 자유지상주의자라고
불리는 이들이야.

그들은 롤스와 같은 주류 자유주의자들과
자신들을 구별하기 위해 스스로를
'자유지상주의자'라고 불렀어.
자유 주의자
자유 지상 주의자

자유지상주의는 개인의 자유를 극단적으로
옹호하는 이념이야.
개인의 자유
띵
자유 지상 주의

개인의 자유를 가장 중요하게 여기기 때문에 국가의 개입과 통제를
매우 부정적으로 생각하지.
개인
툭
국가

자유지상주의의 역사를 살펴보면
그 뿌리는 자유방임주의야.
말
안 묶어?
괜찮아.
자유방임
주의
과거 유럽의 절대 왕정 시절, 정부는
강력한 왕권을 바탕으로 국가의 부를
축적하기 위해 중상주의 정책을 폈어.
절대
왕정
중상주의
정부의 관료들이 경제 계획을 세우고,
관세나 수입 제한 등의 조치를 통해 무역
및 기타 경제 활동을 강력하게 통제했지.
관세,
수입 제한
무역, 기타 경제
활동
처음에는 정부의 통제 아래에서 보호를
받던 상인들도 시간이 흐르자 자유롭게
경제 활동을 하고 싶어졌어.
자유다!
상인
정부
이때 자유방임주의라는 경제 사상이
등장했어.
자유방임주의
영국의 경제학자이자 철학자인
애덤 스미스는 자유 경쟁을
주장하며 자유방임주의 경제
정책의 핵심 이론을 정리했어.
애덤 스미스
(Adam Smith,
1723~1790)
그는 '보이지 않는 손'이라는 개념을
이용해 정부가 경제 활동에 간섭하지
않고 시장에 내맡길 때 더 많은 이익이
발생한다고 주장했어.
보이지 않는
손
이익
시 장
개인들이 자기의 이익을
추구하도록 자유롭게 내버려 두면
보이지 않는 손이 작용해 사회의
전체적 이익이 극대화된다는 거야.
최대의
이익
개인의
이익
보이지
않는 손
이 주장에 힘입어 개인의 자유를
주장했던 자본가 계급은 전 세계에
자본주의 체제를 건설했어.
자본주의 체제
개인의 자유

그러나 20세기에 접어들며 자본주의는 사회주의의 큰 저항을 받았어.
사회주의
자본주의
쿠쿠쿠
자본가들이 무분별하게 투자를 하면서 생산 과잉이 일어났기 때문이야.
<투자>
다다다
생산 과잉
자본가와 노동자 간의 양극화가 점차 심화되면서 계급 간의 갈등이라는 사회적인 불안 요소가 생겨났어.
자본가
계급 간의 갈등
노동자
게다가 보이지 않는 손은 경제 대공황과 두 번의 세계 대전이라는 끔찍한 결과를 낳고 말았지.
콰광
쾅
경제 대공황
두 번의 세계대전
쾅
자유방임주의 경제 정책은 점차 그 정당성을 잃어 갔어.
푸쉬이~
자유방임주의 경제 정책의 정당성
그러자 국가가 경제를 안전하게 관리해야 한다는 케인스주의와 노동자들의 복지에 더 큰 관심을 기울여야 한다는 사회 민주주의가 힘을 얻기 시작했어.
케인스주의
사회민주주의
나아가 노동자들이 권력을 잡고 모든 자본주의적 시스템을 파괴해야 한다는 사회주의도 등장했지.
권력
사회주의
쿵
자본주의적 시스템
이러한 상황에서 자유의 가치를 더욱 강조했던 사람이 있었는데, 오스트리아 출신의 경제학자인 하이에크였어.
인간에게 자유보다 중요한 게 있나요?
프리드리히 하이에크 (Friedrich Hayek, 1899~1992)

하이에크는 1944년에 《노예의 길》이라는 책을 출간했어.
그 책에서 하이에크는 계획적인 경제 정책이나 국가의 개입은 전체주의 국가를 만들 가능성이 크다고 했어.
계획적 경제 정책
전체주의 국가
국가 개입
계획 경제는 곧 자유를 포기하는 것이고, 이는 결국 노예의 삶으로 이어질 수밖에 없다고 했지.
자유
계획 경제
노예의 삶
하이에크는 계획 경제가 개인의 경제적 자유를 제약하는 데 그치지 않고 사람들로부터 기본적인 선택의 자유마저 빼앗는다고 했어.
난 이 길로…
자유
안 돼. 시키는 대로 가!
계획 경제 체제에서 사람들은 정부가 설계한 계획에 맞춰 생산과 소비 활동을 해야만 해.
생산
소비
정부
이는 국가가 만든 하나의 목적에 맞춰 개인을 도구화하는 결과를 초래하게 돼.
목적
국가
개인
으~
하이에크는 사람들이 계획 경제의 유혹을 매력적으로 느끼는 것은 자유로운 존재가 되기보다는 안전을 보장받으려는 욕구가 더 강해졌기 때문이라고 했어.
안전 제일
자유
안 나갈 거야.
물론 하이에크도 국가가 사람들에게 안전을 보장해야 할 필요성은 인정했어.
쾅
국가
토토…
사람들
그러나 국가가 사람들의 자유를 억압하거나 시장의 경쟁을 없애려 해서는 안 된다고 주장했지.
ㅇㅇ~.
자유
치지직
국가
시장 경쟁
아악.
시장을 단순히 교환이 이루어지는 이익 추구의 장소가 아닌 자유의 정신을 단련하는 훈련장으로 보았기 때문이야.
자유의 정신
잽, 잽.
시 장

한편 미국의 경제학자인 밀턴 프리드먼은 국가가 하는 일의 대부분이 개인의 자유를 침해한다고 주장했어.
꿀꺽~.
개 인 의 자 유
국가가 운영하는 사회 보장 제도나 연금 제도 등을 개인의 권리를 침해하는 대표적인 사례로 꼽았지.
사회 보장 제도
개 인의 권 리
연금 제도
프리드먼은 어떤 사람이 자기 재산으로 현재를 즐긴 뒤, 노년에는 어렵게 살기로 결정했다면 국가가 그것을 연금 제도를 통해 막을 수 없다고 주장했어.
연금 제도는 의무가 아닌 선택이어야 합니다.
밀턴 프리드먼 (Milton Friedman, 1912~2006)
노년을 위해 열심히 저축하라고 권유할 수는 있지만 강제적으로 국민연금에 가입시킬 수는 없다는 거야.
어디 가?
너 국민연금 가입하러!
국가
두두두...
프리드먼은 최저 임금제도 반대했어. 고용주가 적은 임금을 지급하더라도 노동자가 이를 받아들인다면 정부가 나서서 규제할 수 없다고 주장했지.
정 부
눈알 하나에 1원인데도 이 일을 하겠다는 거야?
응!
그뿐 아니라 고용주가 노동자의 인종이나 성(姓), 종교 등에 따라 고용하거나 해고하는 것 또한 국가가 막아서는 안 된다고 주장했어.
신자는 안 돼!
꽈득
우리 회사는 내 말이 곧 법이거든.
프리드먼은 직업에 관련된 자격 제도 역시 개인의 자유를 침해한다고 보았어.
나가, 좀.
직업 관련 자격 제도
개인의 자유
싼값에 수술받기를 원하는 사람에게는 의사 면허의 유무를 떠나 싸게 수술해 주는 의사에게 의료 서비스를 받도록 해야 한다는 거야.
돌파리 성형외과
오예~
여기가 서울에서 제일 저렴하다던 그 병원!
만약 의료 사고가 발생한다 하더라도 본인의 선택에 의한 결과이므로 본인이 책임지면 그만일 뿐이라고 했지.
After
자기야, 나 누구게?
살려 주세요! 가진 돈 다 드릴게요.
제발~

프리드먼은 국가의 지나친 개입은 개인이 자발적으로 계약할 수 있는 자유를 간섭하는 행위라고 했어.
국가
콩 심어라, 팥 심어라.
그만 좀 해.
국가는 개인의 자유가 최대한 실현될 수 있도록 돕는 역할만 해야 할 뿐, 그 외의 어떠한 침해 행위도 해서는 안 된다고 주장했지.
국가
거들 뿐.
자유 실현
러시아 태생의 미국 작가인 아인 랜드도 자유지상주의자를 대표하는 인물이야.
아인 랜드(Ayn Rand, 1905~1982)
그녀는 《아틀라스》라는 소설에서 전체의 복지라는 명목 때문에 재능 있는 사람들이 정부의 통제 아래에서 창의성을 말살당하고 있는 어두운 미래 사회의 모습을 그려 냈어.
아인 랜드는 사람이라면 자신을 둘러싼 객관적인 현실을 명확하게 인식하고, 늘 더 높은 가치를 지향하며 노력하는 미덕을 갖춰야 한다고 생각했어.
객관적 현실 인식
더 높은 가치 지향, 노력
지도
이러한 자신의 생각을 '객관주의(objectivism)'라고 불렀지.
객관 주의
아인 랜드가 말하는 객관주의는 자신의 이익을 실현하기 위해 최선을 다하는 합리적인 이기주의야.
탕
뚝
아인 랜드는 하이에크와 마찬가지로 국가의 역할은 모든 사람들이 이익을 추구하는 합리적인 활동을 보호하는 데서 그쳐야 한다고 주장했어.
국 가

하이에크나 아인 랜드의 주장에도 일리는 있어.
그들은 자신의 분야에서 왜 자유가 다른 것보다 앞선 가치여야 하는지 보여 주었어.
자유
그러나 롤스의 정의론처럼 엄밀한 논리를 갖춘 철학적 논의를 펼치지는 못했지.
롤스의 정의론
논리 부문 승리!
롤스의 정의론에 대항해 엄밀하고 체계적인 논리로 자유지상주의를 내세운 인물이 있어. 바로 롤스의 동료 교수인 로버트 노직이야.
동료끼리 왜 이러시나?
합-
로버트 노직
(Robert Nozick, 1938~2002)
하버드 대학 철학과 교수였던 노직은 《정의론》이 출간되고 3년 뒤에 《아나키에서 유토피아로》라는 책을 출간했어.
아나키에서 유토피아로
내가 왔다.
정의론
기분이 안 좋아.
이 책에서 노직은 사회 계약론적 전통에 따라 사회가 성립하기 이전의 자연 상태를 가정하고, 사회나 국가가 어떻게 형성되는가를 상상하며 추적했어.
노직은 여러 가지 의문을 계속 제기했어.
자연 상태에서 국가가 꼭 필요할까?
무정부 상태라면 어떨까?
롤스는 정치 공동체로서의 사회나 국가의 존재를 인정하고, 이러한 공동체 안에서 사람들은 협동체를 이루며 자기의 이익을 보전한다고 했어.
자기 이익
사
회
그러나 노직은 롤스가 말한 정의의 두 원칙이 제도화되는 사회가 반드시 필요한 것은 아니라고 했지.
그러한 사회가 꼭 필요한가?
헉!
물론 노직이 롤스의 주장을 모두 부정한 것은 아니야.
콰
휴. 살았다.
노직의 주장
롤스의 주장들
콰
이익의 단순한 총량에만 관심이 있는 공리주의가 개인의 권리를 무시할 위험이 있다고 한 롤스의 주장에는 공감을 표시했거든.
이익의 총량
공리주의
개인 권리
짝- 짝-

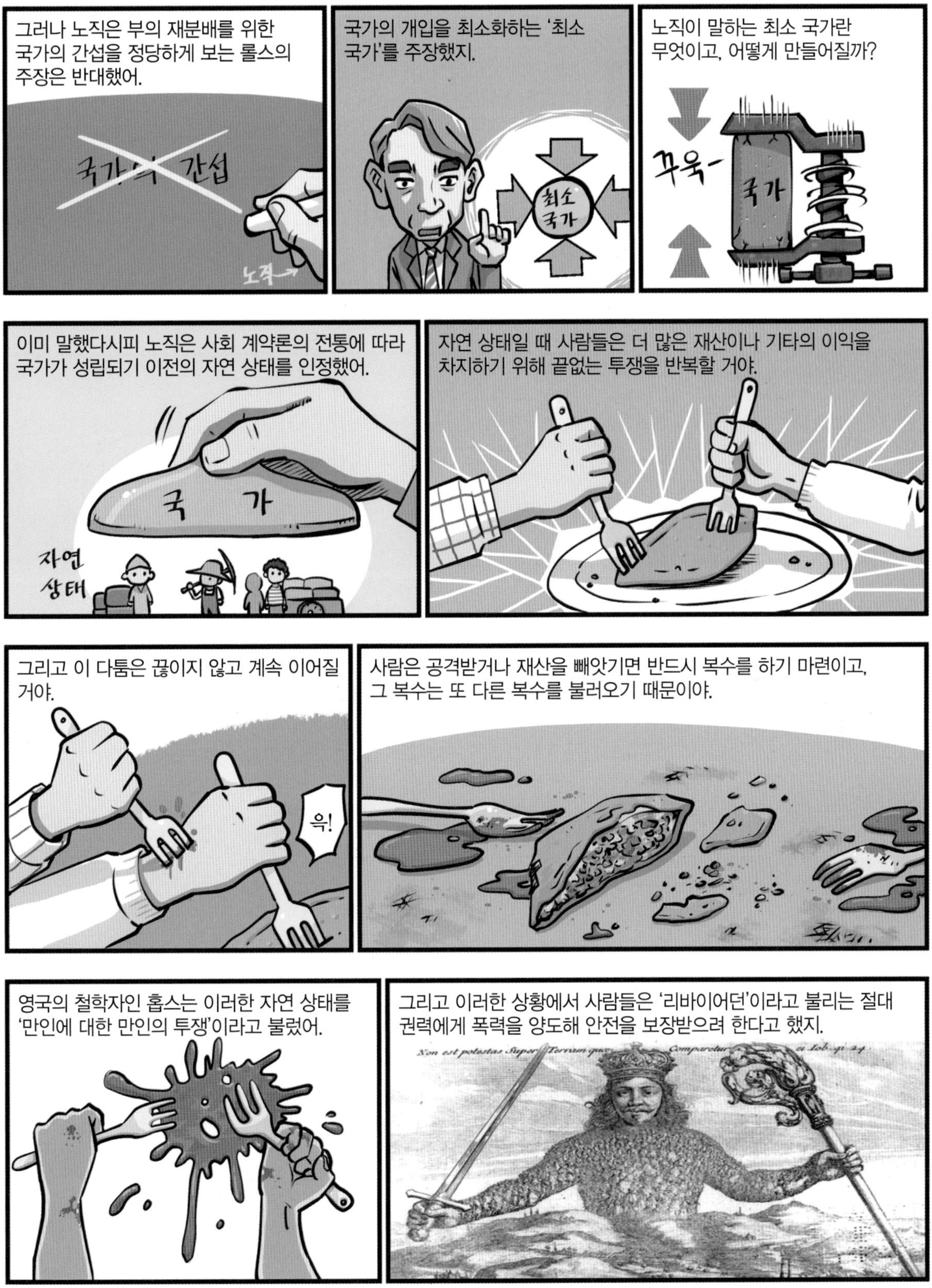

그러나 노직은 부의 재분배를 위한 국가의 간섭을 정당하게 보는 롤스의 주장은 반대했어.
국가의 간섭
노직→
국가의 개입을 최소화하는 '최소 국가'를 주장했지.
최소 국가
노직이 말하는 최소 국가란 무엇이고, 어떻게 만들어질까?
꾸욱-
국가
이미 말했다시피 노직은 사회 계약론의 전통에 따라 국가가 성립되기 이전의 자연 상태를 인정했어.
국가
자연 상태
자연 상태일 때 사람들은 더 많은 재산이나 기타의 이익을 차지하기 위해 끝없는 투쟁을 반복할 거야.
그리고 이 다툼은 끊이지 않고 계속 이어질 거야.
윽!
사람은 공격받거나 재산을 빼앗기면 반드시 복수를 하기 마련이고, 그 복수는 또 다른 복수를 불러오기 때문이야.
영국의 철학자인 홉스는 이러한 자연 상태를 '만인에 대한 만인의 투쟁'이라고 불렀어.
그리고 이러한 상황에서 사람들은 '리바이어던'이라고 불리는 절대 권력에게 폭력을 양도해 안전을 보장받으려 한다고 했지.

그러나 노직의 생각은 조금 달랐어.
내 생각은 좀 달라.
노직은 사람들이 자연 상태의 위험을 피하기 위해 '상호 보호 협회'와 같은 것을 만들 수도 있다고 생각했어.
상호 보호 협회
상호 보호 협회란 사람들이 자발적으로 구성하는 조직으로, 협회의 구성원 중 한 사람이라도 권리를 침해받는다면 협회의 구성원 모두가 그것에 대항하기로 약속하는 단체야.
'아리' 먹이에 손대지 마라!
(병)아리
그러나 상호 보호 협회는 넘어야 할 산이 아주 많아.
먼저 협회에 속한 모든 사람이 권리를 침해받는 문제에 직면해 있다면 어떨까?
성과에 따라 휴가를 줄인대!
뭐야?!
이러한 상황에서는 협회의 구성원 모두가 한 번에 대항하는 일은 어려울 거야.
협회
나는 이번에 성과가 좋아.
나도 그럭저럭….
또 구성원 중 일부가 자신의 이익을 위해 권리 침해와 관련된 협회의 대항 의무를 악용할 수도 있을 거야.
그렇게 빠지면 안 되지. 이 협회 조항을 보라고!
여차하면 고소할 테니까.
게다가 협회의 구성원끼리 서로 고소하는 일이 발생한다면 일은 더욱 골치 아파지겠지.
맞고소를 하셨다?
누가 먼저 했는데?
이러한 문제들이 발생하면 변호사를 고용하는 경우도 생길 거야.
저희 법률 사무소를 찾으신 것은 탁월한 선택이십니다.
상대적으로 저렴한 변호 비용이지만 승률은 약 70퍼센트에 달하죠.
약장수 아냐?
그렇게 되면 수많은 보호 협회 및 보호 회사들이 서로 치열한 경쟁을 벌이게 될 것이 분명해.
XX 보호협회
저희 보호 협회에 등록하세요~!
지하철

이러한 경쟁이 계속되면 우월한 위치에 있는 단체나 회사가 경쟁력이 떨어지는 단체와 회사를 흡수할 거야.
몇몇 단체나 회사는 서로 협정을 맺어 좀 더 큰 조직을 구성하고, 이를 바탕으로 시장 점유율을 높일 수도 있겠지.
시장 점유율
노직은 이러한 과정을 거치며 보호 서비스를 독점하는 '지배적 보호 협회'가 생겨날 것이라고 주장했어.
지배적 보호 협회
그리고 이 지배적 보호 협회가 점차 정교해지면서 그 규모와 지배력이 커지면 '최소 국가'로 발전하게 된다고 했지.
최소 국가
지배적 보호 협회
노직은 무정부 상태인 '아나키'에서 출발해 최소 국가에 이르는 과정을 시장의 원리로 설명할 수 있다고 주장했어.
시장의 원리로 가능해.
최소 국가
과정
아나키
그러면서 아나키에서 최소 국가가 만들어지는 과정은 전체 사회가 최적의 선택을 이끌어 낸 결과라고 생각했지.
최소 국가
아나키
최적의 선택

노직은 최소 국가가 하는 일을 넘어 부의 재분배까지 담당하는 확장 국가는 개인의 권리를 침해하므로 인정할 수 없다고 했어.
국가
개인의 권리 침해
그래서 노직은 정의의 원칙으로 분배의 정의를 강조하는 롤스의 정의론을 탐탁지 않게 여겼지.
분배 정의
노직은 소유물에 관한 정의를 다음의 세 경우로 나누어 정리했어.
첫째, 누구에게도 소유되지 않은 물건의 소유에 관한 획득의 정의
독도에 왜 왔나?
임자 있는 땅이었어?
둘째, 어떤 사람으로부터 다른 사람에게로 소유물이 이전하는 것에 관한 정의
유서를 보세요. 아버지께서 전 재산을 장남인 제게 상속한다고 하셨어요!
이럴 수가….
셋째, 앞선 두 경우에서 부정이 발생했을 때 그것을 바로잡는 교정의 정의
이 유서는 피고가 거짓 위조한 유서로… 피고를 2년의 징역에 처한다.
노직은 이 세 가지 정의 중에서 첫 번째와 두 번째 정의를 필수 조건으로 보았어.
밀가루
첫 번째는 초기 소유물과 관련된 정의로, 돈을 벌 때 사용한 자원이 애초에 합법적인 소유물이었는지 묻고 있어.
당연히 합법적이죠.
두 번째는 소유물의 이전에 관한 정의야. 이는 시장에서 자유로운 교환을 통해 혹은 다른 사람이 자발적으로 건넨 선물로 돈을 벌었는가를 묻고 있지.
염소 다섯 마리랑 바꿨어요.

노직의 논리로 보면 분배적 정의를 주장하는 롤스의 주장은 개인의 소유권에 대한 명백한 침해이며, 개인의 권리를 침해하는 불의라고 볼 수 있어.
분배적 정의
개인의 소유 권리
쌩
노직은 롤스가 주장한 재분배를 위한 국가의 개입이 개개인의 권리를 침해한다고 했어.
국가의 개입
탁탁
개개인의 권리
그리고 이상적인 사회란 개인이 자신의 책임과 판단력에 의해 자유롭게 살아가며 인격체로서 존중받는 사회라고 주장했지.
자
유
책임
판단
하이에크, 아인 랜드, 프리드먼 그리고 노직에 이르기까지 자유지상주의자들은 현대의 국가들이 행하는 거의 모든 것들이 위법이며 자유를 침해한다고 생각했어.
모든 것들이 자유를 침해하고 있습니다!
이들은 최소 국가를 주장해.
최소 국가
그리고 개인의 사유 재산을 아주 중요하게 여기지.
귀여운 녀석들~.
소득과 부의 재분배에 대해서는 완강하게 반대해.
고마….
자, 줄게.
자유지상주의자
안 돼!
오늘날의 복지 국가들 대부분은 세금을 통해 소득이나 부를 재분배해. 자유지상주의자들은 이러한 국가의 행위가 심각하게 자유를 침해한다고 주장해.
콰콰콰
소득의 재분배
쾅
자유지상주의자
쾅
이것은 자유를 침해하는 행위야!

물론 자유지상주의자들도 부자들이 가난한 사람들을 돕기 위해 재산을 기부하는 것과 같은 자발적인 행위까지 비난하지는 않아.
그건 알아서….
자유지상주의자
기부
왜냐하면 그건 그 사람들의 자유이기 때문이야.
내 돈 어디다 쓰건 내 맘이지.
그러나 국가가 부자들에게 더 많은 세금을 걷는다거나, 가난한 사람들에게 더 많은 복지 혜택이나 교육의 기회를 제공하는 것은 강압적인 행위이라고 생각했어.
부자 증세 · 서민 복지 혜택
국가
심지어는 개인의 재산을 국가가 강탈하는 절도 행위로 보기도 했지.
국가
재산
우리는 가끔 미디어를 통해 나이가 어린 연예인이나 스포츠 스타가 비싼 외제차를 타고 다닌다거나 빌딩을 샀다는 이야기를 듣곤 해.
저 빌딩이 제 거예요.
물론 가장 큰 재산은 제 얼굴이죠.
그럴 때마다 우리는 불공평함을 느끼며 사회가 공정하지 않다는 생각을 하지.
← 고지서
어휴!
증세
퍽
자유지상주의자들은 연예인이나 스포츠 스타가 벌어들이는 돈은 그 사람들의 이미지를 소비하는 대중들이 자발적으로 거래해 발생한 소득이므로 전혀 문제가 될 것이 없다고 생각해.
이 에어컨만 켜면 집 안에서도 얼음판 위에 서 있는 느낌이에요.
엄마, 우리도 저 에어컨 사자. 응?
여기 어마어마한 액수의 연봉을 받는 스포츠 스타가 있어.
Dodgers
국가는 그에게 많은 세금을 물려 그 돈으로 빈민을 위한 복지 제도를 시행했어.
세금이 너무 많아.
LA
세금
복지 제도
이 경우 자유지상주의자들은 이 조치가 사회 정의의 실현이 아닌 국가에 의한 강제 노동과 다를 바 없다고 생각할 거야.
강제 노동

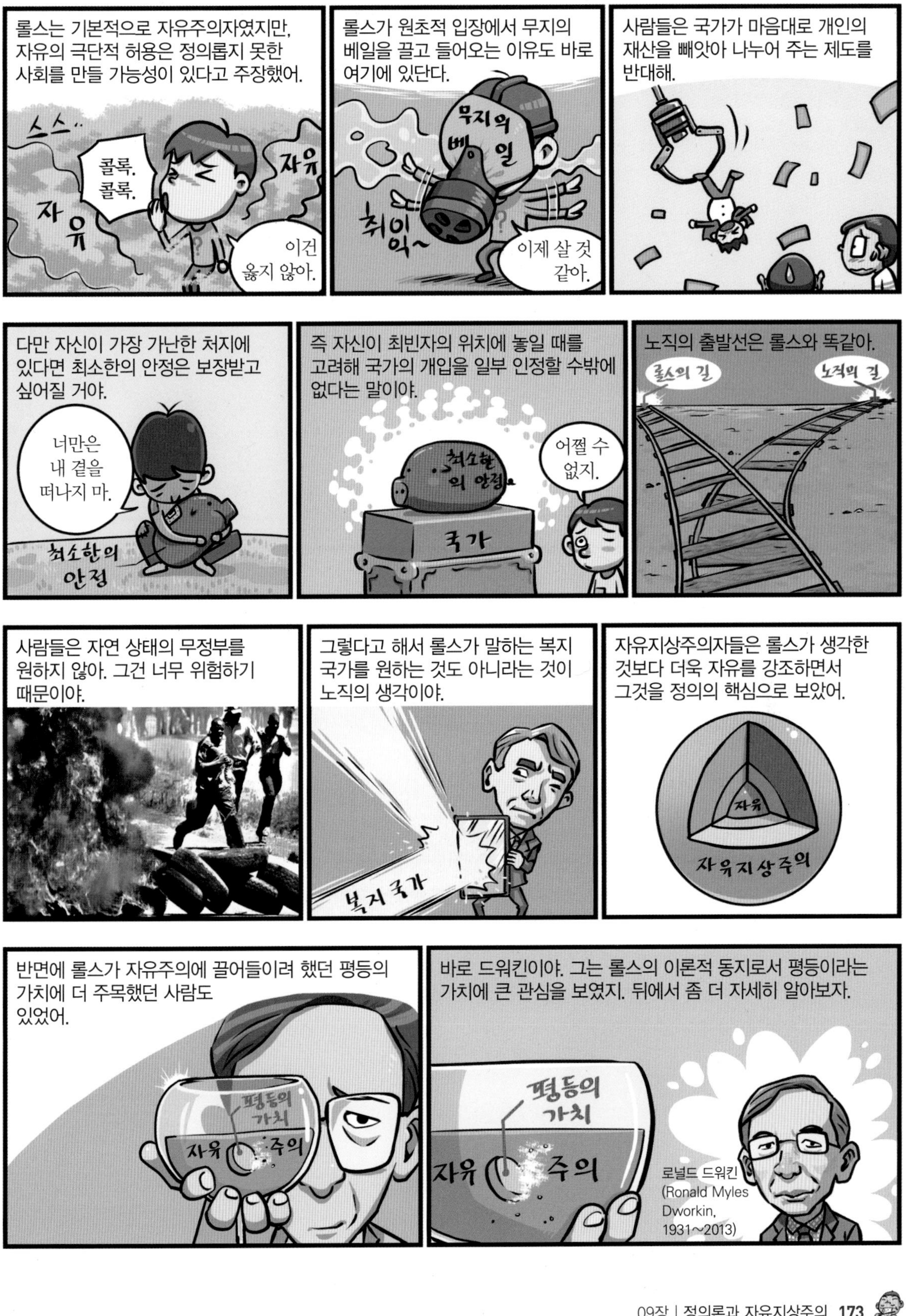
롤스는 기본적으로 자유주의자였지만, 자유의 극단적 허용은 정의롭지 못한 사회를 만들 가능성이 있다고 주장했어.
스스..
자유
자유
콜록. 콜록.
이건 옳지 않아.
롤스가 원초적 입장에서 무지의 베일을 끌고 들어오는 이유도 바로 여기에 있단다.
무지의 베일
취익~
이제 살 것 같아.
사람들은 국가가 마음대로 개인의 재산을 빼앗아 나누어 주는 제도를 반대해.
다만 자신이 가장 가난한 처지에 있다면 최소한의 안정은 보장받고 싶어질 거야.
너만은 내 곁을 떠나지 마.
최소한의 안정
즉 자신이 최빈자의 위치에 놓일 때를 고려해 국가의 개입을 일부 인정할 수밖에 없다는 말이야.
최소한의 안정
국가
어쩔 수 없지.
노직의 출발선은 롤스와 똑같아.
롤스의 길
노직의 길
사람들은 자연 상태의 무정부를 원하지 않아. 그건 너무 위험하기 때문이야.
그렇다고 해서 롤스가 말하는 복지 국가를 원하는 것도 아니라는 것이 노직의 생각이야.
복지 국가
자유지상주의자들은 롤스가 생각한 것보다 더욱 자유를 강조하면서 그것을 정의의 핵심으로 보았어.
자유
자유지상주의
반면에 롤스가 자유주의에 끌어들이려 했던 평등의 가치에 더 주목했던 사람도 있었어.
평등의 가치
자유주의
바로 드워킨이야. 그는 롤스의 이론적 동지로서 평등이라는 가치에 큰 관심을 보였지. 뒤에서 좀 더 자세히 알아보자.
평등의 가치
자유주의
로널드 드워킨 (Ronald Myles Dworkin, 1931~2013)

10장

정의론이 끼친 영향들

– 정의론의 계승자들

정의론

롤스의 정의론은 윤리학과 정치학, 경제학, 법학에 이르기까지 광범위한 분야에 큰 영향을 주었어.
슈우우~
...
윤리학
정치학
경제학
법학
정의론

그리고 그 영향력은 지금까지도 대단하단다.
정의론
크오오오오

1950년대 무렵부터 일부 경제학자들 사이에서 '사회 선택 이론'이 연구되기 시작했어.
사회 선택 이론

사회 선택 이론은 사회의 바람직한 모습을 사람들에게 보여 주고, 사람들의 선호도를 공평하게 집계한 후에
사회 선택 이론

그 결과를 토대로 사회 전체에 가장 잘 맞는 정책을 만들어 내는 이론이야.
사회 전체에 가장 잘 맞는 정책

사회 선택 이론의 장점은 '최대 다수의 최대 행복'이라는 공리주의의 목표를 민주주의적 의사 결정 과정에 반영할 수 있다는 거야.
민주주의적 의사결정 과정
공리주의적 목표
사람들의 선호도를 공평하게 집계함으로써 민주주의적 의사 결정의 조건을 충족시킬 수 있는 것이지.
사람들의 선호도 집계
민주주의적 의사결정 충족
꿀렁
자료를 토대로 사회 전체에 가장 이익이 되는 정책을 도출한다면 공리주의적 원칙도 충족시킬 수 있을 거야.
사람들의 선호도 집계
민주주의적 의사결정 충족
공리주의적 원칙 충족

사회 선택 이론은 특별히 후생 경제학 분야에서 많이 연구되었어.
후생 경제학
사회 선택 이론
후생 경제학은 경제 활동을 통해 어떻게 사회적 *후생을 증진할 수 있는가를 분석하고 연구하는 학문이야.
후생 경제학자들은 가능한 한 사회 구성원들을 행복하게 만드는 것이 국가의 과제라고 주장해.
행복

* 후생: 사람들의 생활을 넉넉하고 윤택하게 하는 일.

후생 경제학의 일인자로 꼽히는 이는 스탠퍼드 대학의 교수였던 케네스 애로라는 경제학자야.
반가워요.
케네스 애로 (Kenneth Joseph Arrow, 1921~)
애로는 롤스를 높게 평가하면서 롤스가 차등의 원칙으로 제시한 '최소 극대화 전략'을 공리주의적으로 잘 설명할 수 있다고 했어.
공리주의식 최소 극대화 전략
애로는 최소 극대화 전략은 불확실한 상황에서의 위험을 회피하기 때문에 이익을 계산해 행동하는 공리주의와 다를 바가 없다고 보았어.
쿵
불확실한 상황에서의 위험
끼기-
최소 극대화 전략

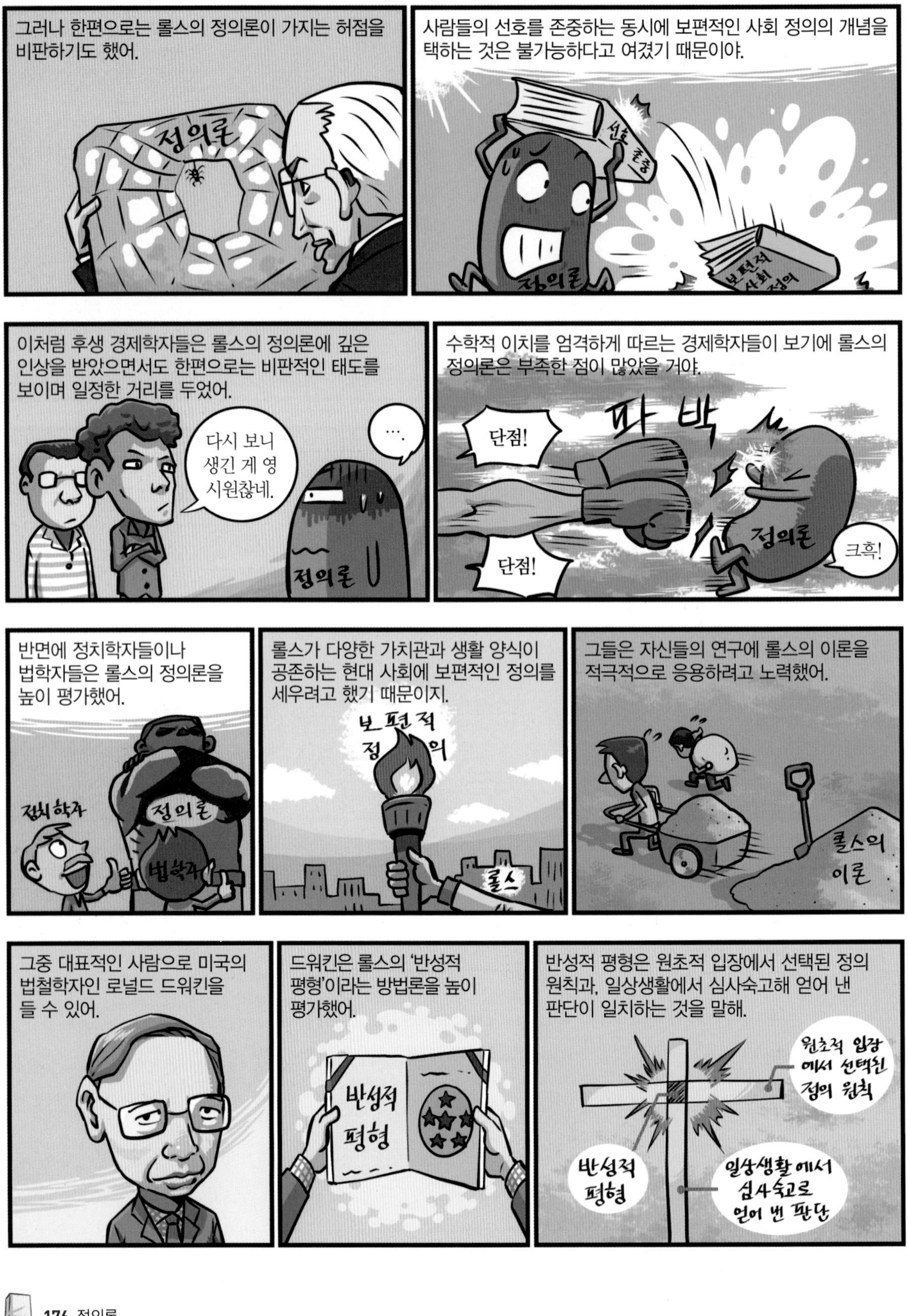
그러나 한편으로는 롤스의 정의론이 가지는 허점을 비판하기도 했어.
정의론
사람들의 선호를 존중하는 동시에 보편적인 사회 정의의 개념을 택하는 것은 불가능하다고 여겼기 때문이야.
선호 존중
정의론
보편적 사회 정의
이처럼 후생 경제학자들은 롤스의 정의론에 깊은 인상을 받았으면서도 한편으로는 비판적인 태도를 보이며 일정한 거리를 두었어.
다시 보니 생긴 게 영 시원찮네.
….
정의론
수학적 이치를 엄격하게 따르는 경제학자들이 보기에 롤스의 정의론은 부족한 점이 많았을 거야.
파 박
단점!
단점!
정의론
크흑!
반면에 정치학자들이나 법학자들은 롤스의 정의론을 높이 평가했어.
정치학자
정의론
법학자
롤스가 다양한 가치관과 생활 양식이 공존하는 현대 사회에 보편적인 정의를 세우려고 했기 때문이지.
보편적 정의
롤스
그들은 자신들의 연구에 롤스의 이론을 적극적으로 응용하려고 노력했어.
롤스의 이론
그중 대표적인 사람으로 미국의 법철학자인 로널드 드워킨을 들 수 있어.
드워킨은 롤스의 '반성적 평형'이라는 방법론을 높이 평가했어.
반성적 평형
반성적 평형은 원초적 입장에서 선택된 정의 원칙과, 일상생활에서 심사숙고해 얻어 낸 판단이 일치하는 것을 말해.
원초적 입장에서 선택된 정의 원칙
반성적 평형
일상생활에서 심사숙고로 얻어 낸 판단

교실 청소를 안 하고 계속해서 도망가는 한 아이를 예로 들어 보자. 반 아이들은 그 아이가 자신의 역할을 제대로 수행하지 않아 교실이 지저분해진다고 생각할 거야.
또 열심히 청소하는 아이들은 그 아이에게 불만을 가지게 되겠지?
이러한 문제를 해결하려면 교실의 정의를 바로 세워야 해.
교실의 정의
이처럼 정의의 원칙들은 사람들의 다양한 일상적 경험과 그 경험으로부터 얻게 되는 신념을 바탕으로 세울 수 있어.
정의의 원칙
신념
일상적 경험
사람들은 일상생활에서 얻게 되는 다양한 윤리적 신념의 배후에 존재하는 공통의 정의 개념을 뽑아 내 하나의 이론으로 정리해.
돌돌…
이론
윤리적 신념
공통의 정의 개념들
이러한 점에서 볼 때 롤스가 말한 원초적 입장은 사람들의 신념을 도덕적으로 정당화하는 절차라고 말할 수 있어.
원초적 입장
난 노력해서 우리나라 최고의 회사에 들어갈 거야.
나의 신념은 도덕적으로도 옳아!
그러나 사람들의 신념을 다시 구체적인 상황에 적용시켜 검토하면 잘 맞지 않는 경우가 생길 수 있기 때문에 계속해서 원칙을 수정하고 보완해 나가는 작업이 필요해.
신념
신념
신념
신념
이상한데? 잘 안 맞아.
이와 같은 수정의 과정을 계속해서 반복하는 것이 반성적 평형인 것이지.
반성적 평형

이를 아까의 상황에 다시 적용해 보자. 아이들은 청소를 하지 않고 도망치는 사람이 계속 생기지 않도록 회의를 통해 해당 아이를 제재하는 규칙을 만들 거야.
청소하다 도망치면 빵 열 개씩 사오기로 하자.
찬성
찬성
아이들은 자신들이 만든 규칙을 다른 경우에 적용해 보기도 하면서 문제점이 생기는 경우, 좀 더 발전된 규칙을 만들 거야.
떠들다가 걸린 애들도 빵 다섯 개씩 사오기.
만약 이를 어기면 선생님께 말씀 드리자!
그래!
좋아!
체계화된 규칙이 확정되더라도 어떤 예외적인 사례가 발생할 수 있어.
예외
콰 콰 콰
예를 들어 어떤 구역은 청소하기가 힘들지만 또 어떤 구역은 상대적으로 편할 거야.
여길 나 혼자 청소하라고?
이 경우 청소하기 어려운 구역을 배정받은 아이는 불만이 쌓여 청소를 하지 않고 또다시 도망갈지도 몰라.
슉-
팡!
나 안 해….
이때 청소를 하지 않은 것은 잘못이지만 청소 구역을 배분하는 데 공평하지 못한 측면이 있었기 때문에 엄격하게 제재를 하기는 어려워.
냄새
으악! 나 같아도 못하겠다.
롤스는 이와 같은 예외적인 사례가 발생하면 또다시 반성적 평형화의 과정을 거쳐야 한다고 했어.
다시 하면 되지.
탁
탁
탁
예외적 사례

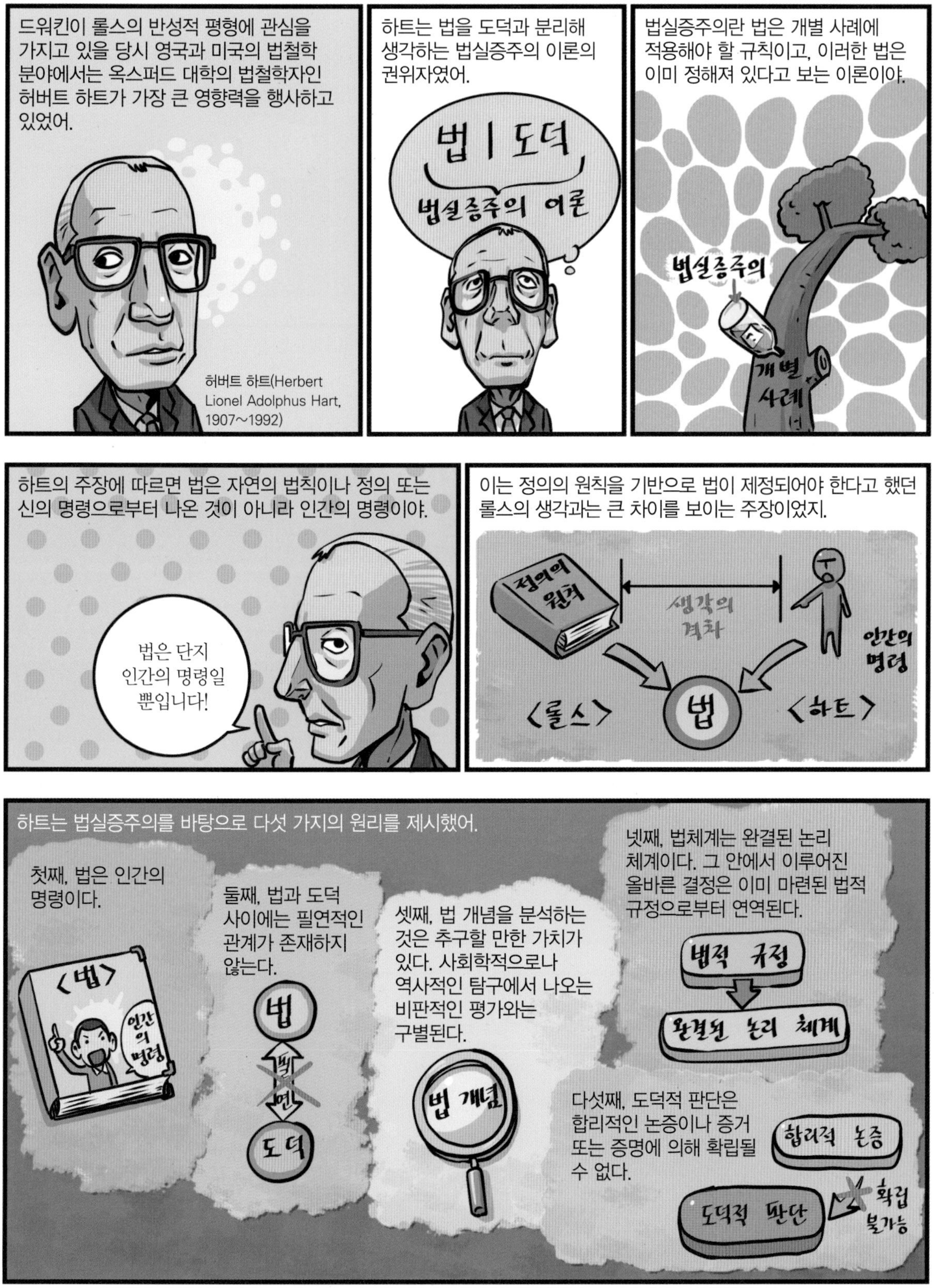

드워킨이 롤스의 반성적 평형에 관심을 가지고 있을 당시 영국과 미국의 법철학 분야에서는 옥스퍼드 대학의 법철학자인 허버트 하트가 가장 큰 영향력을 행사하고 있었어.
허버트 하트(Herbert Lionel Adolphus Hart, 1907~1992)
하트는 법을 도덕과 분리해 생각하는 법실증주의 이론의 권위자였어.
법 | 도덕
법실증주의 이론
법실증주의란 법은 개별 사례에 적용해야 할 규칙이고, 이러한 법은 이미 정해져 있다고 보는 이론이야.
법실증주의
개별 사례
하트의 주장에 따르면 법은 자연의 법칙이나 정의 또는 신의 명령으로부터 나온 것이 아니라 인간의 명령이야.
법은 단지 인간의 명령일 뿐입니다!
이는 정의의 원칙을 기반으로 법이 제정되어야 한다고 했던 롤스의 생각과는 큰 차이를 보이는 주장이었지.
정의의 원칙
생각의 격차
인간의 명령
<롤스>
법
<하트>
하트는 법실증주의를 바탕으로 다섯 가지의 원리를 제시했어.
첫째, 법은 인간의 명령이다.
<법>
인간의 명령
둘째, 법과 도덕 사이에는 필연적인 관계가 존재하지 않는다.
법
필연
도덕
셋째, 법 개념을 분석하는 것은 추구할 만한 가치가 있다. 사회학적으로나 역사적인 탐구에서 나오는 비판적인 평가와는 구별된다.
법 개념
넷째, 법체계는 완결된 논리 체계이다. 그 안에서 이루어진 올바른 결정은 이미 마련된 법적 규정으로부터 연역된다.
법적 규정
완결된 논리 체계
다섯째, 도덕적 판단은 합리적인 논증이나 증거 또는 증명에 의해 확립될 수 없다.
합리적 논증
도덕적 판단
확립 불가능

하트가 제시한 다섯 가지의 원리를 보면 하트가 법을 하나의 독립되고 닫힌 체계로 규정하려 한 것을 알 수 있어.
독립
법
법은 도덕과 분리되어 있고, 법 개념은 그 자체로 분석되어야 한다고 생각했지.
분석
도덕
법
하트는 법을 사회 과학적인 입장으로 분석하거나 역사적인 흐름 속에서 파악해서는 안 된다고 생각했어.
쾍!
사회 과학적 입장
역사적 흐름 속에서 파악
ㅋㅋ
법
특히 도덕으로부터 법의 독립성을 지키려 했지.
법
도덕
도덕적 판단은 합리적으로나 논리적으로 분석될 수 없고, 주관적인 신념에 의하거나 관습적으로 형성되어 온 것이라고 믿었기 때문이야.
할머니 여기 앉으세요.
고마우이~.
하트는 법률을 해석하는 것은 순수하게 논리적인 작업이므로 정치적 혹은 도덕적 잣대가 개입될 수 없다고 주장했어.
정치적 잣대
논리적 작업
법률의 해석
도덕적 잣대
직업적으로 훈련된 법률가가 가능한 모든 사건에 대한 판단 규칙을 도출할 수 있다고 보았지.
법
판단 규칙
하트의 이러한 주장에 대해 드워킨은 편협하고 독단적인 생각이라고 비판했어.
편협!
독단적!
그러면서 법은 결국 도덕에 기댈 수밖에 없다고 주장했지.
포옥~
도덕
법
법은 게임의 규칙과는 다르므로 우리의 삶에서 발생하는 다양한 상황들을 기계적으로 적용할 수 없어.
법
기계적 적용

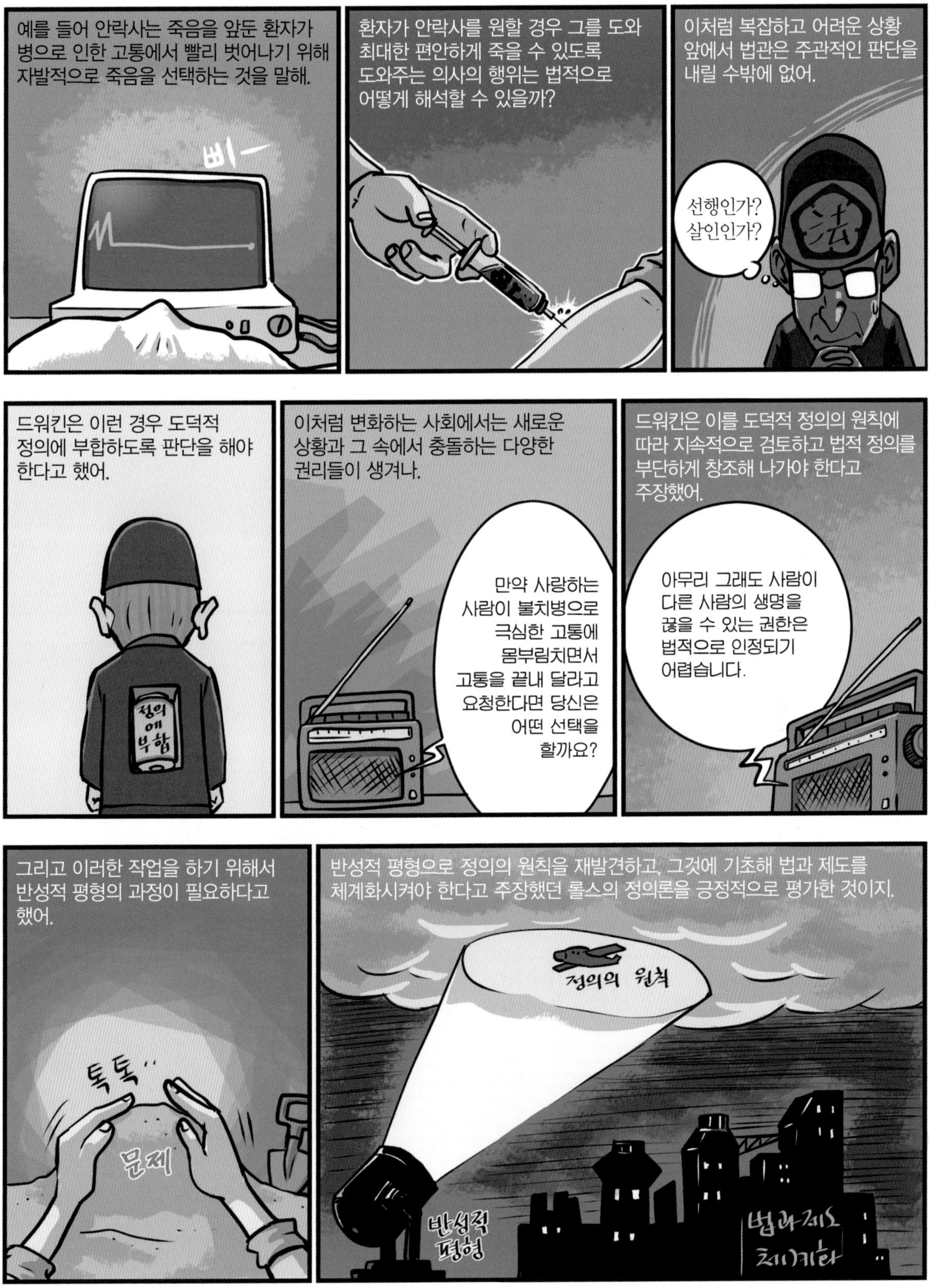
예를 들어 안락사는 죽음을 앞둔 환자가 병으로 인한 고통에서 빨리 벗어나기 위해 자발적으로 죽음을 선택하는 것을 말해.
삐―
환자가 안락사를 원할 경우 그를 도와 최대한 편안하게 죽을 수 있도록 도와주는 의사의 행위는 법적으로 어떻게 해석할 수 있을까?
이처럼 복잡하고 어려운 상황 앞에서 법관은 주관적인 판단을 내릴 수밖에 없어.
선행인가? 살인인가?
法
드워킨은 이런 경우 도덕적 정의에 부합하도록 판단을 해야 한다고 했어.
정의에 부합
이처럼 변화하는 사회에서는 새로운 상황과 그 속에서 충돌하는 다양한 권리들이 생겨나.
만약 사랑하는 사람이 불치병으로 극심한 고통에 몸부림치면서 고통을 끝내 달라고 요청한다면 당신은 어떤 선택을 할까요?
드워킨은 이를 도덕적 정의의 원칙에 따라 지속적으로 검토하고 법적 정의를 부단하게 창조해 나가야 한다고 주장했어.
아무리 그래도 사람이 다른 사람의 생명을 끊을 수 있는 권한은 법적으로 인정되기 어렵습니다.
그리고 이러한 작업을 하기 위해서 반성적 평형의 과정이 필요하다고 했어.
톡톡..
문제
반성적 평형으로 정의의 원칙을 재발견하고, 그것에 기초해 법과 제도를 체계화시켜야 한다고 주장했던 롤스의 정의론을 긍정적으로 평가한 것이지.
정의의 원칙
반성적 평형
법과제도 체계화

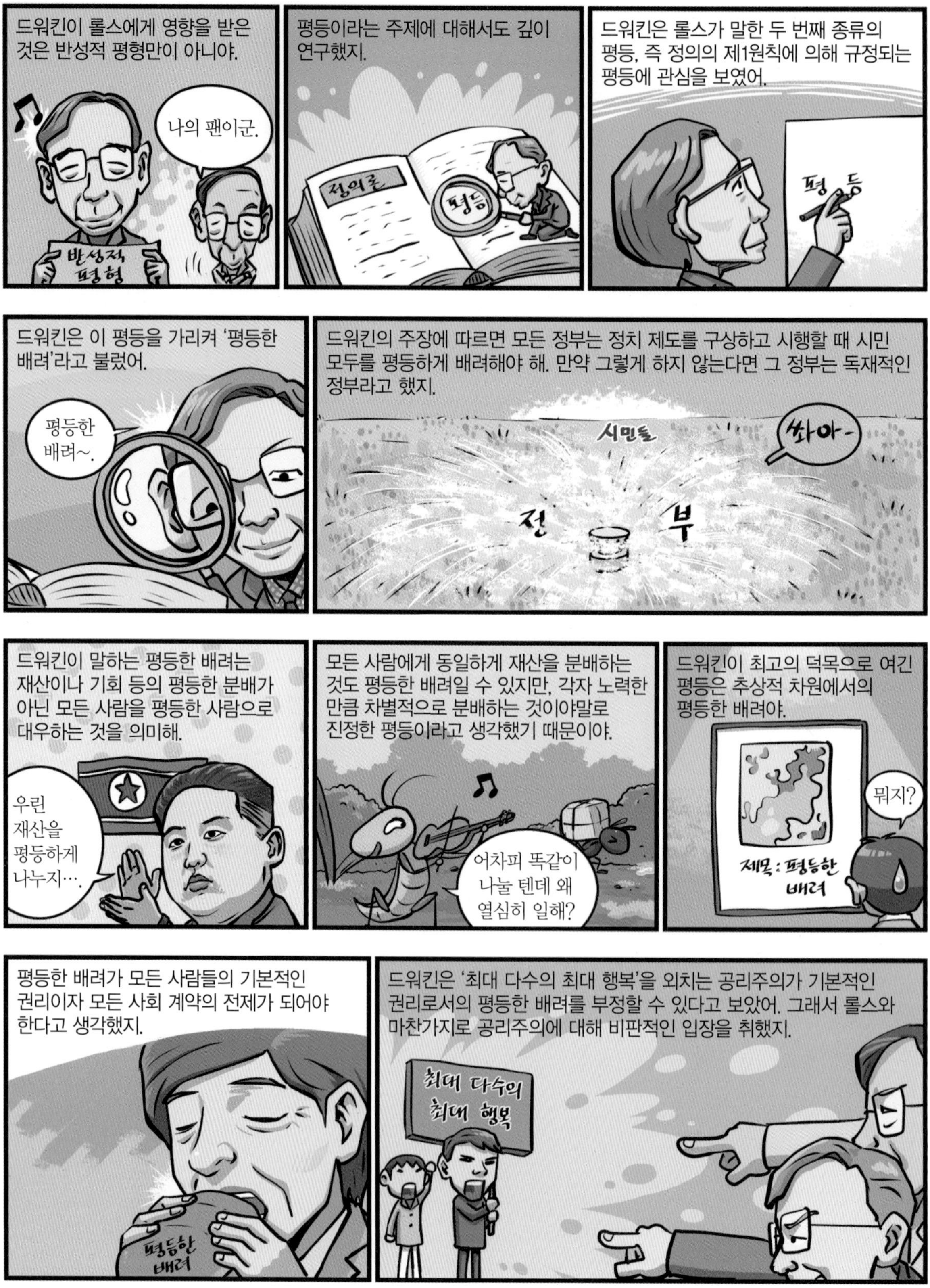
드워킨이 롤스에게 영향을 받은 것은 반성적 평형만이 아니야.
나의 팬이군.
반성적 평형
평등이라는 주제에 대해서도 깊이 연구했지.
정의론
평등
드워킨은 롤스가 말한 두 번째 종류의 평등, 즉 정의의 제1원칙에 의해 규정되는 평등에 관심을 보였어.
평등
드워킨은 이 평등을 가리켜 '평등한 배려'라고 불렀어.
평등한 배려~.
드워킨의 주장에 따르면 모든 정부는 정치 제도를 구상하고 시행할 때 시민 모두를 평등하게 배려해야 해. 만약 그렇게 하지 않는다면 그 정부는 독재적인 정부라고 했지.
시민들
좌아-
정
부
드워킨이 말하는 평등한 배려는 재산이나 기회 등의 평등한 분배가 아닌 모든 사람을 평등한 사람으로 대우하는 것을 의미해.
우린 재산을 평등하게 나누지….
모든 사람에게 동일하게 재산을 분배하는 것도 평등한 배려일 수 있지만, 각자 노력한 만큼 차별적으로 분배하는 것이야말로 진정한 평등이라고 생각했기 때문이야.
어차피 똑같이 나눌 텐데 왜 열심히 일해?
드워킨이 최고의 덕목으로 여긴 평등은 추상적 차원에서의 평등한 배려야.
뭐지?
제목 : 평등한 배려
평등한 배려가 모든 사람들의 기본적인 권리이자 모든 사회 계약의 전제가 되어야 한다고 생각했지.
평등한 배려
드워킨은 '최대 다수의 최대 행복'을 외치는 공리주의가 기본적인 권리로서의 평등한 배려를 부정할 수 있다고 보았어. 그래서 롤스와 마찬가지로 공리주의에 대해 비판적인 입장을 취했지.
최대 다수의 최대 행복

국가가 시민을 평등하게 배려하는 데 있어 가장 중요한 것은 정치적 권력이나 재산을 평등하게 분배하는 일이야.
정치적 권력
재산
고대부터 현대까지 정치 철학에서 다뤄 온 정의론의 핵심은 바로 분배의 문제라고 할 수 있어.
다다다..
고대 그리스 철학이 주로 정치권력의 평등에 관한 문제를 다뤘다면 현대의 정치 철학은 재산의 평등에 관한 문제에 집중했어.
정치권력이 평등해야….
재산이 평등해야….
고대 그리스 철학
현대의 정치 철학
고대의 대표적인 정치학자인 플라톤이나 아리스토텔레스는 추첨을 통해 관직을 선출함으로써 정치권력의 평등을 이룰 수 있다고 보았어.
총리
관직 추첨
와-
짝 짝
선거는 후보자의 재산이나 능력 혹은 출신 배경 등이 결과에 영향을 주지만
1번 후보는 부자 출신이라 가난한 서민의 아픔을 헤아리기 힘들 거야.
추첨은 그러한 배경들이 아무런 영향을 끼칠 수 없을 것이라고 생각했기 때문이야.
그러나 현대의 민주주의는 선거 제도를 채택하고 있어.
선거 투표
현대 사회는 고대와 비교할 수 없을 정도로 그 규모가 커지고 사회적 관계가 복잡해졌기 때문이지.
현대의 정치 철학자들도 선거에서 재산이나 출신 성분과 같은 배경적 요소들이 미치는 영향력에 대해 간과한 것은 아니야. 후보자의 배경적 요소들이 선거에 영향력을 발휘하지 못하도록 여러 가지 방법들을 생각해 냈거든.
쾅
쾅
재산
출신 성분
선거 제도

현대의 정치 철학은 재산의 평등에 대한 입장에 따라 좌파와 우파로 나뉘어.
좌파
재산의 평등
우파
현대의 정치 철학
우파는 재산의 사적 소유권을 중요하게 생각하기 때문에 재산의 평등에 대해 부정적인 입장을 가지고 있어.
우파
자신이 번 만큼 가져가는 것이 진정한 재산의 평등이지.
반면에 좌파는 국가의 통제 아래 재산을 평등하게 나누어야 한다는 입장을 가지고 있지.
좌파
무슨 소리! 똑같이 나누는 것이야말로 진정한 재산의 평등!
롤스나 드워킨은 개인의 자유를 최우선의 가치로 여기는 자유주의적 철학 안에서 평등이라는 가치를 실현하고자 했어.
개인의 자유
자유주의적 철학
평등
그러므로 그들 역시 선택에 의한 재산의 차이는 인정했지.
부
가난
열심히 일하기로 선택한 사람과 놀면서 살기로 선택한 사람의 재산이 차이 나는 것은 당연한 일이라고 여겼어.
$
그러나 재능이나 운의 차이로 인해 발생하는 불평등은 어떻게 되는 것일까?
로또 100억 당첨!
열심히 일하기로 선택한 사람들 중에서도 어떤 사람은 경제적으로 부유한 부모와 뛰어난 재능을 바탕으로 다른 사람보다 더 많은 재산을 소유할 수 있잖아?
넌 공부 안 해? 대학 가야지?
넌 집에 돈도 많고 똑똑한데 왜 그렇게 열심히 사냐?
이에 대해서는 롤스와 드워킨은 생각이 달라.
롤스는 재능이나 운에 의한 불평등을 어느 정도 받아들여야 한다는 입장이지만 드워킨은 그러한 차이를 부당한 것으로 보았거든.
들어와.
나가!
운
재능
드워킨이 롤스에 비해 평등주의적 입장이 강했다고 할 수 있지.
평
등

드워킨은 각 개인이 자신의 인생 계획에 따라 행복을 추구하는 데 필요한 자원을 평등하게 분배하는 방법을 연구했어.
행복 자원
드워킨은 롤스가 말한 차등의 원칙은 불리한 입장에 있는 사람들에게 초점을 맞춘 것으로, 모든 사람이 보장받아야 할 평등에 대한 권리를 충분하게 고려하지 않았다고 생각했어.
차등의 원칙
그래서 자유주의와 평등의 양립을 인정한 롤스의 문제의식을 수용하는 한편 평등이라는 가치에 더욱 매달리며 롤스의 이론이 지닌 부족한 점을 해결하고자 노력했어.
2퍼센트가 부족해.
정의론
탁 탁
그러나 중요한 부분에 대해서는 롤스와 드워킨은 생각이 같아.
A
A∩B
B
사회 계약적 합의에 기초해 정의의 원칙을 도출하려 했다는 점과 그렇게 도출된 정의의 원칙들이 각자가 가진 평등에 대한 기본적 권리를 충족시켜야 한다는 점에서는 생각이 같았지.
정의의 원칙
각자가 가진 평등에 대한 기본적 권리
이러한 점에서 드워킨은 무지의 베일과 반성적 평형이라는 방법론과 평등의 가치를 자유주의적 정치 철학에 도입하려 한 롤스의 의도를 훌륭하게 계승한 후계자로 볼 수 있단다.
어떻습니까, 스승님?
무지의 베일
평등
반성적 평형
자유주의적 정치 철학
훌륭해요.

11장 자유와 평등의 공존

오늘날 우리가 누리는 시민 중심의 정치와 사회 제도는 시민 혁명을 시발점으로 지금까지 이어지고 있어.

시민 혁명의 정신에서 가장 중요한 것은 자유와 평등이야.
여자애가 빠르기도 하다.
어머, 그건 여성 폄하 발언이야.

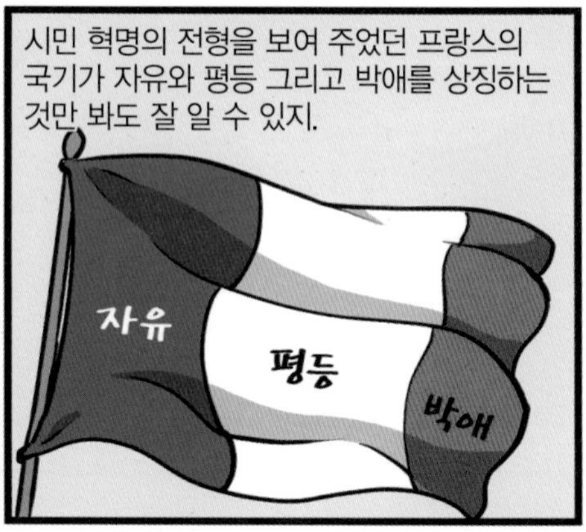
시민 혁명의 전형을 보여 주었던 프랑스의 국기가 자유와 평등 그리고 박애를 상징하는 것만 봐도 잘 알 수 있지.
자유
평등
박애

프랑스의 국기는 자유와 평등이라는 인류의 이상을 실현하려면 시민들이 연대해야 함을 상징해.

자유와 평등은 다른 어떤 것과도 바꿀 수 없고 포기해서도 안 되는 소중한 가치야.

실제로 현대 사회의 정의는 자유롭고 평등한 사회를 어떻게 이룩하느냐에 달려 있어.
자유롭고 평등한 사회

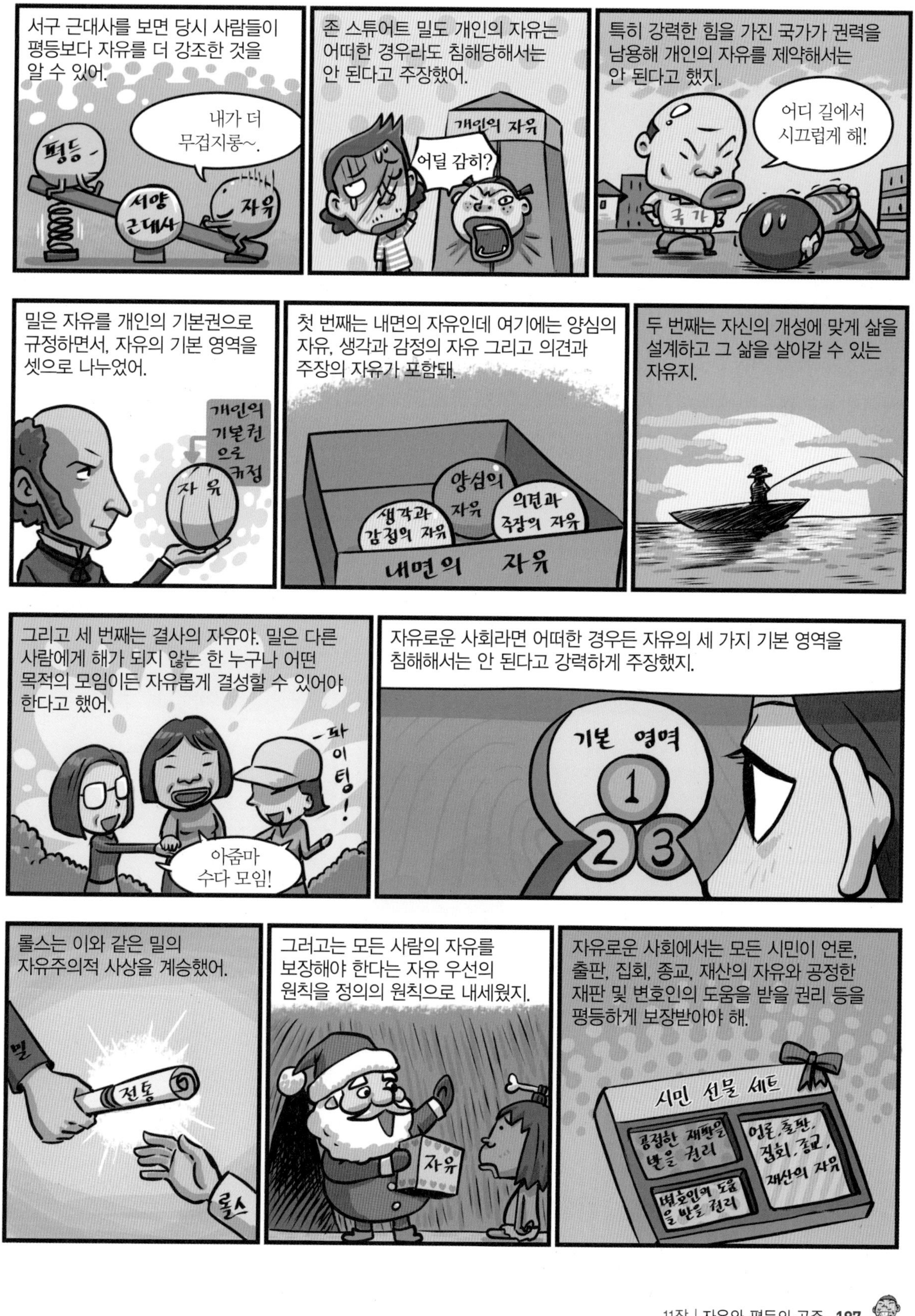
서구 근대사를 보면 당시 사람들이 평등보다 자유를 더 강조한 것을 알 수 있어.
내가 더 무겁지롱~.
평등
서양 근대사
자유
존 스튜어트 밀도 개인의 자유는 어떠한 경우라도 침해당해서는 안 된다고 주장했어.
개인의 자유
어딜 감히?
특히 강력한 힘을 가진 국가가 권력을 남용해 개인의 자유를 제약해서는 안 된다고 했지.
어디 길에서 시끄럽게 해!
국가
밀은 자유를 개인의 기본권으로 규정하면서, 자유의 기본 영역을 셋으로 나누었어.
개인의 기본권으로 규정
자유
첫 번째는 내면의 자유인데 여기에는 양심의 자유, 생각과 감정의 자유 그리고 의견과 주장의 자유가 포함돼.
양심의 자유
생각과 감정의 자유
의견과 주장의 자유
내면의 자유
두 번째는 자신의 개성에 맞게 삶을 설계하고 그 삶을 살아갈 수 있는 자유지.
그리고 세 번째는 결사의 자유야. 밀은 다른 사람에게 해가 되지 않는 한 누구나 어떤 목적의 모임이든 자유롭게 결성할 수 있어야 한다고 했어.
-파이팅!
아줌마 수다 모임!
자유로운 사회라면 어떠한 경우든 자유의 세 가지 기본 영역을 침해해서는 안 된다고 강력하게 주장했지.
기본 영역
1
2
3
롤스는 이와 같은 밀의 자유주의적 사상을 계승했어.
밀
전통
롤스
그러고는 모든 사람의 자유를 보장해야 한다는 자유 우선의 원칙을 정의의 원칙으로 내세웠지.
자유
자유로운 사회에서는 모든 시민이 언론, 출판, 집회, 종교, 재산의 자유와 공정한 재판 및 변호인의 도움을 받을 권리 등을 평등하게 보장받아야 해.
시민 선물 세트
공정한 재판을 받을 권리
언론, 출판, 집회, 종교, 재산의 자유
변호인의 도움을 받을 권리

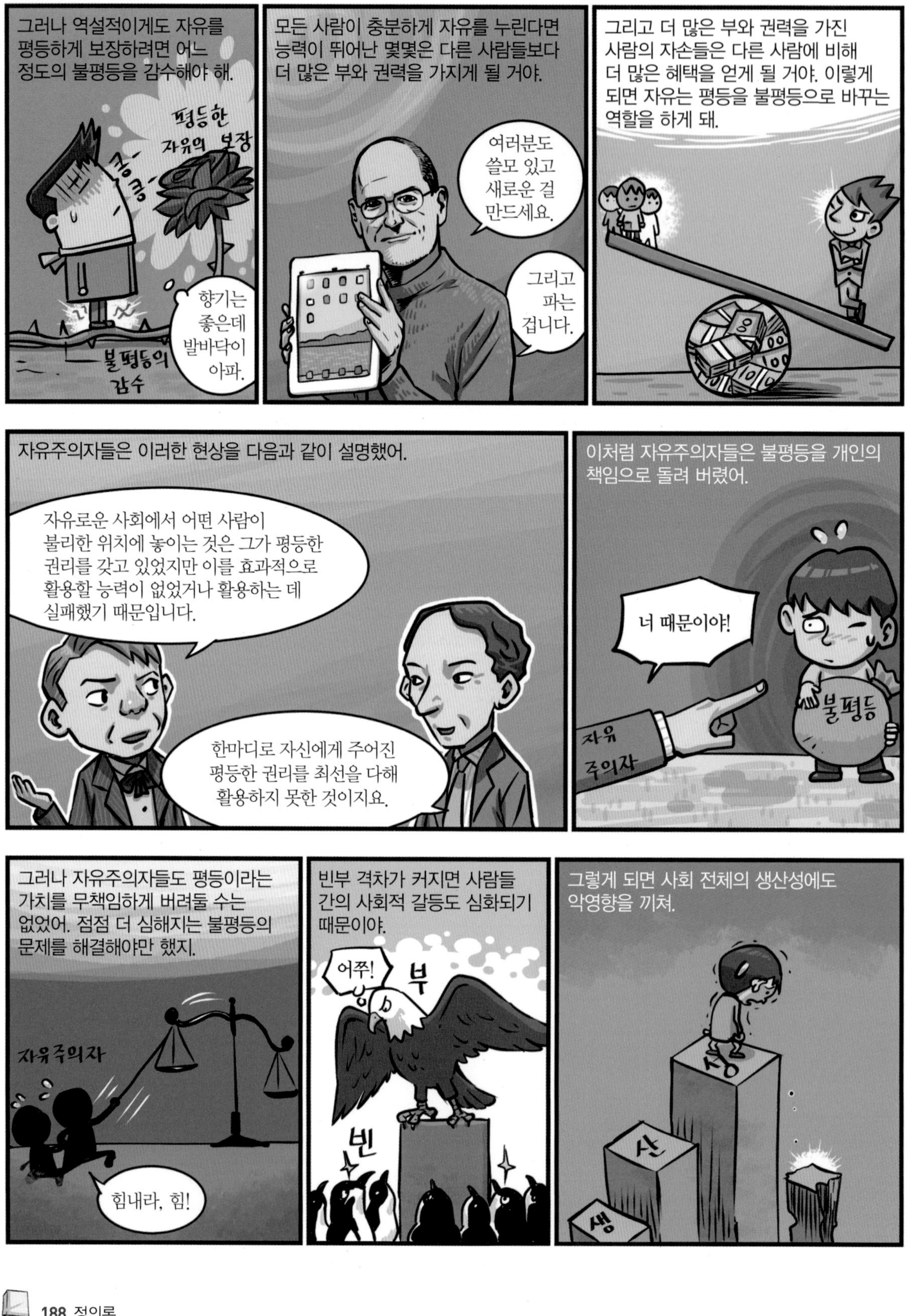
그러나 역설적이게도 자유를 평등하게 보장하려면 어느 정도의 불평등을 감수해야 해.
평등한 자유의 보장
쿵 쿵
향기는 좋은데 발바닥이 아파.
불평등의 감수
모든 사람이 충분하게 자유를 누린다면 능력이 뛰어난 몇몇은 다른 사람들보다 더 많은 부와 권력을 가지게 될 거야.
여러분도 쓸모 있고 새로운 걸 만드세요.
그리고 파는 겁니다.
그리고 더 많은 부와 권력을 가진 사람의 자손들은 다른 사람에 비해 더 많은 혜택을 얻게 될 거야. 이렇게 되면 자유는 평등을 불평등으로 바꾸는 역할을 하게 돼.
자유주의자들은 이러한 현상을 다음과 같이 설명했어.
자유로운 사회에서 어떤 사람이 불리한 위치에 놓이는 것은 그가 평등한 권리를 갖고 있었지만 이를 효과적으로 활용할 능력이 없었거나 활용하는 데 실패했기 때문입니다.
한마디로 자신에게 주어진 평등한 권리를 최선을 다해 활용하지 못한 것이지요.
이처럼 자유주의자들은 불평등을 개인의 책임으로 돌려 버렸어.
너 때문이야!
자유 주의자
불평등
그러나 자유주의자들도 평등이라는 가치를 무책임하게 버려둘 수는 없었어. 점점 더 심해지는 불평등의 문제를 해결해야만 했지.
자유주의자
힘내라, 힘!
빈부 격차가 커지면 사람들 간의 사회적 갈등도 심화되기 때문이야.
어쭈!
부
빈
그렇게 되면 사회 전체의 생산성에도 악영향을 끼쳐.
생
산
성

사람들은 20세기 초에 대공황을 겪으며 수요자들의 경제적 안정이 경제 발전에 매우 중요한 역할을 한다는 것을 깨달았어.
HORAN
노동자들이 임금을 적게 받으면 그만큼 그들의 소비는 위축되기 마련이야. 이는 기업의 입장에서 결코 좋은 일이 아니지.
고객님을 위한 특별 반값 할인 행사!
대공황 이후 자유주의는 국가의 개입을 최소화하고 개인의 자유를 극대화하던 노선에서 일부 후퇴했어.
개인들의 자유
국가 개입
자유주의
대신 국가의 시장 개입을 허용해 공급과 수요를 관리하고 노동자들의 노동 안정성을 보장하는 한편, 각종 복지 정책으로 평등에 대한 요구를 충족시키려 했지.
공급과 수요 관리
노동자들에게 노동안정성 보장
각종 복지 정책 실시
국가
시장
그러자 자유주의는 딜레마에 빠지고 말았어.
뭘 먹지?
꼴깍.
국가가 시장에 개입해 강제로 사회의 부를 재분배하는 것은 진정한 자유주의라고 볼 수 없었기 때문이야.
두부 썰기 성공!
국가
사회의 부 재분배
시장
이것은 자유주의적 정치 이론이 지닌 핵심적인 난점이었어.
핵심적인 점이라고?
사회적·경제적 불평등을 완화시키려면 국가가 개인 간의 경쟁에 직접 개입할 수밖에 없어.
삐-
국가
자유주의 사회에서는 돈 많은 기업인들 못지않게 힘 있는 이들이 바로 기업의 이익을 보장하는 정치가들이야.
회장님, 이번에 출시된 차 멋지더군요.
의원님 차가 꽤 낡아 보이던데요.
저희 신차 한 대 보내 드릴게요.
자유주의 국가에서는 정치가들이 기업의 이익을 보장하는 데 앞장서곤 해.
외제 차 타시는 분들, 전 이해가 안 가요.
전 20년째 ○○차로만 출퇴근합니다.
그래서 마르크스와 같은 사회주의자들은 국가를 자본가들의 이익을 위한 도구일 뿐이라며 비판했지.
자본가들은 국가를 돈버는 데 필요한 도구로만 생각하는 그릇된 족속이야.

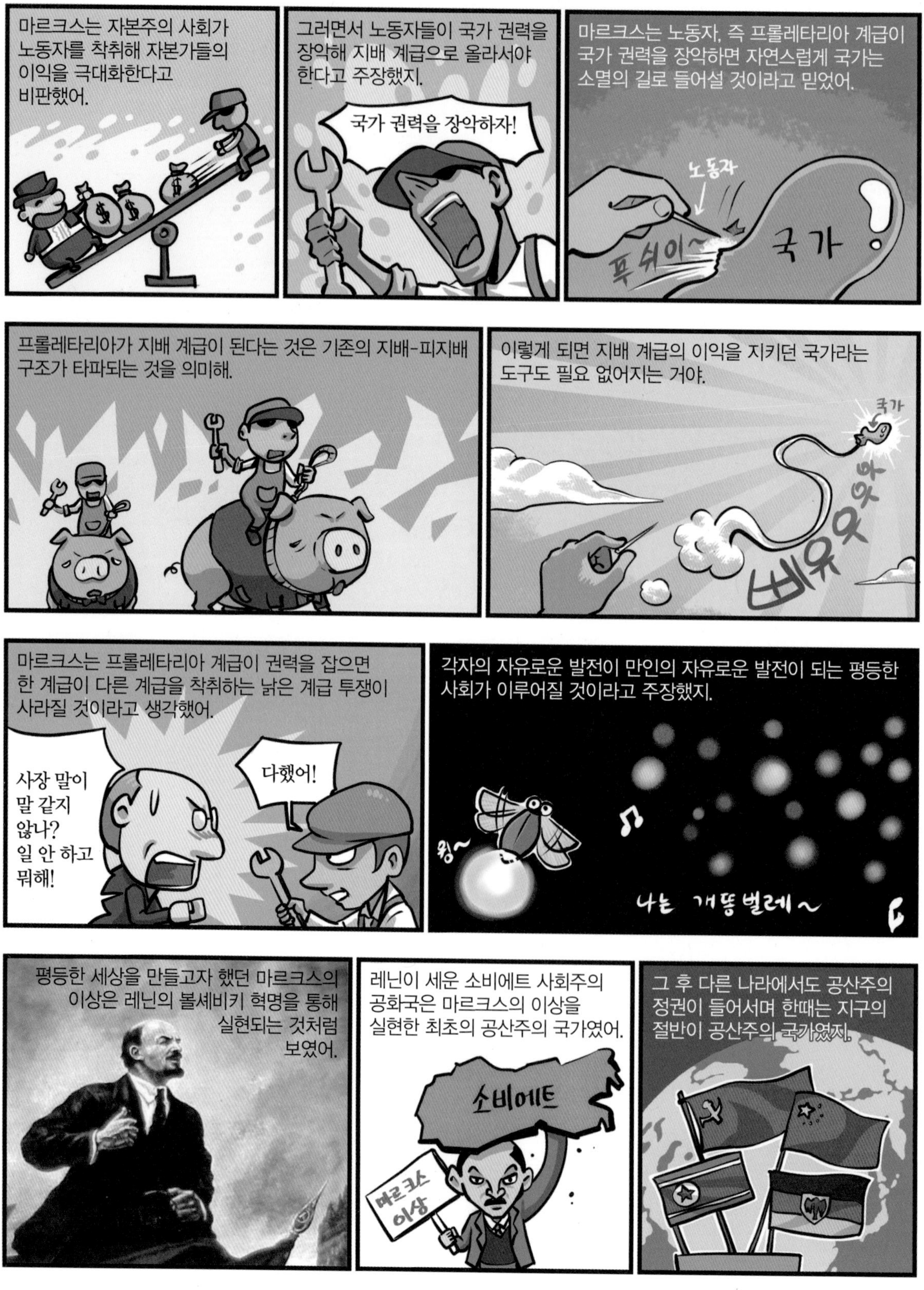
마르크스는 자본주의 사회가 노동자를 착취해 자본가들의 이익을 극대화한다고 비판했어.
그러면서 노동자들이 국가 권력을 장악해 지배 계급으로 올라서야 한다고 주장했지.
국가 권력을 장악하자!
마르크스는 노동자, 즉 프롤레타리아 계급이 국가 권력을 장악하면 자연스럽게 국가는 소멸의 길로 들어설 것이라고 믿었어.
노동자
푸쉬이~
국가
프롤레타리아가 지배 계급이 된다는 것은 기존의 지배-피지배 구조가 타파되는 것을 의미해.
이렇게 되면 지배 계급의 이익을 지키던 국가라는 도구도 필요 없어지는 거야.
국가
삐유웃
마르크스는 프롤레타리아 계급이 권력을 잡으면 한 계급이 다른 계급을 착취하는 낡은 계급 투쟁이 사라질 것이라고 생각했어.
사장 말이 말 같지 않나? 일 안 하고 뭐해!
다했어!
각자의 자유로운 발전이 만인의 자유로운 발전이 되는 평등한 사회가 이루어질 것이라고 주장했지.
나는 개똥벌레~
평등한 세상을 만들고자 했던 마르크스의 이상은 레닌의 볼셰비키 혁명을 통해 실현되는 것처럼 보였어.
레닌이 세운 소비에트 사회주의 공화국은 마르크스의 이상을 실현한 최초의 공산주의 국가였어.
소비에트
마르크스 이상
그 후 다른 나라에서도 공산주의 정권이 들어서며 한때는 지구의 절반이 공산주의 국가였지.

많은 사람들이 생각하기에 공산주의는 실패한 사상이자 제도야.
노동자들의 노동력 착취를 반대하면서 정작 당을 위해 노동자들의 노동력을 가장 많이 착취하고 있는 것이 공산주의 아닌가요?
북한을 봐요.
공산주의 국가에서는 개인의 이익 추구를 인정하지 않았어. 그로 인해 경제 성장에 많은 어려움을 겪었지.
동무, 일 안 끝내고 어디 갑니까?
일 더 한다고 돈이 나오는 것도 아니고….
개인의 자유로운 이익 추구를 보장하지 않아 경제 성장의 동력을 만들어 낼 수 없었던 거야.
공산주의
앗!
개인의 자유로운 이익 추구
경제 성장의 동력
공산주의는 잠시지만 모두가 평등한 사회를 구현하는 데 성공했어. 그러나 부유하고 자유로운 사회를 건설하는 데는 실패했지.
뻥
공산
주의
평등 사회
이제 공산주의 국가는 몇 개 남지 않고 대부분 사라졌어.
공산주의 혁명이 실패한 후 사람들은 자본주의의 문제점들을 조금씩 고쳐 가며 점진적인 방법으로 평등의 가치를 실현할 수밖에 없다고 믿게 되었어.
자본주의
평등
평등한 사회로 가는 길은 매우 멀고도 험해.
평등한 사회
대부분의 자유주의 국가에서는 막대한 자본을 지닌 기업과 그들의 이익에 편승하는 사람들에게 권력이 집중되어 있기 때문이야.
막강 대기업
그렇다면 이렇게 질문할 수도 있을 거야.
민주주의는 자유로운 투표로 지도자를 뽑습니다. 다수의 평범한 시민들이 투표를 통해 변화를 추구하는 진보 정당에 힘을 실어 준다면 좀 더 평등한 사회를 이룩할 수 있지 않을까요?

노동자의 이익을 대변하거나 분배 위주의 정치를 지향하는 진보 정당의 집권은 쉬운 일일까? 우리나라만 보더라도 진보 정당의 지지도는 아주 미약해.
진보 대통령을 탄핵하라!
북한 식량 지원을 금지하라!
왜 이런 문제가 발생할까?
그것은 민주주의가 이론상으로는 다수에게 유리한 제도지만 실제로는 힘이 과도하게 편중되는 경향이 있기 때문이야.
민주주의
시들 시들~
거대 기업이나 그 기업에 관련된 사람들은 소수지만 돈과 권력을 쥐고 있기 때문에 언론에 막대한 영향력을 행사할 수 있어.
나는 새도 알아서 떨어진다는 ○○방송 국장님이 아니신가. 황금 시간대에 우리 광고 넣읍시다.
그게 먼저 계약한 곳들이….
언론을 통해 자신들에게 유리한 사회적 여론을 형성할 수 있는 능력을 지니고 있지.
광고 비용으로 큰 거 한 장이면 될까요?
하하…
좋은 게 좋은 거죠.
안 그러셔도 되는데….
사람들 또한 자신들이 선출한 의원들이 유권자의 입장을 대변할 것이라는 큰 믿음을 갖고 있지 않아.
언성 줄이세요.
국회
와글~
당신이야말로 입 다물어!
에휴~ 나라 꼴이….
정권을 바꾸어도 자신들의 삶에 특별한 변화가 일어나지 않는다는 것을 여러 차례 경험했기 때문이야.
마음대로 해.
가진 재산이라고는 29만 원밖에 없으니까.
이로 인해 정치에 대한 불신이 매우 깊지.
도 긴 개 긴

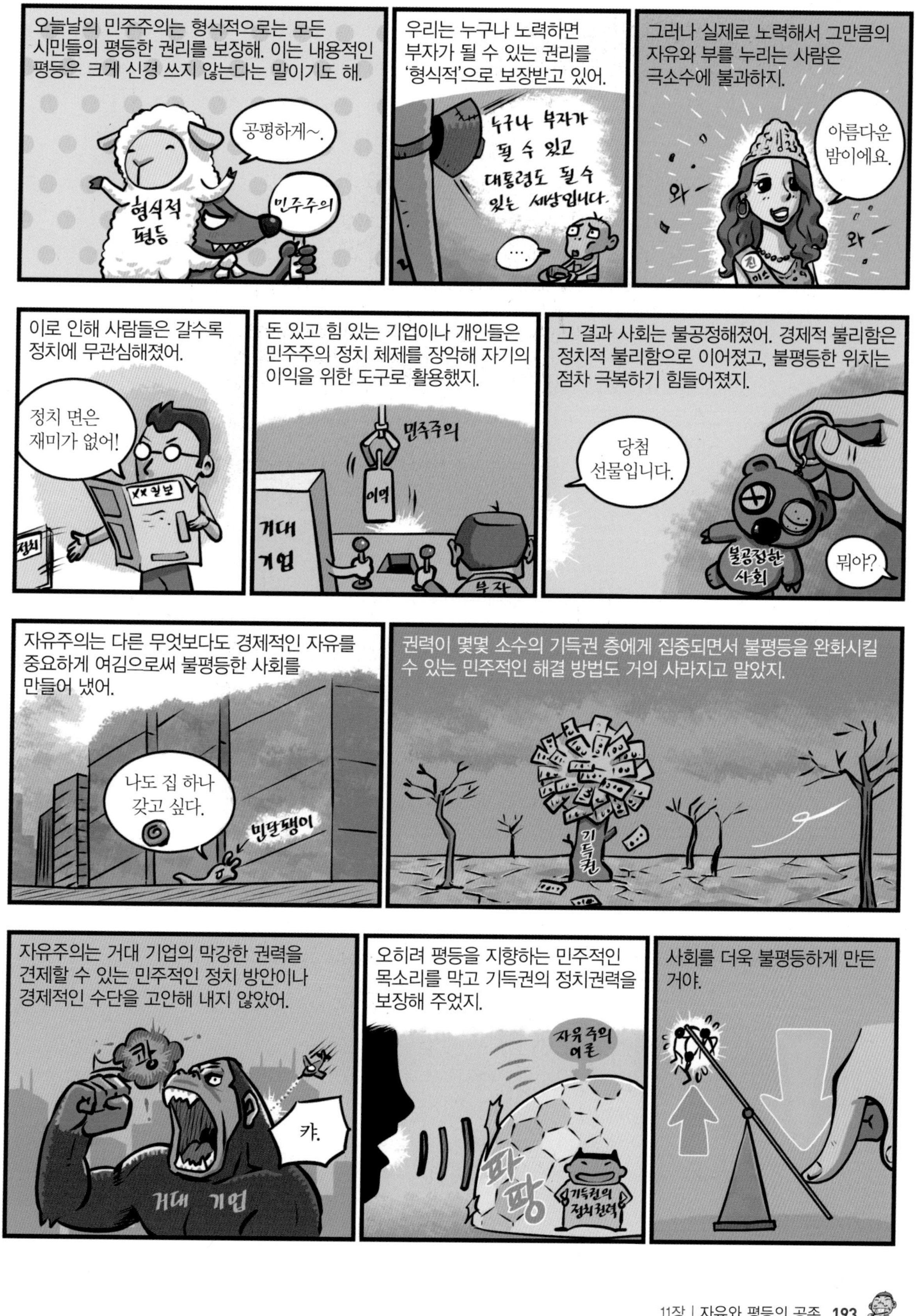

오늘날의 민주주의는 형식적으로는 모든 시민들의 평등한 권리를 보장해. 이는 내용적인 평등은 크게 신경 쓰지 않는다는 말이기도 해.
공평하게~.
형식적 평등
민주주의
우리는 누구나 노력하면 부자가 될 수 있는 권리를 '형식적'으로 보장받고 있어.
누구나 부자가 될 수 있고 대통령도 될 수 있는 세상입니다.
….
그러나 실제로 노력해서 그만큼의 자유와 부를 누리는 사람은 극소수에 불과하지.
아름다운 밤이에요.
와
와
진
이로 인해 사람들은 갈수록 정치에 무관심해졌어.
정치 면은 재미가 없어!
XX일보
정치
돈 있고 힘 있는 기업이나 개인들은 민주주의 정치 체제를 장악해 자기의 이익을 위한 도구로 활용했지.
민주주의
이익
거대 기업
부자
그 결과 사회는 불공정해졌어. 경제적 불리함은 정치적 불리함으로 이어졌고, 불평등한 위치는 점차 극복하기 힘들어졌지.
당첨 선물입니다.
불공정한 사회
뭐야?
자유주의는 다른 무엇보다도 경제적인 자유를 중요하게 여김으로써 불평등한 사회를 만들어 냈어.
나도 집 하나 갖고 싶다.
민달팽이
권력이 몇몇 소수의 기득권 층에게 집중되면서 불평등을 완화시킬 수 있는 민주적인 해결 방법도 거의 사라지고 말았지.
기득권
자유주의는 거대 기업의 막강한 권력을 견제할 수 있는 민주적인 정치 방안이나 경제적인 수단을 고안해 내지 않았어.
쾅
캬.
거대 기업
오히려 평등을 지향하는 민주적인 목소리를 막고 기득권의 정치권력을 보장해 주었지.
자유주의의 여론
파팡
기득권의 정치권력
사회를 더욱 불평등하게 만든 거야.

결국 자유주의는 경제적 자유를 명분으로 하는 자본주의 체제에 도전할지, 아니면 자본주의 체제를 인정하고 민주주의를 약화시킬지 양자택일의 기로에 놓이고 말았어.
자본주의
자유주의의 이론
창을 거둬야…, 헉!
푹-
민주주의
만약 자유주의가 민주주의 사상으로서의 자격을 회복하고자 한다면 자유뿐 아니라 평등의 가치를 실현시킬 방법도 찾아야 해.
자유
평등
경제적 불평등에 대한 치유책을 제시해야 할 뿐 아니라
치익-
경제적 불평등
치유책
자유를 허용함으로써 생겨나는 경쟁적 사회가 힘의 불평등과 착취로 이어질 수밖에 없다는 사실에 정면으로 맞서야 하지.
이것은 단순히 약자에게 약간의 경제적인 보조를 하는 방식이어서는 안 돼.
딸랑
기부함
최저 임금을 약간 올린다고 해서 가난한 사람들의 정치적인 힘이 증진되지는 않아. 정치적인 권리를 이용해 부유한 사람들과 경쟁할 수도 없지.
정치적 힘
정치적 권리
최저 임금
만약 어떤 정의관이 사회의 여러 가지 구조에 내재된 힘의 불평등에 도전하면서 주요 제도를 통해 평등을 구현한다면 그 정의관은 진정 민주적인 정의관이 될 수 있을 거야.
힘의 불평등
정의관
다각 다각

롤스는 자유를 강조하는 자유주의적 요소와 평등을 강조하는 민주주의적 요소가 어떤 비율로 배합되면 가장 좋을지 고민했어.
자유 주의적 요소
민주 주의적 요소
자유 민주주의라는 모순된 정치 체제를 자유주의적이면서도 민주주의적으로 규정할 수 있게 해 주는 정의의 원칙을 찾고자 했지.
자유 민주주의
자유주의적 + 민주주의적
정의의 원칙
《정의론》에는 뉴딜 정책을 통해 경제를 통제하고 시민들의 복지에 힘썼던 미국의 루스벨트 대통령과
루스벨트
정의론
여성 및 흑인 인권 운동가들이 주장한 평등에 대한 가치를 존중했던 케네디 및 존슨 대통령의 이야기가 담겨 있어.
루스 벨트
케네디
존슨
이를 통해 롤스는 미국이 '위대한 사회'에 이르기까지 거듭했던 시대적 고민을 반영하고자 했어.
위대한 사회
이와 더불어 자원의 재분배를 강조하며 뉴딜 정책이 추구한 복지 국가적 전통을 지지했지.
국가
자원의 재분배
케네디와 존슨 대통령의 민주당 정권(1961~1969)은 정치적으로 자유주의적 노선을 취했어.
자유주의적 노선
참정권에 대한 요구나 여성 해방 운동가들의 요구를 상당 부분 받아들여 정책으로 실현했지.
공민권 운동
여성 해방 운동
민주당 정권
그들 정권에서는 대학 입시나 정부 기관에 관련된 일에 여성이나 흑인 등을 우대하는 '소수자 우대 정책'을 장려했어.
소수자 우대 정책
약자에게 우호적인 정책을 시행함으로써 평등을 실현하는 데 힘썼던 거야.
소수자 우대 정책
약자
존슨 대통령은 빈곤이나 인종 차별을 극복하기 위해 교육, 의료, 도시 문제 등에 힘을 쏟는 자신의 구상 전체를 가리켜 '위대한 사회'라고 불렀어.
위대한 사회
교육, 의료, 도시 문제
인종 차별
빈곤

그러나 약자에 관심을 기울이던 미국의
민주적 자유주의는 베트남 전쟁을 계기로
모순에 봉착하고 말았어.
민주적 자유주의의 입장
베트남 전쟁
모순
민주적 자유주의에 따르면 국민 다수가 지지하는 북베트남을 지지해야
했지만 북베트남이 사회주의 정권인데다가 그 배후에는 소련이 있었기
때문에 남베트남을 지지할 수밖에 없었거든.
북베트남
미국
철컥
남베트남
케네디 대통령은 남베트남 정부에
간접적인 지원만 하려 했지만
1963년에 그가 죽고 나자 상황은
달라졌어.
1964년, 통킹 만 해상에서 정보 수집
활동을 하고 있던 미국의 구축함과
북베트남의 함정 간에 충돌이
일어났어. 이를 통킹 만 사건이라고 해.
이 일로 미국은 북베트남에 보복 폭격을
감행했고 이듬해에 북베트남이 본격적으로
정규군을 투입하면서 베트남 전쟁은
시작되었어.
미국은 베트남전에 많은 병력을 투입했어. 제2차 세계 대전 때
사용했던 것보다도 많은 양의 폭탄을 투하했지.
또 밀림을 없애 북베트남군의 게릴라전을 막고,
보급로를 차단하기 위해 인체에 좋지 않은 고엽제를
계속해서 살포했어.
그러나 북베트남은 물러서지 않았어. 남베트남의 주요 도시에
공격을 감행하며 게릴라전을 끈질기게 펼쳤지.
윽!
탕
탕
베트남 민중들이 적극적으로 나서서 북베트남의
게릴라들을 도우면서 미국은 점점 불리해졌어.
끄응~
미국

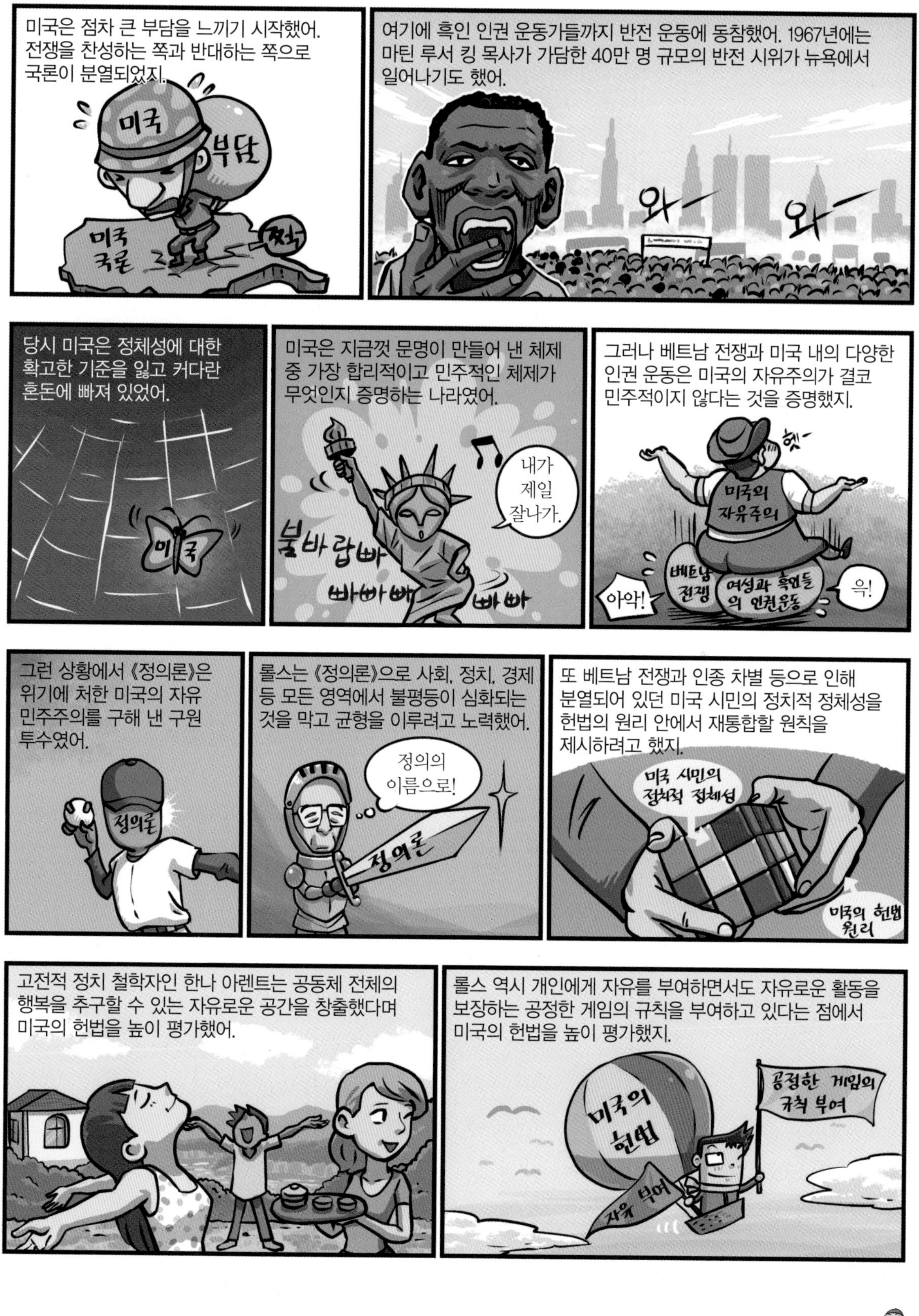

미국은 점차 큰 부담을 느끼기 시작했어. 전쟁을 찬성하는 쪽과 반대하는 쪽으로 국론이 분열되었지.
미국
부담
미국 국론
쩍
여기에 흑인 인권 운동가들까지 반전 운동에 동참했어. 1967년에는 마틴 루서 킹 목사가 가담한 40만 명 규모의 반전 시위가 뉴욕에서 일어나기도 했어.
와—
와—
당시 미국은 정체성에 대한 확고한 기준을 잃고 커다란 혼돈에 빠져 있었어.
미국
미국은 지금껏 문명이 만들어 낸 체제 중 가장 합리적이고 민주적인 체제가 무엇인지 증명하는 나라였어.
내가 제일 잘나가.
빠빠빠
빠빠
그러나 베트남 전쟁과 미국 내의 다양한 인권 운동은 미국의 자유주의가 결코 민주적이지 않다는 것을 증명했지.
헷-
미국의 자유주의
베트남 전쟁
여성과 흑인들의 인권운동
아악!
윽!
그런 상황에서 《정의론》은 위기에 처한 미국의 자유 민주주의를 구해 낸 구원 투수였어.
정의론
롤스는 《정의론》으로 사회, 정치, 경제 등 모든 영역에서 불평등이 심화되는 것을 막고 균형을 이루려고 노력했어.
정의의 이름으로!
정의론
또 베트남 전쟁과 인종 차별 등으로 인해 분열되어 있던 미국 시민의 정치적 정체성을 헌법의 원리 안에서 재통합할 원칙을 제시하려고 했지.
미국 시민의 정치적 정체성
미국의 헌법 원리
고전적 정치 철학자인 한나 아렌트는 공동체 전체의 행복을 추구할 수 있는 자유로운 공간을 창출했다며 미국의 헌법을 높이 평가했어.
롤스 역시 개인에게 자유를 부여하면서도 자유로운 활동을 보장하는 공정한 게임의 규칙을 부여하고 있다는 점에서 미국의 헌법을 높이 평가했지.
미국의 헌법
공정한 게임의 규칙 부여
자유 부여

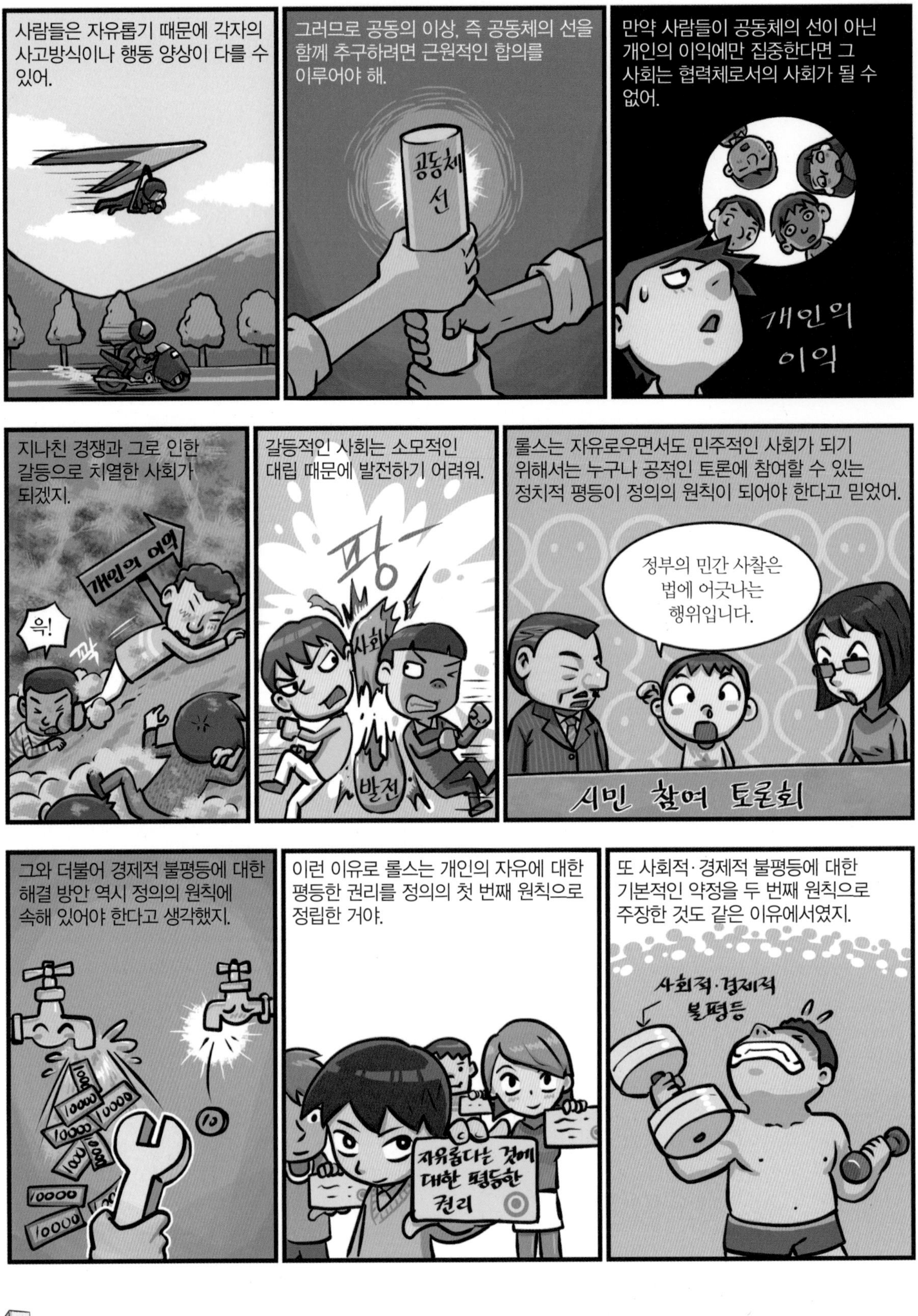
사람들은 자유롭기 때문에 각자의 사고방식이나 행동 양상이 다를 수 있어.
그러므로 공동의 이상, 즉 공동체의 선을 함께 추구하려면 근원적인 합의를 이루어야 해.
공동체 선
만약 사람들이 공동체의 선이 아닌 개인의 이익에만 집중한다면 그 사회는 협력체로서의 사회가 될 수 없어.
개인의 이익
지나친 경쟁과 그로 인한 갈등으로 치열한 사회가 되겠지.
개인의 이익
윽!
갈등적인 사회는 소모적인 대립 때문에 발전하기 어려워.
쾅~
사회
발전
롤스는 자유로우면서도 민주적인 사회가 되기 위해서는 누구나 공적인 토론에 참여할 수 있는 정치적 평등이 정의의 원칙이 되어야 한다고 믿었어.
정부의 민간 사찰은 법에 어긋나는 행위입니다.
시민 참여 토론회
그와 더불어 경제적 불평등에 대한 해결 방안 역시 정의의 원칙에 속해 있어야 한다고 생각했지.
이런 이유로 롤스는 개인의 자유에 대한 평등한 권리를 정의의 첫 번째 원칙으로 정립한 거야.
자유롭다는 것에 대한 평등한 권리
또 사회적·경제적 불평등에 대한 기본적인 약정을 두 번째 원칙으로 주장한 것도 같은 이유에서였지.
사회적·경제적 불평등

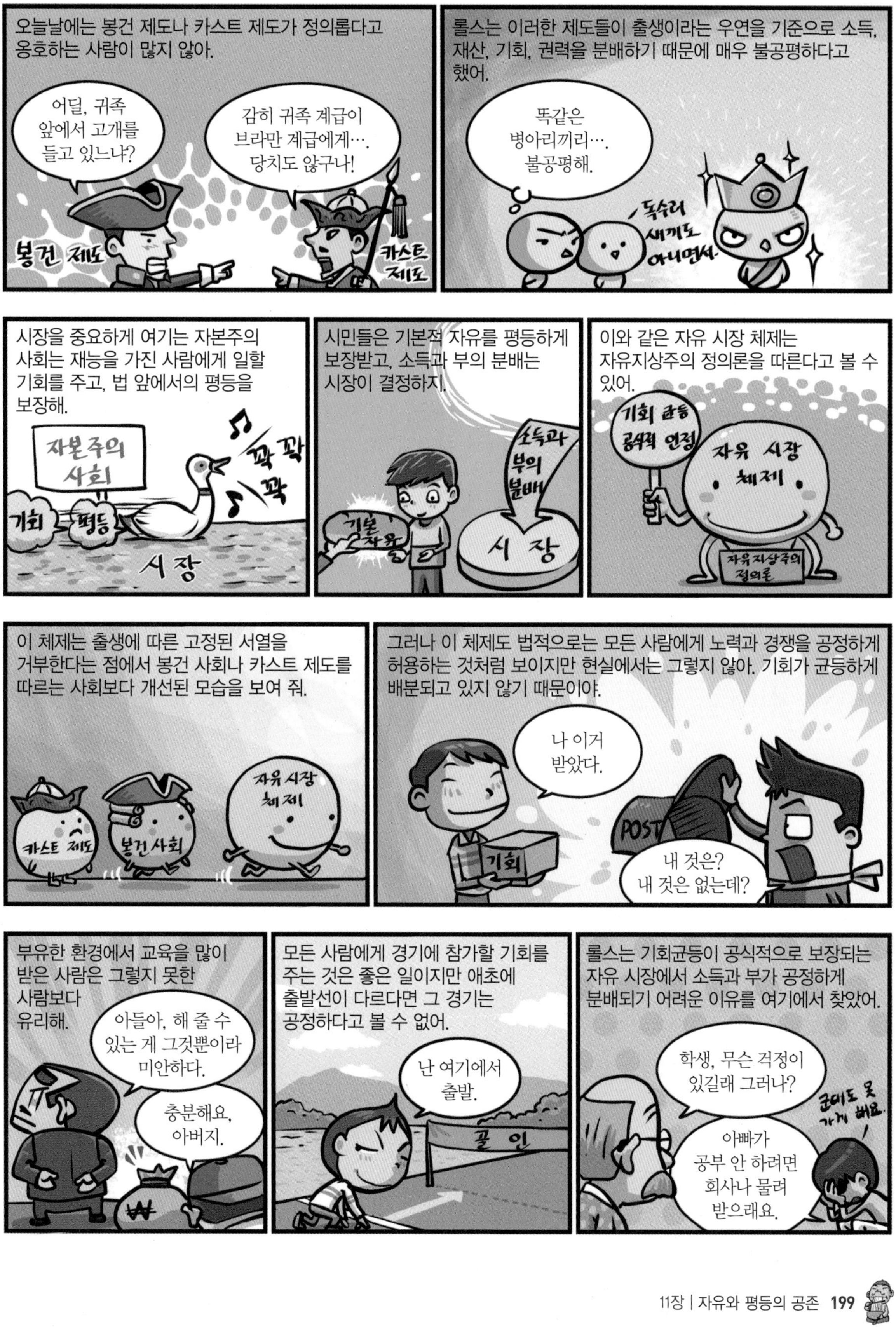

오늘날에는 봉건 제도나 카스트 제도가 정의롭다고 옹호하는 사람이 많지 않아.
어딜, 귀족 앞에서 고개를 들고 있느냐?
감히 귀족 계급이 브라만 계급에게…. 당치도 않구나!
봉건 제도
카스트 제도
롤스는 이러한 제도들이 출생이라는 우연을 기준으로 소득, 재산, 기회, 권력을 분배하기 때문에 매우 불공평하다고 했어.
똑같은 병아리끼리…. 불공평해.
독수리 새끼도 아니면서.
시장을 중요하게 여기는 자본주의 사회는 재능을 가진 사람에게 일할 기회를 주고, 법 앞에서의 평등을 보장해.
자본주의 사회
기회
평등
꽉꽉 꽉
시장
시민들은 기본적 자유를 평등하게 보장받고, 소득과 부의 분배는 시장이 결정하지.
기본적 자유
소득과 부의 분배
시장
이와 같은 자유 시장 체제는 자유지상주의 정의론을 따른다고 볼 수 있어.
기회 균등 공식적 인정
자유 시장 체제
자유지상주의 정의론
이 체제는 출생에 따른 고정된 서열을 거부한다는 점에서 봉건 사회나 카스트 제도를 따르는 사회보다 개선된 모습을 보여 줘.
카스트 제도
봉건 사회
자유 시장 체제
그러나 이 체제도 법적으로는 모든 사람에게 노력과 경쟁을 공정하게 허용하는 것처럼 보이지만 현실에서는 그렇지 않아. 기회가 균등하게 배분되고 있지 않기 때문이야.
나 이거 받았다.
POST
기회
내 것은? 내 것은 없는데?
부유한 환경에서 교육을 많이 받은 사람은 그렇지 못한 사람보다 유리해.
아들아, 해 줄 수 있는 게 그것뿐이라 미안하다.
충분해요, 아버지.
모든 사람에게 경기에 참가할 기회를 주는 것은 좋은 일이지만 애초에 출발선이 다르다면 그 경기는 공정하다고 볼 수 없어.
난 여기에서 출발.
골인
롤스는 기회균등이 공식적으로 보장되는 자유 시장에서 소득과 부가 공정하게 분배되기 어려운 이유를 여기에서 찾았어.
학생, 무슨 걱정이 있길래 그러나?
아빠가 공부 안 하려면 회사나 물려 받으래요.
군대도 못 가게 해요.

롤스는 이러한 불공정을 없애기 위해 사회적·경제적 불이익을 바로잡아야 한다고 주장했어.
사회적, 경제적 불이익
교육의 기회를 고르게 제공해 가정 형편이 어려운 사람도 부유한 가정에서 자란 사람과 똑같은 조건에서 경쟁할 수 있도록 해야 한다는 거야.
문화 재단
장학금
롤스는 정의론을 통해 자유와 평등 사이의 긴장을 완화하고
자유
평등
정의론
사회가 자유와 평등의 가치 중 어느 한쪽에 치우치는 것을 막으려 했어.
자유
평등
사회
자유와 평등 이 두 개의 가치를 모두 존중할 수 있는 정의의 원칙을 확립하고자 한 거야.
자유
평등
그러나 불평등을 완전히 제거하려고 하지는 않았어.
뽁
아야!
불평등
조금만 뽑자.
일부에게 집중된 부와, 기업의 힘이 지배하는 경제 체제 자체를 문제 삼지는 않았지.
이 사회의 경제 체제에서 완전한 힘의 분배는 힘들 테니까.
기업이 지배하는 경제 체제의 구조에 본질적으로 내재되어 있는 불평등이 모든 사람의 이득으로 작용한다면 정당화될 수 있다고 생각했기 때문이야.
맛있는데~!
모든 사람의 이득
불평등
롤스는 자유 민주주의 사회가 해결해야 할 문제로 불평등을 꼽으면서도 자유주의적 경제 체제를 부정하면서까지 불평등을 없애는 것은 찬성하지 않았어.
생선 가시가 불편하긴 하지만 이것 때문에 맛있는 생선을 포기할 수는 없잖아?
한마디로 말해 불평등을 완화하는 방향으로 자유주의적 경제 체제를 관리해야지, 체제 자체를 부정해서는 안 된다는 거야.
< 자유주의적 경제 체제의 관리 >
이렇게 뼈를 잘 발라서 먹으면 되지.

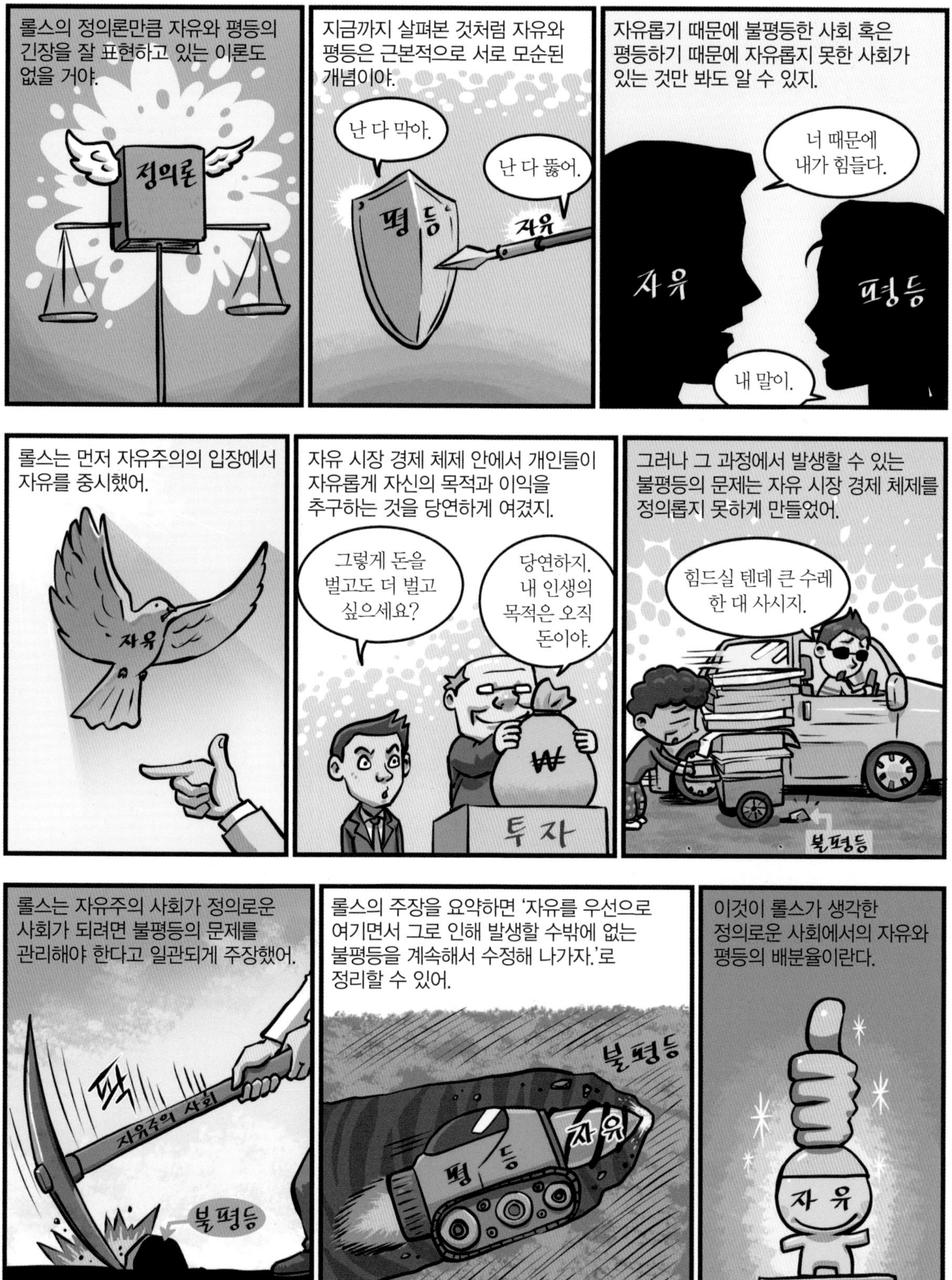
롤스의 정의론만큼 자유와 평등의 긴장을 잘 표현하고 있는 이론도 없을 거야.
정의론
지금까지 살펴본 것처럼 자유와 평등은 근본적으로 서로 모순된 개념이야.
난 다 막아.
난 다 뚫어.
평등
자유
자유롭기 때문에 불평등한 사회 혹은 평등하기 때문에 자유롭지 못한 사회가 있는 것만 봐도 알 수 있지.
너 때문에 내가 힘들다.
자유
평등
내 말이.
롤스는 먼저 자유주의의 입장에서 자유를 중시했어.
자유
자유 시장 경제 체제 안에서 개인들이 자유롭게 자신의 목적과 이익을 추구하는 것을 당연하게 여겼지.
그렇게 돈을 벌고도 더 벌고 싶으세요?
당연하지. 내 인생의 목적은 오직 돈이야.
₩
투자
그러나 그 과정에서 발생할 수 있는 불평등의 문제는 자유 시장 경제 체제를 정의롭지 못하게 만들었어.
힘드실 텐데 큰 수레 한 대 사시지.
불평등
롤스는 자유주의 사회가 정의로운 사회가 되려면 불평등의 문제를 관리해야 한다고 일관되게 주장했어.
퍽
자유주의 사회
불평등
롤스의 주장을 요약하면 '자유를 우선으로 여기면서 그로 인해 발생할 수밖에 없는 불평등을 계속해서 수정해 나가자.'로 정리할 수 있어.
불평등
자유
평등
이것이 롤스가 생각한 정의로운 사회에서의 자유와 평등의 배분율이란다.
자유
정의론

12장 《정의론》과 우리의 삶

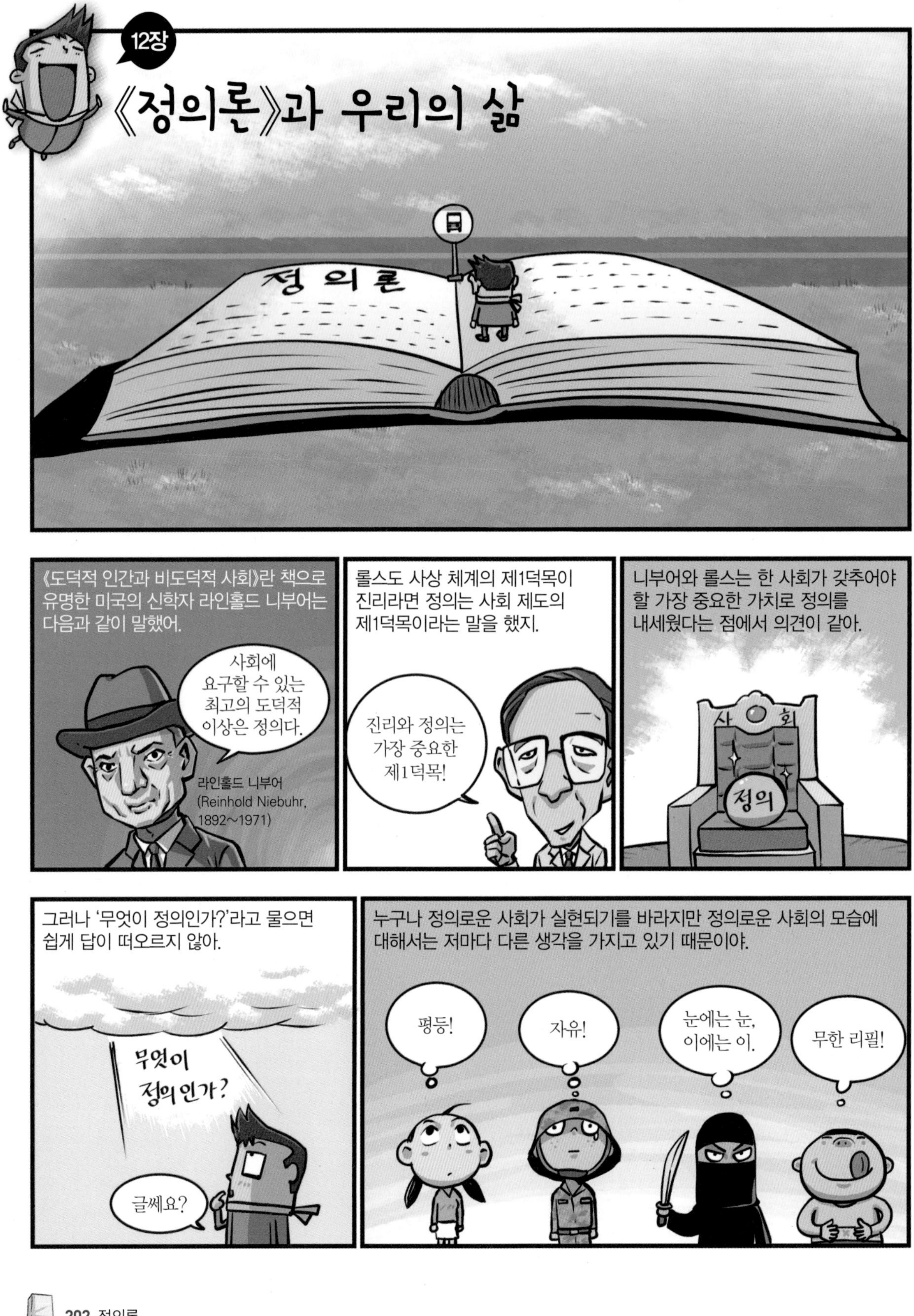

정의론
《도덕적 인간과 비도덕적 사회》란 책으로 유명한 미국의 신학자 라인홀드 니부어는 다음과 같이 말했어.
사회에 요구할 수 있는 최고의 도덕적 이상은 정의다.
라인홀드 니부어 (Reinhold Niebuhr, 1892~1971)
롤스도 사상 체계의 제1덕목이 진리라면 정의는 사회 제도의 제1덕목이라는 말을 했지.
진리와 정의는 가장 중요한 제1덕목!
니부어와 롤스는 한 사회가 갖추어야 할 가장 중요한 가치로 정의를 내세웠다는 점에서 의견이 같아.
사회
정의
그러나 '무엇이 정의인가?'라고 물으면 쉽게 답이 떠오르지 않아.
무엇이 정의인가?
글쎄요?
누구나 정의로운 사회가 실현되기를 바라지만 정의로운 사회의 모습에 대해서는 저마다 다른 생각을 가지고 있기 때문이야.
평등!
자유!
눈에는 눈, 이에는 이.
무한 리필!

정의가 무엇인지를 두고 벌어진 논쟁도 많았어. 그중 가장 유명한 것으로 플라톤의 《국가》에 등장하는 트라시마코스와 소크라테스의 논쟁을 들 수 있어.
소크라테스가 케팔로스라는 부유한 노인의 집에 들르면서 내용이 시작돼.
소크라테스는 노인의 아들인 폴레마르코스와 정의로움이 무엇인지를 놓고 토론해.
그런데 두 사람의 논쟁을 지켜보던 트라시마코스가 갑자기 대화에 끼어들어. 그러고는 소크라테스에게 '정의란 곧 강자의 이익'이라고 주장해.
난 정의가 강자의 이익이라고 생각합니다.
남들보다 강한 사람들이 자신의 이익을 극대화하기 위해 법을 정하고 이를 강제로 시행하려 하는데, 이때 법은 그 사회의 정의로운 기준으로 사용된다는 거야.
재산이 느니까 세금이 너무 많이 나와.
수입이 많을수록 세금 혜택을 더 준다!
땅-
땅-
트라시마코스의 주장은 실제 우리의 삶을 생각하면 상당히 설득력이 있어. 오늘날 우리 사회는 강자에게 관대한 반면에 약자에게는 엄격하잖아?
회장님. 왕림해 주셔서 감사합니다.
아, 냄새! 저리 안 가?
사회는 돈 많고 힘 있는 사람들에게 여러모로 유리한 점이 많은 것 같아.
영광입니다.
예~.
그래서 힘없는 사람들은 억울함을 느낄 때가 많지.

불행하게도 우리 사회에서는 트라시마코스의 정의론이 더 큰 목소리를 내고 있는 것 같아.
서민을 위한 개헌을 시행 하겠습니다
흥, 웃겨~.
기업가들이나 정치인들이 큰 죄를 짓고도 특별한 대우를 받는 모습은 드문 광경이 아니야.
콜록 콜록
제가 몸이 이래서…. 죄송… 합니다.
쾅 쾅
회장님. 조심하세요.
또한 국방의 의무를 이행하지 않은 장관 후보자나 부동산 투기로 막대한 이익을 본 의원 그리고 남의 논문을 표절한 교수 등도 쉽게 볼 수 있지.
JTV
솔직히 요즘 없는 사람들이나 군대에 가지….
우리 조상부터 만석꾼 집안이라…
장관 후보자
국방부 장관 후보자가 어찌….
이런 문제는 몇몇 기득권 층의 특권 남용 때문만은 아니야.
쏴아아
안 내려가네.
사회
특권 남용
강자에게는 많은 이익을 주고 약자에게는 고통을 강요하는 구조가 더 큰 문제지.
강자용 엘리베이터
약자용 계단
이러한 구조적 모순을 가장 잘 보여 주는 것 중 하나가 바로 비정규직 문제야.
비정규직은 현대판 신분제다!
이 사회의 비정함을 느낍니다.
1997년 외환 위기 이후 우리 사회에서는 구조 조정이라는 명분 아래 수많은 비정규직 노동자들이 양산되었어.
잘 있어. 계약 기간이 끝났어.
일 잘하는 친구였는데….
비정규직 노동자들은 정규직 노동자들과 똑같이 일하지만 사회 보험을 보장받지 못하고, 여러 가지 복지 혜택에서 차별을 받아 왔어.
정규직
정규직
비정규직
대부분의 대기업들은 법률적으로 독립된 하청 회사와 계약을 맺어.
대기업
하청 회사
그런 후, 하청 회사의 노동자를 비정규직 노동자로 고용해 일을 시키지.
하청 회사
기업은 직접 고용의 방식을 취하지 않기 때문에 비정규직 노동자들에 대한 복지와 급여 문제에서 자유로워.
대기업
하청
급여

이런 방식으로 비정규직 노동자들을 고용한 대기업들은 노동자들에게 강도 높은 노동을 강요했어.
퇴근 시간이 지났는데….
할당량 모두 채우고 집에 가!
비정규직 노동자들이 노조를 결성하려고 하면 정규직이 아니라는 이유로 노조를 인정하지 않았지.
업무시간을 줄여 달라!
단결
투쟁
비정규직은 우리 직원 아님!
대기업들은 회사 사정이 어려워지거나 파업 등의 사태가 발생하면 하청 회사와의 계약을 해지함으로써 간단하게 비정규직 노동자들을 해고했어.
한동안 언론에 보도되었던 대학 청소 노동자들의 열악한 노동 환경과 대학 측의 폭력적인 해고는 이러한 문제를 극명하게 보여 주었지.
대학은 용역 회사와 계약을 맺는데, 입찰 방식으로 회사를 선정하기 때문에 가장 낮은 금액을 제시한 용역 회사와 계약을 맺을 수밖에 없어.
대학
용역
최저 임금 제시
대학은 청소 노동자들에게 쉴 공간도 마련해 주지 않았어.
에구…. 허리야.
그러면서 최저 임금에도 못 미치는 돈을 지급하며 노동력을 착취했지.
대학
청소 노동자들이 노조를 결성하면 용역 회사를 바로 바꿔 버렸어.
당장 용역 회사 바꿔요.
임금을 올려 달라!
대학 총장
대기업들의 횡포도 우리 사회를 많이 아프게 했어.
죄송해요.
몇몇 대기업은 협력 업체인 중소기업들을 동등한 거래처로 대하지 않고, 자신들의 시장 지배력을 무기 삼아 착취해 왔어.
대기업
중소기업
중소기업들이 부지런히 기술을 혁신해 생산 비용을 떨어뜨리면 대기업이 납품 가격을 터무니없이 깎아 중소기업의 공을 거품으로 만드는 경우도 있지.
대기업
혁신 기술
탁
중소기업

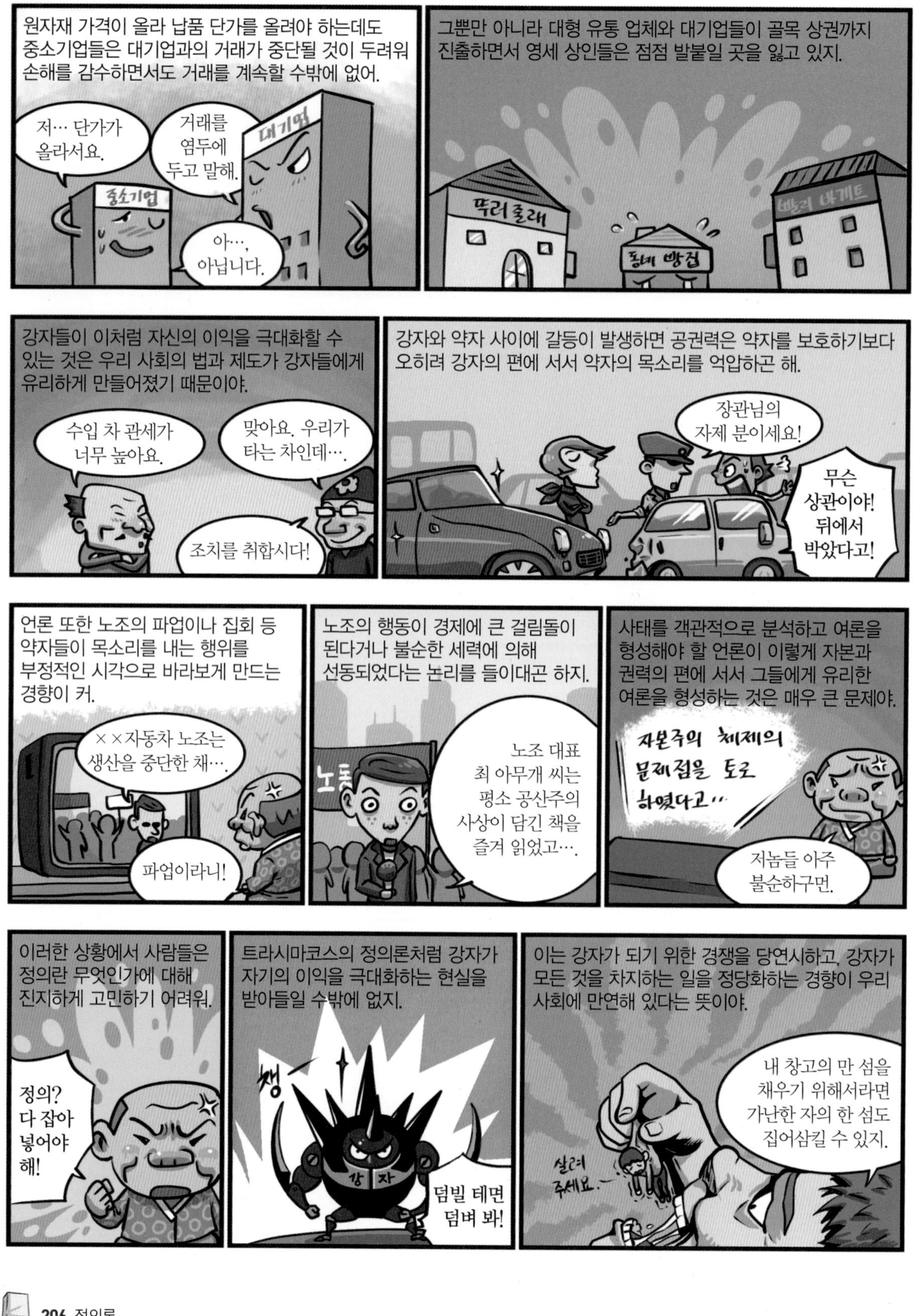
원자재 가격이 올라 납품 단가를 올려야 하는데도 중소기업들은 대기업과의 거래가 중단될 것이 두려워 손해를 감수하면서도 거래를 계속할 수밖에 없어.
대기업
중소기업
저… 단가가 올라서요.
거래를 염두에 두고 말해.
아…, 아닙니다.
그뿐만 아니라 대형 유통 업체와 대기업들이 골목 상권까지 진출하면서 영세 상인들은 점점 발붙일 곳을 잃고 있지.
동네 빵집
강자들이 이처럼 자신의 이익을 극대화할 수 있는 것은 우리 사회의 법과 제도가 강자들에게 유리하게 만들어졌기 때문이야.
수입 차 관세가 너무 높아요.
맞아요. 우리가 타는 차인데….
조치를 취합시다!
강자와 약자 사이에 갈등이 발생하면 공권력은 약자를 보호하기보다 오히려 강자의 편에 서서 약자의 목소리를 억압하곤 해.
장관님의 자제 분이세요!
무슨 상관이야! 뒤에서 박았다고!
언론 또한 노조의 파업이나 집회 등 약자들이 목소리를 내는 행위를 부정적인 시각으로 바라보게 만드는 경향이 커.
××자동차 노조는 생산을 중단한 채….
파업이라니!
노조의 행동이 경제에 큰 걸림돌이 된다거나 불순한 세력에 의해 선동되었다는 논리를 들이대곤 하지.
노조 대표 최 아무개 씨는 평소 공산주의 사상이 담긴 책을 즐겨 읽었고….
사태를 객관적으로 분석하고 여론을 형성해야 할 언론이 이렇게 자본과 권력의 편에 서서 그들에게 유리한 여론을 형성하는 것은 매우 큰 문제야.
자본주의 체제의 문제점을 토로하였다고..
저놈들 아주 불순하구먼.
이러한 상황에서 사람들은 정의란 무엇인가에 대해 진지하게 고민하기 어려워.
정의? 다 잡아 넣어야 해!
트라시마코스의 정의론처럼 강자가 자기의 이익을 극대화하는 현실을 받아들일 수밖에 없지.
쨍
강 자
덤빌 테면 덤벼 봐!
이는 강자가 되기 위한 경쟁을 당연시하고, 강자가 모든 것을 차지하는 일을 정당화하는 경향이 우리 사회에 만연해 있다는 뜻이야.
내 창고의 만 섬을 채우기 위해서라면 가난한 자의 한 섬도 집어삼킬 수 있지.
살려 주세요.

이러한 사회에서 사람들은 정의를 꿈꾸기보다는 자신의 경쟁력을 키우는 일에 더 매달려.
경쟁력
자기 계발에 관련된 책을 읽고, 각종 자격증을 따는 한편, 외국어 능력을 향상시키기 위해 쉬지 않고 공부하지.
인문서
자기 계발
자격증
You are a boy?
모든 사람이 경쟁에 내몰려 서로를 비교하며 좀 더 높은 위치를 점유하려고 애써.
서열화된 체계에서 열등감과 패배 의식에 빠져 각자의 이익에만 몰두하는 사회의 사람들이 훌륭한 시민으로서 건강한 공동체를 이룰 수 있을까?
…
사회가 더 이상 정의에 대해 묻지 않고 경쟁을 모든 평가의 기준과 척도로 생각한다고 해서 그 사회가 시민들에게 더 많은 이익과 발전을 제공할 수 있을까?
이익 · 발전
롤스가 말했듯이 사회는 하나의 협동체야. 경쟁으로 사회 전체의 양적인 부가 증가한다 해도 다수의 약자를 사회의 변두리로 내몬다면 그 사회는 더 이상 협동체로 인정받을 수 없어.
냠,, 냠,,
강자의 이익이 정의로 인정되는 사회는 강자의 이익을 위해 사회 전체가 희생을 강요당하는 사회거든.
길을 비켜라. 장군님 행차시다!
계속해서 손해를 본다면 다수의 약자들은 언젠가는 사회의 구성원이길 포기할지도 몰라.
못 살겠어.
사회

사회의 부가 소수의 강자들에게 집중되는 현상이 지속된다면 갈등과 불신은 점점 심해질 거야.
돈 배달 왔어요.
신속 배달
그냥 거기 두고 가슈~.
그러다 보면 다수의 사람들이 불만과 분노를 표출할지도 모르지.
세상이 어떻게 돌아가는 거야?
더 이상 나은 인생을 기대할 수 없을 때 사람들은 절망하고, 자신이 속해 있는 사회의 모순된 구조를 파괴하려고 할 거야.
사회구조
쾅
이런 파국을 막기 위해서라도 우리 사회는 잊고 지냈던 정의를 다시 되찾아야 해.
정의
먼저 정의가 무엇인지 진지하게 고민해야 해.
정의란 뭘까?
그리고 정의로운 사회를 건설하기 위해 해야 할 일을 논의하고, 그에 맞는 실제적인 법과 제도를 만들어야 하지.
우리나라는 해방 이후 독재 정부 아래에서 많은 어려움을 겪었어.
정치적 자유와 표현의 자유 등 기본적인 시민의 권리조차 보장받지 못했지.
우리에게 자유와 권리를…
철컥
입 다물어!
그러다가 1987년에 일어난 6월 항쟁으로 표출된 민주화에 대한 열망은 우리 사회에 정치적 민주주의를 싹트게 했어.
그러나 1997년에 맞은 외환 위기로 인해 우리 사회는 또 다른 위기에 내몰리고 말았어.
쾅
쾅
주가 폭락
통화 가치 하락
망했다.
엄청난 경제적 파국 속에서 우리의 경제 구조는 급격한 변화를 겪었어.
IMF
경제 구조
이른바 신자유주의라는 새로운 이데올로기가 우리 사회를 장악하게 되었지.
신자유주의
사회

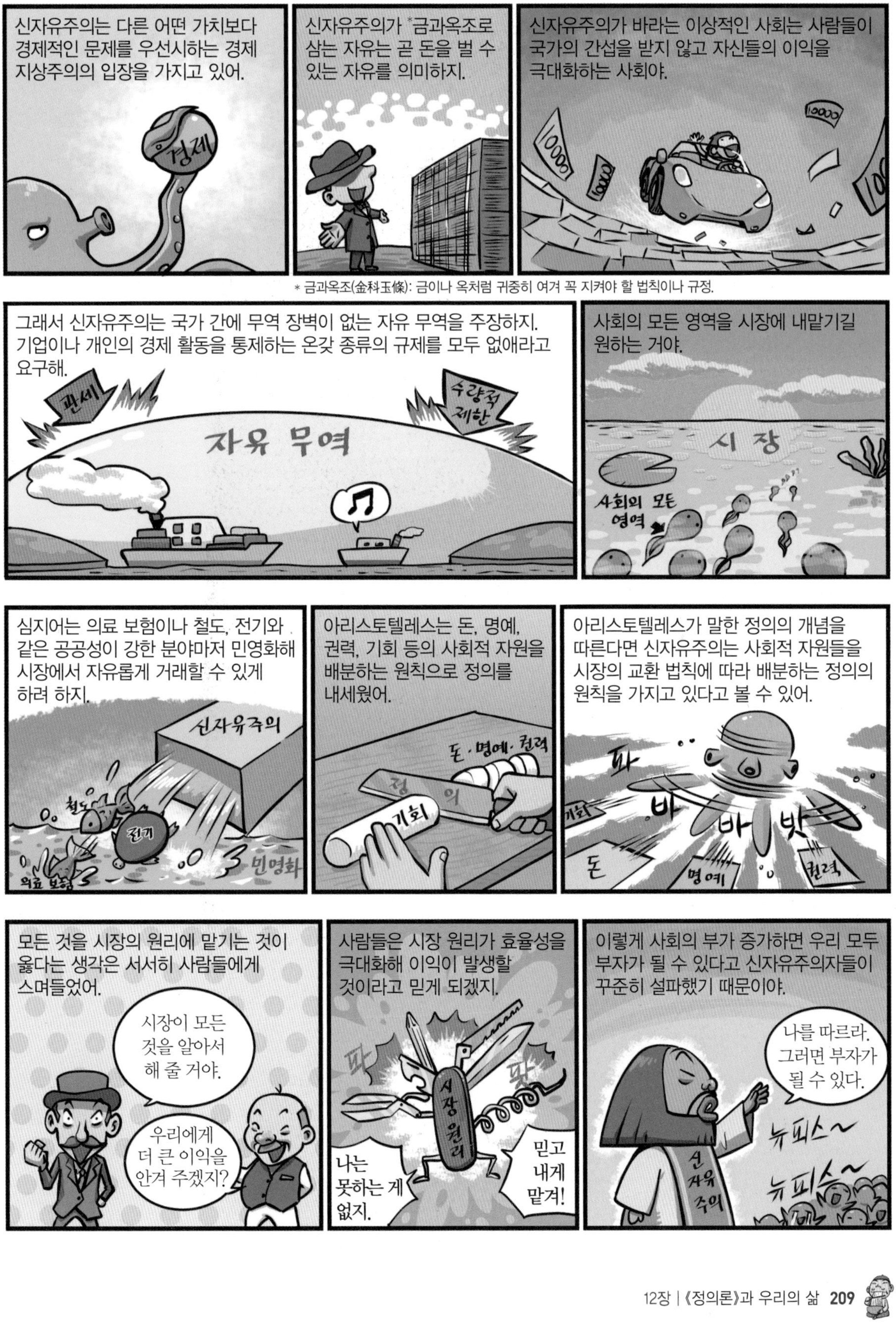
신자유주의는 다른 어떤 가치보다 경제적인 문제를 우선시하는 경제 지상주의의 입장을 가지고 있어.
경제
신자유주의가 *금과옥조로 삼는 자유는 곧 돈을 벌 수 있는 자유를 의미하지.
신자유주의가 바라는 이상적인 사회는 사람들이 국가의 간섭을 받지 않고 자신들의 이익을 극대화하는 사회야.
10000
그래서 신자유주의는 국가 간에 무역 장벽이 없는 자유 무역을 주장하지. 기업이나 개인의 경제 활동을 통제하는 온갖 종류의 규제를 모두 없애라고 요구해.
관세
수량적 제한
자유 무역
사회의 모든 영역을 시장에 내맡기길 원하는 거야.
시장
사회의 모든 영역
심지어는 의료 보험이나 철도, 전기와 같은 공공성이 강한 분야마저 민영화해 시장에서 자유롭게 거래할 수 있게 하려 하지.
신자유주의
철도
전기
의료 보험
민영화
아리스토텔레스는 돈, 명예, 권력, 기회 등의 사회적 자원을 배분하는 원칙으로 정의를 내세웠어.
돈·명예·권력
정의
기회
아리스토텔레스가 말한 정의의 개념을 따른다면 신자유주의는 사회적 자원들을 시장의 교환 법칙에 따라 배분하는 정의의 원칙을 가지고 있다고 볼 수 있어.
파바바밧
기회
돈
명예
권력
모든 것을 시장의 원리에 맡기는 것이 옳다는 생각은 서서히 사람들에게 스며들었어.
시장이 모든 것을 알아서 해 줄 거야.
우리에게 더 큰 이익을 안겨 주겠지?
사람들은 시장 원리가 효율성을 극대화해 이익이 발생할 것이라고 믿게 되겠지.
팍
팍
시장 원리
나는 못하는 게 없지.
믿고 내게 맡겨!
이렇게 사회의 부가 증가하면 우리 모두 부자가 될 수 있다고 신자유주의자들이 꾸준히 설파했기 때문이야.
나를 따르라. 그러면 부자가 될 수 있다.
뉴피스~
뉴피스~
신자유주의

* 금과옥조(金科玉條): 금이나 옥처럼 귀중히 여겨 꼭 지켜야 할 법칙이나 규정.

신자유주의자들은 사람들에게 삶은 끊임없는 경쟁이며 성공하기 위해서는 경쟁력을 키워야 한다고 말해.
신자유주의
1초에 한 번씩!
애고~.
그러면서 정치의 영역을 좁히려고 노력했는데 이는 정치가 나라의 경제를 망친다고 보았기 때문이야.
콰직
신자유주의
정치
그러자 사람들도 정치가 경제 발전을 가로막는 장애물이라고 인식하기 시작했어.
우리도 가만 있을 수 없지.
신자유주의자들의 전략이 성공하면서 사람들은 이제 자본의 자유를 극단적으로 인정하게 되었어.
자본의 자유 인정!
그 결과 초국적 기업과 같은 거대 기업들이 탄생했지.
캬~
초국적 기업
자본은 점차 세계를 무대로 움직이며 국가의 통제력을 벗어났어. 무소불위의 권력을 휘두르게 되었지.
나는 새도 떨어뜨리는구나.
자본
자본은 노동의 유연화를 선진 경영 방식이라고 부르며 비정규직을 양산해 냈어.
자본
비정규직
민영화를 통해 공공 영역까지 잠식하고 이익을 독점하기 시작했지.
자본 민영화
공공 영역
이 과정에서 불평등이 심화되었어. 상위 1프로가 생산된 부의 대부분을 가져가면서 사회의 양극화 현상은 점점 더 심화되었어.
1%
99% →
정치의 영역이 축소되었기 때문에 약자들은 서로 연대해 목소리를 낼 수 있는 기회와 공간을 찾을 수가 없었어.
벽이 좁혀지고 있어.
정치 영역
정치 영역
그 결과 우리가 살아가는 사회는 정의를 망각하게 되었지.
정의? 그게 뭐지?
롤스는 다시금 정의의 중요성을 일깨우며 아무리 효율성이 뛰어나도 정의롭지 않다면 그 사회는 폐기되거나 수정되어야 한다고 주장했어. 경제적 효율성이 정의로움을 대신할 수 없다는 점을 분명히 했지.
정의
징-
사회
폐기물

롤스는 사회적·경제적 불평등에 도전해 문제를 적극적으로 해결하려 했어.
사회적, 경제적 불평등
정의로운 사회가 되려면 사회의 불평등을 최소화해야 한다고 생각했기 때문이야.
꾸욱
사회의 불평등
그러나 이미 말했듯 완전한 평등을 주장한 것은 아니야. 불평등을 개선하기 위한 불평등의 제한 조건을 탐구했을 뿐이지.
불평등의 제한 조건
롤스는 불리한 여건에 처해 있는 사람들의 인생 전망을 밝게 개선할 수 있다면 일부의 불평등은 허용되어도 좋다고 했어.
불평등
만약 불평등을 허용해야 한다면 그 상황에서 최소 수혜자의 이익이 개선되어야 한다는 조건을 제시했지.
사랑의 모금함
이 돈을 불우한 이웃과 돈이 없어 치료를 받지 못하는 난치병 환자를 위해 써 주세요.
사회 기부
롤스의 주장대로라면 사회는 궁극적으로 약자들의 권리를 최우선적으로 보호해야 해.
약자
사회
약자들의 권리를 보호하기 위해 강자들의 권리를 일부 제한하더라도 강자들은 여전히 약자보다 더 많은 권리를 누리고 있기 때문이야.
맛 있겠다.
롤스의 정의론은 우리 사회가 가진 심각한 불평등의 문제를 해결하는 데 훌륭한 길잡이가 될 수 있어.
불평등의 문제
롤스의 정의론
롤스는 정치적 자유나 양심의 자유 그리고 표현의 자유 등 기본적인 자유가 모두에게 평등하게 배분되어야 한다고 했어.
양심의 자유
정치적 자유
표현의 자유
신자유주의자들이 오로지 경제적인 자유만을 강조했다면
신자유주의
롤스는 경제적인 자유보다 기본적인 자유를 강조함으로써 신자유주의가 축소시켰던 정치의 영역을 다시 회생시키고자 했지.
기본적 자유권
정치의 영역

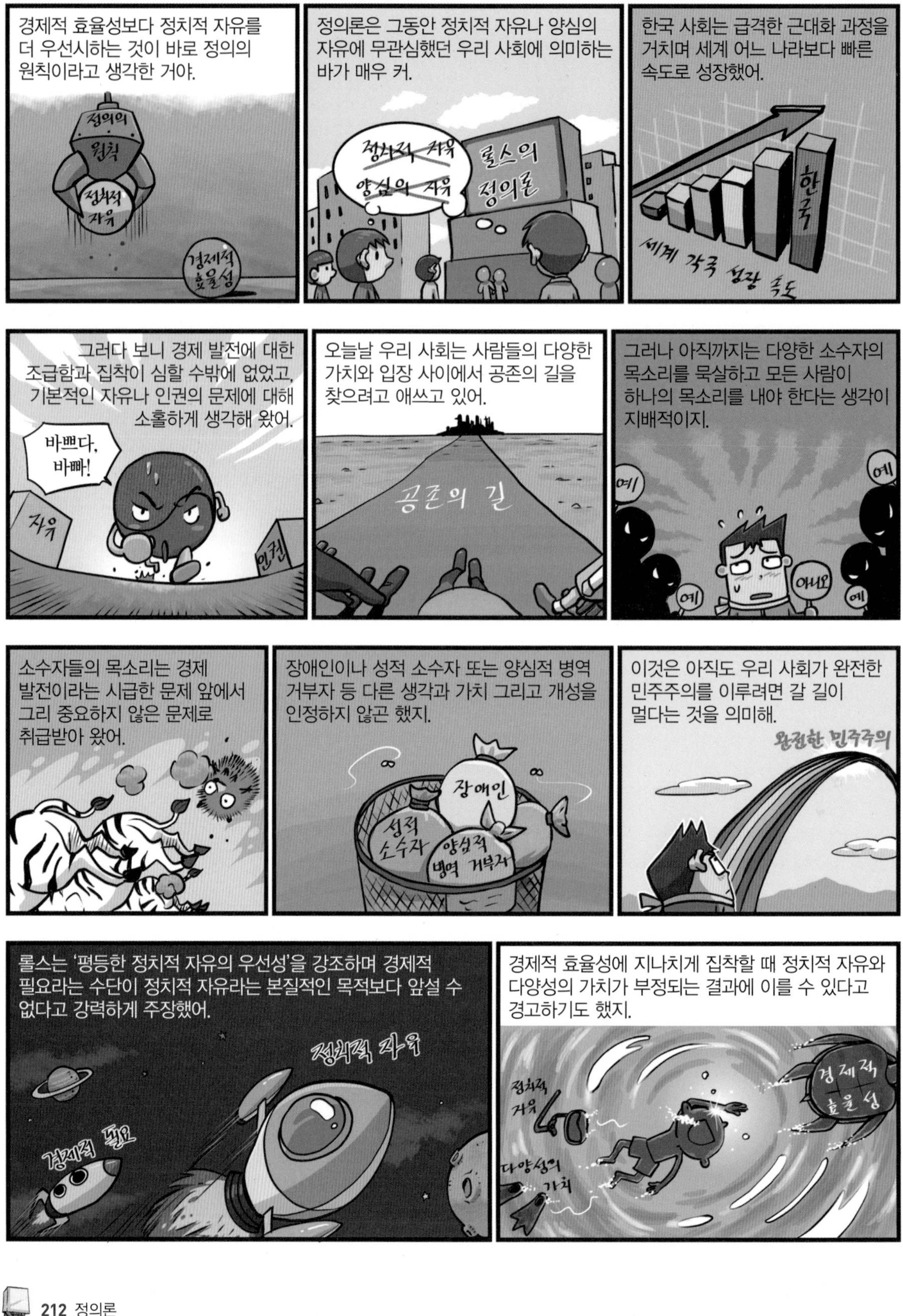
경제적 효율성보다 정치적 자유를 더 우선시하는 것이 바로 정의의 원칙이라고 생각한 거야.
정의의 원칙
정치적 자유
경제적 효율성
정의론은 그동안 정치적 자유나 양심의 자유에 무관심했던 우리 사회에 의미하는 바가 매우 커.
정치적 자유
양심의 자유
롤스의 정의론
한국 사회는 급격한 근대화 과정을 거치며 세계 어느 나라보다 빠른 속도로 성장했어.
한국
세계 각국 성장 속도
그러다 보니 경제 발전에 대한 조급함과 집착이 심할 수밖에 없었고, 기본적인 자유나 인권의 문제에 대해 소홀하게 생각해 왔어.
바쁘다, 바빠!
자유
인권
오늘날 우리 사회는 사람들의 다양한 가치와 입장 사이에서 공존의 길을 찾으려고 애쓰고 있어.
공존의 길
그러나 아직까지는 다양한 소수자의 목소리를 묵살하고 모든 사람이 하나의 목소리를 내야 한다는 생각이 지배적이지.
예
예
아니오
예
예
소수자들의 목소리는 경제 발전이라는 시급한 문제 앞에서 그리 중요하지 않은 문제로 취급받아 왔어.
장애인이나 성적 소수자 또는 양심적 병역 거부자 등 다른 생각과 가치 그리고 개성을 인정하지 않곤 했지.
장애인
성적 소수자
양심적 병역 거부자
이것은 아직도 우리 사회가 완전한 민주주의를 이루려면 갈 길이 멀다는 것을 의미해.
완전한 민주주의
롤스는 '평등한 정치적 자유의 우선성'을 강조하며 경제적 필요라는 수단이 정치적 자유라는 본질적인 목적보다 앞설 수 없다고 강력하게 주장했어.
정치적 자유
경제적 필요
경제적 효율성에 지나치게 집착할 때 정치적 자유와 다양성의 가치가 부정되는 결과에 이를 수 있다고 경고하기도 했지.
정치적 자유
다양성의 가치
경제적 효율성

정의는 정치적 자유, 양심적으로 행동할 수 있는 권리, 평등의 추구, 개성과 취향에 대한 존중 등 시장에서 교환될 수 없는 것들을 배분하는 원리야.
교환 불가
개성과 취향에 대한 존중
정치적 자유
양심적으로 행동할 수 있는 권리
평등 추구
이것들은 결코 돈으로 사고팔 수 없어.
이거 얼마예요?
안 팔아.
이처럼 정의는 돈으로 환산되지 않는 소중한 가치들을 사람들에게 배분해 주는 원리야.
소중한 가치
정의의 원칙이 사회 제도와 법으로 구현될 때 그 사회는 정의로운 사회가 될 수 있어.
소매치기야!
사람들은 정의로운 사회 안에서 훌륭한 시민으로 성장할 수 있지.
꽝
롤스가 꿈꿨던 정의로운 사회는 모든 시민이 자유의 권리를 누리면서도 사회적 약자에 대한 배려를 잊지 않는 따뜻한 사회야.
삐요
그러나 롤스의 바람과 달리 세계는 냉혈하게 이익만을 추구하는 자본의 폭주가 계속되고 있어.
이익
정의의 제약을 받지 않는 자본주의는 암 덩어리가 되어 인류를 죽음에 이르게 할지도 몰라.
롤스의 정의론을 통해 우리는 자본주의가 사회의 암 덩어리가 되지 못하도록 건강하게 관리하는 지혜를 배울 수 있어.
정의론
경제가 얼만큼 성장했느냐는 우리의 삶이 얼마나 건강한지 보여 주는 기준이 아니야. 정말 중요한 것들은 돈으로 환산되지 않기 때문이지.
꿈
사랑
정의
정의로운 사회 체제 속에서 우리는 건강한 시민이 되어야 해. 우리가 롤스의 《정의론》을 읽어야 하는 이유가 바로 여기에 있단다.
롤스의 정의론

사회 계약설이란?

사회 계약설은 17세기에서 18세기 사이에 유럽의 계몽주의 사상가들이 국가나 사회의 성립을 설명하기 위해 주장한 사회 이론이에요.

17~18세기는 혁명의 시대였어요. 갈릴레이나 뉴턴과 같은 위대한 과학자들이 이룩한 과학 혁명은 기술의 비약적인 발전을 가져왔어요. 그 결과 산업 혁명이라는 획기적인 사건이 일어났지요.

산업 혁명은 제조업의 생산성을 극대화시켰고, 상업과 금융업의 비약적인 발전을 이끌었어요. 그리고 부르주아 계급을 탄생시켰지요. 부르주아 계급은 의사, 교사, 변호사, 공무원처럼 전문적인 교육을 받은 사람들로, 상인이나 제조업자, 은행가 등과 같이 부유했어요. 이들이 더 많은 이익을 원하면서 사회는 자본주의적 질서와 구조로 재편되었어요. 이들이 갈망하는 대로 경제 구조를 바꾸기 위해 권력의 구조를 바꾸는 것은 물론, 구시대적인 생각도 모두 뜯어고쳐야 했지요.

부르주아 계급은 프랑스 혁명을 통해 앙시앵 레짐(Ancien régime), 즉 기존의 정치·경제·사회의 구체제를 타도하고 권력을 손에 쥐었어요. 이를 통해 절대 군주가 소수의 승려나 귀족 등과 결탁해 인구의 대부분을 차지하던 농민과 시민을 억압해 오던 정치 질서가 무너지게 되었지요. 이후 자신들이 손에 쥔 권력의 정당성을 확보해야 할 필요성을 느낀 부르주아 계급은 계몽주의 사상가들에게서 자신들의 권력을 정당화해 줄 이념을 발견했어요.

앙시앵 레짐을 풍자한 그림

홉스와 로크 그리고 루소와 같은 계몽주의자들은 '모든 인간은 천부의 권리를 가지는데, 자연 상태에서는 이러한 자유와 권리의 보장이 확실하지 않으므로 계약을 맺어 국가를 구성하고, 자신들의 권리를 국가에 위임한다.'라는 사회 계약설을 주장했어요. 이들은 사회 계약설을 통해 국가는 시민의 자유와 권리를 보장하기 위해 합법적으로 권력을 행사할 수 있지만, 만약 국가의 권력 행사가 시민의 자유와 권리를 침해할 경우에는 계약을 해지하고 국가 권력을 교체할 수 있다는 주장을 펼쳤지요. 그러나 사회 계약설은 역사적인 사실이 아니에요. 실제로는 힘이 강한 소수가 힘이 약한 다수를 억누르면서 국가가 만들어지는 경우가 대다수였거든요.

이전의 왕이나 귀족들은 자신의 권력을 정당화하기 위해 종교를 이용해 왔어요. 왕의 권한은 하늘이 부여한 것이기 때문에 정당하다는 식의 주장을 폈지요. 이러한 이념이 바로 왕권신수설이에요. 왕권신수설에 따르면 왕권은 신으로부터 주어진 것이므로 왕은 신에 대해서만 책임을 지며 백성은 저항 없이 왕에게 절대 복종해야 해요. 그러나 과학과 이성이 지배하는 17~18세기로 접어들자 신이 인정한 사람이기에 무조건 복종해야 한다는 주장은 받아들여지지 않았지요.

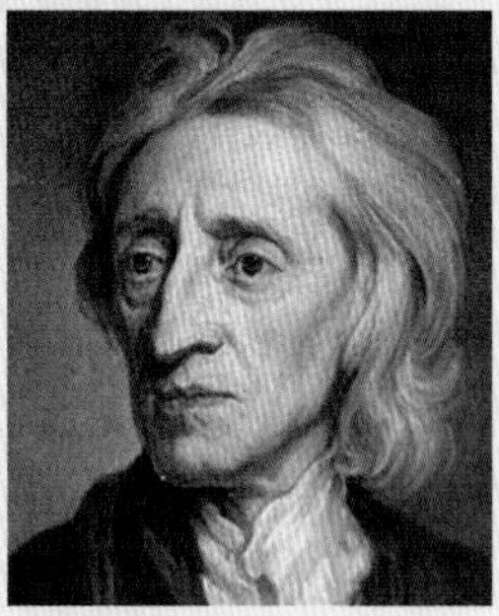
존 로크(1632~1704)

사회 계약설에 따르면 모든 인간은 합리적인 이성을 지니며, 그 누구도 침범할 수 없는 인권을 지니고 있어요. 사회 계약설을 주장하는 계몽주의자들은 국가 권력을 계약된 합의로 설명하면서 이성을 지닌 개인들이 자신들의 안전과 이익을 도모하기 위해 합의를 거쳐 국가에 권력을 양도했다고 주장해요.

장 자크 루소(1712~1778)

당시 사회 계약설은 각 개인의 존엄성을 존중하면서도 국가 권력의 근거를 합리성에 두었기 때문에 신분적 특권이 없는 시민들에게 큰 환영을 받았어요. 또한 부당한 국가 권력을 단호히 교체할 수 있다는 점에서도 억압당하던 사람들에게 큰 호응을 얻었지요.

로크와 루소, 몽테스키외, 볼테르 그리고 토머스 제퍼슨 등의 계몽주의 사상가들은 모두 독단적이고 권위주의적인 국가를 비판하면서 자연권에 기초를 둔 정치적 민주주의를 꿈꿨어요. 사회 계약설에 기초한 계몽주의는 영국 명예혁명, 프랑스 혁명, 미국 독립 혁명 등 시민 혁명을 일으키는 원동력이 되기도 했답니다.

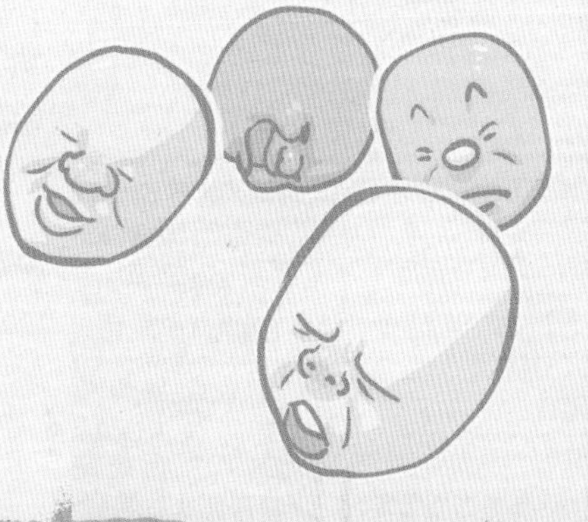

공리주의란?

우리는 살아가는 동안 수많은 선택의 순간들과 마주해요. 대학에 진학할 때 어떤 전공을 선택할 것인지, 어떤 사람과 결혼할 것인지와 같이 인생의 방향을 결정하는 중요한 선택부터 오늘 저녁의 메뉴나 옷 색깔을 결정하는 것과 같은 작은 일까지 우리의 삶은 수많은 선택의 연속들로 이루어지지요. 이는 사회나 국가도 마찬가지예요. 세금을 어느 정도로 걷을 것인지, 선거 제도를 어떻게 바꿀 것인지 등 다양한 현안들 앞에서 정책의 방향을 선택해야 하지요.

모든 선택에는 기준이 있어요. 직업을 선택할 때도 어떤 사람은 자신의 적성과 잘 맞는가를 먼저 따지지만 어떤 사람은 연봉을 최우선으로 두지요. 적성이나 보수 같은 것들이 바로 선택의 기준이 되는 거예요. 사회나 국가 역시 성장을 중시하느냐, 분배를 중시하느냐에 따라 경제 정책이 달라져요. 안정을 중시하느냐, 개혁을 중시하느냐에 따라 정치적 방향도 달라지지요.

이처럼 다양한 선택의 기준들 중에서도 우리의 삶에 가장 강력하게 영향을 미치는 기준 중 하나는 바로 효용성이에요. 공리주의는 효용성을 계산해 가장 만족스러운 결과를 선택해야 한다고 주장하는 이론이랍니다.

공리주의는 모든 가치를 쾌락과 고통의 틀로 해석해요. 그리고 계산을 통해 쾌락이 가장 높게 측정되는 상태를 개인적 혹은 사회적 효용이 가장 극대화되어 있는 선한 상태로 보지요. 예를 들어 시험을 앞둔 학생이 주말에 친구와 영화를 볼지, 공부를 할지 정한다고 할 때 그 학생은 각각의 경우에 자신이 얻을 쾌락과 고통을 계산해 볼 거예요. 영화를 보면 주말을 즐겁게 보낼 수 있겠지만 공부를 하지 않았다는 죄책감과 시험에 대한 걱정 때문에 고통도 있을 거예요.

반면에 공부를 하면 죄책감과 시험에 대한 걱정은 줄어들겠지만 친구와 영화를 보는 즐거움은 포기해야 해요. 만약 영화를 본다면 친구와 영화를 보는 쾌락이 공부를 하지 않았을 때 오는 죄책감보다 컸기 때문이며, 공부를 한다면 주말을 충실하게 보냈다는 뿌듯함이 친구와 영화를 보는 즐거움보다 더 크게 측정되었기 때문이겠지요. 이렇듯 우리의 일상적인 선택에서도 공리주의는 강력하게 작용되고 있어요. 한마디로 공리주의는 효용지상주의라고 할 수 있어요.

대표적인 공리주의자로는 제레미 벤담과 존 스튜어트 밀이 있어요. 벤담은 '최대 다수의 최대 행복'을 가장 선하다고 주장하며 공리주의를 처음으로 주장한 사람이에요. 벤담은 신성함이나 초월적인 그 어떤 것이 아니라 물리적 감각, 즉 쾌락과 고통에서 윤리의 근거를 찾았어요. 윤리학의 역사상 맨 처음으로 종교와 무관하고 철저하게 세속적인 윤리 이론을 만든 거예요. 그러나 벤담의 주장은 '돼지의 철학'이라는 비웃음을 들어야 했어요. 사람들은 단순히 쾌락만을 추구하는 인간은 돼지와 다를 바가 없다며 벤담의 주장을 비판했지요.

제레미 벤담(1748~1832)

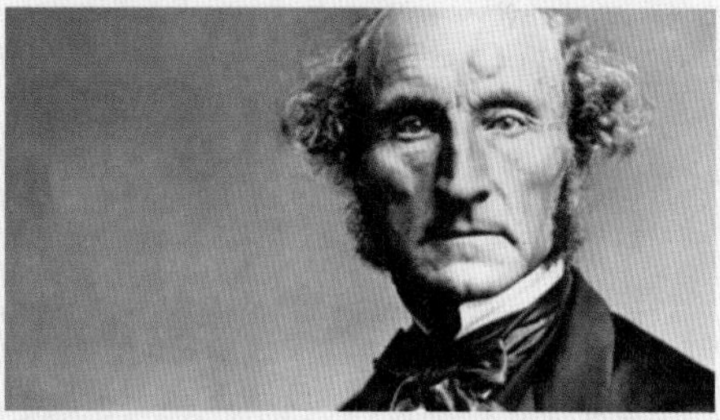
존 스튜어트 밀(1773~1836)

이러한 비판에 대응하기 위해 밀은 쾌락의 질적인 차이를 주장하며 벤담의 사상을 수정했어요. 밀은 인간이 동물보다 질적으로 높고 고상한 쾌락을 추구한다고 주장했어요. 만족한 돼지가 되는 것보다는 불만족한 인간이 되는 것이 좋고, 만족한 바보보다는 불만족한 소크라테스가 좋다며 벤담의 공리주의가 가진 한계를 극복하려 했지요. 이러한 밀의 사상은 벤담의 '양적 공리주의'와 구분해 '질적 공리주의'라고 불린답니다.

그러나 효용을 절대시하는 공리주의는 인권이나 평등과 같은 문제들을 간과하기 쉬워요. 인권이 억압받고 평등의 가치가 훼손될 때 정의로운 사회는 성립될 수 없어요. 효용성만이 모든 척도가 된 사회는 인간을 억압하고 인간관계를 병들게 하기 때문이에요. 따라서 사람들이 인간답게 살아가기 위해서는 정의로운 사회가 필요해요. 우리가 롤스의 이론을 살피고 거기서 교훈을 찾는 것도 바로 공리주의를 극복하고 정의의 논리를 세우기 위해서랍니다.

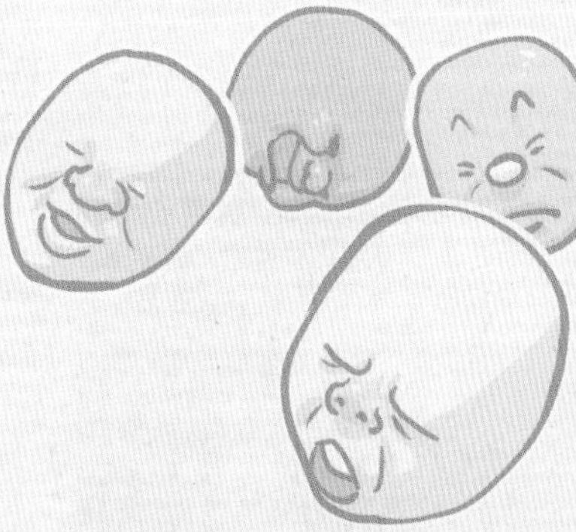

자유주의와 신자유주의

마거릿 대처(1925~2013)

2008년에 세계 금융 위기가 닥치면서 신자유주의의 기세는 조금 수그러드는 듯 보였어요. 그러나 여전히 세계 경제를 지배하는 이념은 신자유주의예요. 영국의 마거릿 대처 총리와 미국의 로널드 레이건 대통령이 추진한 정책들이 바로 신자유주의의 대표적인 예랍니다. 신자유주의는 그 명칭만 보면 새로운 자유주의라는 의미로 읽히지만 사실 신자유주의는 고전적인 자유주의를 다시 회복하려는 이념으로 볼 수 있어요. 고전적 자유주의가 다시 힘을 얻으며 신자유주의라는 새로운 이름표를 붙이고 등장한 셈이지요. 그렇다면 자유주의는 어떤 사상일까요?

현대의 거의 모든 국가나 사회는 자유주의 사상을 기본으로 받아들이고 있어요. 자유를 맛본 사람은 결코 그 맛을 잊을 수 없다고 해요. 그만큼 인간에게 자유는 소중하고, 결코 포기할 수 없는 가치지요. 오랜 세월동안 사람들은 왕과 귀족들로 대표되는 봉건적 기득권과 그 질서의 속박 속에서 자유를 억압당해 왔어요. 그래서 역사는 인류가 봉건적 속박으로부터 벗어나 자신들의 자유를 되찾아 가는 과정을 통해 진보해 왔고, 자유주의는 자유를 향한 투쟁을 이끈 이념이었어요.

자유주의는 무엇보다 '개인의 자유'에 절대적인 가치를 부여해요. 그래서 자유주의 사상은 재산의 자유나 종교의 자유, 언론의 자유, 결사의 자유 등 개인이 누려야 마땅한 자유의 가치를 무엇보다도 우선시했어요. 그리고 이러한 자유주의의 정신은 프랑스 혁명을 통해 가장 강렬하게 표출되었지요.

애덤 스미스(1723~1790)

자유주의는 개인의 자유를 억압하는 모든 것을 반대하지만 그중에서도 경제 분야를 가장 강조해요. 절대 왕정 시절에는 국가의 철저한 개입 아래 모든 경제 활동이 이루어졌어요. 유럽의 각국들은 수출을 늘리고 자국의 산업을 보호하기 위해 각종 법적 규제를 두고 있었지요. 이러한 중상주의적 보호 정책을 가장 강하게 비판한 것은 애덤 스미스였어요. 애덤 스미스는 생산자와 소비자들에게 모든 것을 맡겨야 한다고 주장했어요. 국가가 개입하지 않고 시장에서 경제 주체들이 자유롭게 만날 때 '보이지 않는 손'에 의해 경제는 조화롭게 발전할 것이라고 주장했지요. 이러한 그의 생각을 가장 잘 표현한 말이 '레세-페르(Laissez-faire)'예요. 영어로는 'Let it be'와 같은 뜻으로, 그저 내버려 두라는 뜻이지요. 애덤 스미스는 사람들이 이기적으로 행동하더라도 보이지 않는 손이 모두에게 이익이 되는 접점을 찾을 것이라고 생각했어요.

WE DEMAND WINTER RELIEF
RELEASE US FROM HUNGER

대공황 때 겨울철 긴급 구호를 요구하는 사람들이 한 건물 앞에서 시위를 하고 있는 모습

자유주의는 점점 더 '돈 벌 자유'가 되어 갔어요. 모든 가치가 시장으로 빨려 들어갔고 자유라는 이름 아래 평등이나 인권과 같은 가치는 억눌리게 되었지요. 사람들은 돈을 벌 수만 있다면 다른 사람을 착취하고 이용하는 데 아무런 거리낌이 없었어요. 자유주의는 가난을 게으름의 결과라고 치부해요. 가난은 개인의 책임일 뿐, 그것이 사회의 구조적인 문제로부터 비롯되었다는 것을 인정하지 않지요. 자본가들의 무분별한 욕심은 생산의 과잉이라는 심각한 경제적 문제를 발생시켰어요. 더 많은 이익을 위해 자본가들은 더 많은 상품을 생산하려 했고, 심각한 양극화는 사람들의 소비력을 계속 약화시켰어요. 이는 결국 대공황이라는 사태로 귀결되었지요.

대공황 이후 자본주의 국가들은 시장을 통제하기 시작했어요. '돈 벌 자유'를 규제하기 시작한 거예요. 그러나 1970년대 중반부터 신자유주의라는 이름으로 또다시 '돈 벌 자유'를 주장하는 목소리가 높아지기 시작했어요. 오늘날 자유주의는 신자유주의라는 이름으로 자신의 왕좌를 되찾으며 세계 경제를 주도하고 있어요. 이제는 국가를 초월하는 글로벌 기업까지 등장해 그 어떤 국가보다 강력한 힘으로 우리의 삶에 영향력을 끼치고 있지요.

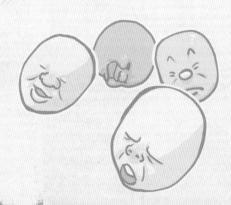

존 롤스 정의론

김면수 글 | 남기영 그림

01 《정의론》을 쓴 사람은 누구일까요?

① 노직 ② 존 롤스 ③ 드워킨
④ 매킨타이어 ⑤ 샌델

02 《정의론》에서 존 롤스는 17~18세기 로크나 루소 같은 계몽주의 사상가들이 근대 국가의 정당성을 설명하기 위해 도입한 이 가설의 전통을 되살려 냈습니다. 개인이 모여 계약을 통해 국가를 설립했다는 가정을 근거로 한 이 가설은 무엇일까요?

03 공정한 합의가 이루어지기 위해서는 어떤 조건들이 갖추어진 최초의 상황이 필요합니다. 존 롤스는 이 최초의 상황을 철학적으로 해석하기 위해 '원초적 입장'이라는 개념을 도입했는데, 이와 관련된 설명으로 틀린 것은 무엇일까요?

① 원초적 입장에서 합의된 원칙은 모두 정의로워야 한다.
② 원초적 입장에서 정해진 정의의 원칙은 절차적 정의이기도 하다.
③ 특히 존 롤스가 말한 절차적 정의는 순수한 절차적 정의이다.
④ 원초적 입장이 지니는 제한 조건에 따라 정의의 원칙이 합의된다면 그 원칙은 어떤 것이든 정의롭다.
⑤ 원초적 입장에 있는 사람들은 자신의 특수한 처지에 대해 잘 알고 있다.

04 존 롤스는 원초적 입장에 속한 계약 당사자가 가져야 할 두 가지 조건을 내세웠습니다. 각각은 무엇일까요?

---

05 FTA(자유 무역 협정)에 대해 아래와 같이 말하는 사람은 어떤 사고 방식을 가지고 있다고 할 수 있을까요?

FTA 체결 이후 값싼 농산물의 수입으로 농민들은 경쟁에서 밀려 생업을 포기해야 할 지경에 이르렀대.

하지만 어쩌겠어? 농부들을 제외한 다른 사회 전반에는 큰 경제적 이익이 있는데. 자동차와 휴대 전화 수출로 얻는 이익과 농산물 수입으로 얻는 손해를 계산해 따져 보면, 수출로 얻는 이익이 훨씬 크다고. 그러니 FTA는 잘 체결했다고 볼 수 있어!

① 민주주의 ② 집단주의 ③ 공리주의
④ 전체주의 ⑤ 개인주의

06 자유와 평등을 중요하게 여긴 존 롤스는 19세기 영국의 철학자 존 스튜어트 밀의 자유론에 자유주의적 사상을 계승했습니다. 그렇다면 밀이 주장한 자유의 기본 영역 세 가지는 무엇일까요?

---

06 내면의 자유, 개성에 맞는 삶을 살 자유, 결사의 자유
07 ③ : 공동체주의자들은 지나치게 개인의 이성을 신뢰하고 있는 존 롤스의 생각을 가장 문제라고 보았습니다.
08 제1원칙, 개개인이 평등한 기본적 자유의 체계에 대해 동등한 권리를 가져야 한다. 제2원칙, 사회적 . 경제적 불평등은 모든 사람들의 이익이 기대되고 모든 사람에게 개방된 직위와 직책이 부여되는 조건을 만족시켜야만 한다. / 09 ④
10 답변 예시) 존 롤스가 말한 정의가 옳은 정의라고 생각합니다. 개인의 자유라는 중요한 가치도 보장받아야 하지만 개인의 자유(인간답게 살 수 있는 자유)를 보장하려면 최소한의 조건이 필요합니다. 이를테면 의, 식, 주와 같은 것인데 그것이 없는 사람들은 기본적인 자유를 얻을 수 없습니다. 따라서 사회가 부의 재분배를 해야 합니다. 이 때문에 누군가는 자신의 개인 재산을 빼앗기는 불평등을 얻을 수 있으나, 멀리 보면 이 재분배가 다시 돌고 돌아 본인에게 돌아올 것이기에 모두의 행복을 위한 행위이므로 정의롭다고 생각합니다.

07 존 롤스의 《정의론》은 발표 이후 많은 곳에 영향을 주었지만 한편으로는 많은 비판을 받기도 했습니다. 그중 철학자 알래스데어 매킨타이어나 마이클 샌델은 공동체주의적 관점에서 존 롤스가 설정한 '무지의 베일 속 계약 당사자'를 비판했는데요. 그와 관련된 공동체주의자의 주장으로 틀린 것은 무엇일까요?

① 다양한 가치가 공존하는 현대 사회에서 단 하나의 이상적인 도덕적 관점은 한계를 지닌다.

② 사람은 타인과 같이 생활하며 옳고 그름을 배우기 때문에 공동체가 도덕의 핵심이다.

③ 계약의 당사자들은 자신의 이성적 능력을 통해 정의의 원칙을 이끌어 낸다.

④ 진정한 '나'는 내가 속한 환경과 공동체를 살펴야만 온전히 파악될 수 있다.

⑤ 공동체와의 연관성 속에서 자기 자신을 바라보는 상황적 자아만이 도덕적인 인간이 될 수 있다.

08 존 롤스가 말한 '공정으로서의 정의'를 구성하는 두 가지 원칙은 무엇일까요?

---

09 존 롤스의《정의론》에 대해 다음과 같이 비판한 사람들을 무엇이라고 부를까요?

부의 재분배를 위해 국가가 개인의 이익에 간섭하는 것이 정당하다고? 그건 개인의 소유권이라는 자유에 대한 명백한 침해야. 현대의 국가들이 행하는 소득과 부의 재분배는 위법이며 우리의 자유를 침해하는 일이야. 국가란 폭력, 절도, 사기 등으로부터 보호하는 기능과 계약을 이행케 하는 기능을 수행할 수 있을 뿐 개인의 재산에 대해 간섭할 권리는 없어. 그러한 국가를 '최소 국가'라고 부르기도 하지.

① 국가주의자 ② 최소주의자 ③ 공동체주의자
④ 자유지상주의자 ⑤ 재산주의자

10 존 롤스가 말한 정의에 대해 여러분은 어떻게 생각하나요? 그의 의견에 동의하는지, 혹은 반대하는지, 반대한다면 여러분이 생각하는 정의란 무엇인지 생각해 보세요.

____

____

____

정답

01 ② / 02 사회 계약론 : 사회 계약론은 각 개인이 계약을 통한 합의 과정을 거쳐 국가를 성립했다고 주장하는데, 이는 일종의 허구에 불과하기 때문에 사실로 입증이 어려워 20세기에 들어서는 크게 인정받지 못했습니다.
03 ⑤ / 04 첫 번째 조건 – 무지의 베일, 두 번째 조건 – 무관심한 합리성 : 롤스는 원초적 입장에 있는 계약 당사자들은 자신의 사회적 지위나 계층, 개성, 재능에 대한 정보를 가지고 있으면 자신의 이익을 극대화하기 위해 노력하여 정의의 원칙에 대한 합의에 이르지 못한다고 생각했습니다. 따라서 무지의 베일 속에 있어야 합리적으로 판단하고 합의가 가능할 수 있다고 보았습니다. 그리고 계약 당사자는 서로 시기심과 같은 부정적인 관심이 없으나, 동정과 같은 긍정적인 관심도 없는 상태여야 합니다.
05 ③ : 공리주의는 최대 다수의 최대 행복이라는 말과 상통합니다. 효율성을 모든 가치의 척도로 삼고 이익을 극대화하고 손해를 최소화하는 데 중점을 둡니다.